C0-AND-773

HAUSTEIN-BARTSCH (Hrsg.) · RUSSISCHE IKONEN – NEUE FORSCHUNGEN

Eva Haustein-Bartsch, Hrsg.

RUSSISCHE IKONEN NEUE FORSCHUNGEN

VERLAG AUREL BONGERS RECKLINGHAUSEN

BEITRÄGE ZUR KUNST DES CHRISTLICHEN OSTENS
Band 10

Die Deutsche Bibliothek – CIP-Einheitsaufnahme

Russische Ikonen : Neue Forschungen / Eva Haustein-Bartsch, Hrsg. – Recklinghausen : Bongers, 1991
(Beiträge zur Kunst des christlichen Ostens; Bd. 10)
ISBN 3-7647-0411-X
NE: Haustein-Bartsch, Eva [Hrsg.]; GT

Fotonachweis:
Constantin Beyer, Weimar: S. 183, 187, 190
Klaus G. Beyer, Weimar: S. 26, 27
Dia Fachstudio, Bonn: S. 151
Roland Dreßler, Weimar: S. 185, 191
Kunstsammlungen zu Weimar: S. 185, 191
U. Thuns: S. 140
Alle anderen Fotos stammen aus den Archiven der Autoren

Gedruckt mit Unterstützung der Deutschen Forschungsgemeinschaft
aus Sondermitteln des Bundesministeriums für Forschung und Technologie.

Gedruckt mit Unterstützung der Gerda Henkel Stiftung, Düsseldorf.

Lithographien: ReproGrafik GmbH Recklinghausen
Herstellung: Graphische Kunstanstalt Bongers Recklinghausen

Printed in Germany

ISBN 3-7647-0411-X

INHALT

VORWORT

Zur Tausendjahrfeier der Christianisierung der Rus' wurden 1988 vom Ikonen-Museum der Stadt Recklinghausen zahlreiche Veranstaltungen durchgeführt. Eine große Ausstellung unter dem Titel »Russische Heilige in Ikonen« aus Privat- und Museumsbesitz wurde begleitet von einem Vortragszyklus und einem Chorkonzert mit russischen liturgischen Gesängen. Der Höhepunkt jedoch war ein internationales Kolloquium zum Thema »Russische Ikonen – Neue Forschungen«, das vom 6.–8. Dezember in der Städtischen Kunsthalle – dem Ort der Ikonenausstellung – stattfand.

An diesem Kolloquium nahmen 14 Wissenschaftler aus fünf Ländern teil, von denen einige zum ersten Mal Gelegenheit hatten, die Bundesrepublik zu besuchen. Aus der Sowjetunion kamen Ol'ga V. Lelekova, Dr. Gerol'd I. Vzdornov und Nikolaj G. Bregman, alle drei vom Allunions-Institut für wissenschaftliche Restaurierung und Forschung (VNIIR) in Moskau, sowie Igor A. Kočetkov von der Moskauer Tret'jakov-Galerie, die bekanntlich die bedeutendste Sammlung russischer Ikonen beherbergt. Aus der ehemaligen DDR konnten Prof. Dr. Dr. h. c. Konrad Onasch (Halle/Saale), der große spiritus rector der deutschen Ikonenforschung, sowie Prof. Dr. Hubert Faensen (Humboldt-Universität Berlin) und Prof. Dr. Heinrich Nickel (Martin-Luther-Universität Halle) kommen. Frankreich war mit Frau Prof. Dr. Tania Velmans aus Paris und die Niederlande mit der in Amsterdam tätigen Ikonenrestauratorin Zusana Skálová vertreten. Als Referenten aus der Bundesrepublik und West-Berlin konnten wir Prof. Dr. Rainer Stichel (Universität Münster), Prof. Dr. Hans-Jürgen Drengenberg (Freie Universität Berlin), Ivan Bentchev (Landesdenkmalamt Bonn) und last not least Prof. Dr. Victor H. Elbern (Berlin) gewinnen, der die angeregte Diskussion nach den einzelnen Referaten leitete.

Vladimir Ivanov, Vertreter des Exarchats der Russischen Orthodoxen Kirche in Ost-Berlin und Schriftleiter der Zeitschrift »Stimme der Orthodoxie« sprach die einführenden Worte über die Zusammenhänge zwischen Liturgie und Ikonenmalerei.

Das Kolloquium, an dem als Zuhörer zahlreiche Wissenschaftler und Ikonenliebhaber teilnahmen, war die erste internationale Tagung in der Bundesrepublik, die ausschließlich der Forschung über russische Ikonen gewidmet war. Aber sie war nicht die erste wissenschaftliche Tagung über Ikonen in Recklinghausen. Dreißig Jahre zuvor, am 23. und 24. September 1958 fand im Anschluß an den Münchener Internationalen Byzantinistenkongreß eine Tagung in Recklinghausen statt, die Heinz Skrobucha, der langjährige Leiter des Ikonen-Museums, organisiert hatte. Damals konnten die sowjetischen Forscher der Einladung nicht folgen. An den beiden Tagen referierte Prof. Dr. Helge Kjellin (Schweden) über »Malschulen und Werkstätten der russischen Ikonenkunst«, Dr. Walter Loeschcke (Berlin-West) brachte »Neue Beiträge zur Ikonographie des tierköpfigen heiligen Christophoros«, während Dr. H. Michaelis (Ost-Berlin) mit seinem Beitrag »Tierköpfige Darstellungen des heiligen Christophoros in Bulgarien« einen Teilbereich dieser interessanten und seltenen Heiligenbilder beleuchtete, die im Ikonen-Museum mit relativ zahlreichen Exemplaren vertreten sind. Prof. Dr. Svetozar Radojčić aus Belgrad sprach über die

»Malschulen und Werkstätten der serbischen Ikonenkunst« und Prof. Dr. Dmitrij Tschižewskij (Heidelberg) über »Zeitgenössische Quellen zum Wandel der Ikonenmalerei Rußlands im 16. und 17. Jahrhundert«.
Prof. Dr. Drengenberg, der als Student an jener Tagung teilgenommen hatte, verstand seinen Beitrag, der sich ebenfalls mit der Ikonographie des heiligen Christophoros kynokephalos beschäftigte, als eine Hommage an seinen Lehrer Walter Loeschcke. Wir bedauern es daher sehr, daß es ihm wegen zahlreicher anderer Verpflichtungen nicht möglich war, sein Referat für die Publizierung in diesem Band zu bearbeiten. Ebenfalls nicht aufgenommen werden konnte das Referat von Prof. Dr. Rainer Stichel über die Gestalt des greisen Hirten vor Joseph in Darstellungen der Geburt Christi, da es innerhalb seines Buches über »Die Geburt Christi in der russischen Ikonenmalerei« (Stuttgart 1990) veröffentlicht wurde (S. 124–132).
Wir freuen uns, daß wir nun alle anderen Beiträge zur Geistesgeschichte, Stilentwicklung und Restaurierung russischer Ikonen, zu ikonographischen Themen und dem Problem der Fälschungen allen interessierten Lesern vorlegen können. Ich möchte an dieser Stelle noch einmal allen danken, die die Durchführung des Kolloquiums und den Druck der Beiträge unterstützt haben. Hier ist vor allem die Deutsche Forschungsgemeinschaft zu nennen, ohne deren finanzielle Unterstützung beides nicht möglich gewesen wäre, sodann die Referenten, die sich spontan bereiterklärt haben, einen Beitrag zu leisten und uns dann ihre für den Druck überarbeiteten Manuskripte sowie Fotomaterial überlassen haben.
Auch im Namen des Direktors der Städtischen Museen, Dr. Ferdinand Ullrich, der für die Durchführung der Tagung verantwortlich war, danke ich den Mitarbeiterinnen und Mitarbeitern der Kunsthalle und des Ikonen-Museums Recklinghausen für ihre Hilfe bei der Bewältigung der organisatorischen und technischen Aufgaben. Ein großer Dank geht auch an die Gesellschaft EIKON, den Förderverein des Ikonen-Museums, und an ihren Vorsitzenden Lothar Mikus, der mit großem persönlichem Engagement für einen festlichen Rahmen der Veranstaltung sorgte.
Daß die vorliegende, lang erwartete Publikation der Tagungsbeiträge erst jetzt, nahezu drei Jahre nach dem Kolloquium erscheinen konnte, ist allein dem leidigen Finanzierungsproblem zuzuschreiben. Für Zuschüsse sind wir außer der Deutschen Forschungsgemeinschaft der Gerda Henkel Stiftung in Düsseldorf zu großem Dank verpflichtet. Dem Verlag Aurel Bongers ist zu danken für die Bereitschaft, das Projekt zu realisieren und es als Band 10 der Reihe »Beiträge zur Kunst des christlichen Ostens« in gewohnt hervorragendem Druck und mit einem umfangreichen Abbildungsteil herauszubringen.

Eva Haustein-Bartsch

Konrad Onasch

INTELLIGIBILITÄT UND SPIRITUALITÄT · ZUR SOZIOLOGIE DER ALTRUSSISCHEN IKONE

Die altrussische Ikone, wie das orthodoxe Kultusbild, die »eikon«, überhaupt, ist ein Wanderer zwischen den beiden Welten des Gedanklich-Unsinnlichen und des Materiell-Sinnlichen, des »kosmos noetos« und des »kosmos aisthetos«. Daraus ergibt sich zunächst eine grundsätzliche und das Wesen der »eikon« bestimmende Einsicht: Wirklichkeit und Wahrheit (griech. aletheia) sind nicht primär im materiell-sinnlichen Kosmos zu finden, sondern ausschließlich im gedanklich-intelligiblen. Oder anders gesagt: Sinnlich-materielle Wirklichkeiten existieren danach nur, insoweit sie aus dem »kosmos noetos«, dem »mundus intelligibilis«, ableitbar sind. Diese Theorie steht im Gegensatz zur modernen, anthropozentrischen und in Richtung auf »freischaffende« künstlerische Genialität hin orientierten Auffassung von Kunst. Auf der anderen Seite läßt sich zwischen beiden eine Brücke bauen, wenn man sich der Worte Hegels aus seiner »Ästhetik« erinnert: ». . . ohne Nachdenken bringt der Mensch sich das, was in ihm ist, nicht zum Bewußtsein, und so merkt man es auch jedem großen Kunstwerk an, daß der Stoff nach allen Richtungen hin lange und tief erwogen und durchdacht ist«[1], ein Wort, das auf die Meisterwerke der altrussischen Ikonenmalerei zutrifft.
Die soeben skizzierte Weltanschauung ist schriftlich formuliert worden in dem unter dem Hagionym des Dionysios Areopagites bekannten Schriftenkorpus. Nun sind diese Schriften in Byzanz, mit Ausnahme der Spätphase, nur wenig verbreitet gewesen, »weil sich niemand fand, der in der Lage gewesen wäre, seine in einem obskuren Stil geschriebenen abstrusen Theorien allgemein verständlich zu machen« wie Irenée Hausherr einmal etwas bissig sagt, indem er aus seiner tiefen Abneigung gegen den Areopagiten keinen Hehl macht. Wie dem auch sei, wenn sich der Einfluß des corpus areopagiticum auch nicht immer punktuell-historisierend nachweisen läßt, sein Symbol- und Zeichenkosmos umgab den spätantiken und byzantinischen Christen jeden Tag, ohne daß er je einen Blick in diese Schriften zu tun brauchte. Im Gegensatz zum aufwendigen Symbolapparat des Neuplatonismus zeichnet sich das areopagitische Erkenntnissystem durch die Durchschaubarkeit seiner hierarchischen Strukturen aus.
Uns interessieren sie hier in ihrem sozietären Charakter. Jede hierarchische Stufe verhält sich hinsichtlich ihrer Intelligenz zur nächsthöheren nach dem Gesetz, daß die Ähnlichkeit zwischen ihnen niemals größer sein darf als die Unähnlichkeit. Das gilt sowohl für die himmlische wie für die kirchlich-irdische Hierarchie. Beide sind eine sich stufenweise und analog mitteilende *»eikon«* der göttlichen Herrschaft, der *»thearchia«*. Sie zeichnen sich inmitten einer instabilen, sich ständig verändernden Welt aus durch eine »unbewegliche und unveränderliche Identität mit

1 G. W. F. Hegel: Vorlesungen über die Ästhetik, Berlin 1955, S. 291.

sich selbst« (akinetos kai ametóbalos tautotes), deren Identifikator in der kirchlichen Hierarchie der Bischof (hierarches) ist, insofern seine Stellung innerhalb der kirchlichen Hierarchie sich analog zu der Christi in beiden Hierarchien verhält. Das sich daraus ergebende Gedankenmodell, nach dem sich kirchliche Sozietät formt, hat René Roques so wiedergegeben: »Cet ordre est d'abord *social, visible, et,* en quelque manière, *materiel.* Il place le sujet dans une *situation très déterminée*, lui impose des *fonctions très exactes* et des *dependances très précises.* Il constitue une *hiérarchie de classes* aux tâches exactement réparties, rigoureusement convergantes et parfaitement unifiées, qui doivent organiser, administrer et gouverner efficacement la hiérarchie ecclésiastique. Voilà pour l'extérieur . . . A l'intérieur de ces cadres la tâche essentielle reste de *promouvoir la sainteté des ministres et des fidèles, en organisant l'éducation spirituelle qui rendra la hiérarchie capable et digne de recevoir les sacrements«.*[2]

In der Ausformung dieses Gedankenmodells mit seiner Einheit von Intellektualität und Spiritualität in Gestalt der irdischen Kirche und ihrer Hierarchie mit ihrem von jenem abgeleiteten nahezu perfekten inneren und äußeren Identitätsgefüge nimmt das Bild im allgemeinen und die Ikone im besonderen eine zentrale Stellung ein, wie sie in dieser Weise dem Westen unbekannt geblieben ist. Wir können im folgenden nur in Form von Thesen einige Aspekte und Elemente einer Soziologie der altrussischen Ikonenmalerei vortragen.

Das gedankliche Teilmodell einer »éducation spirituelle« manifestiert sich kirchenrechtlich in der Lehrautorität des Bischofs, seiner *»exusia didaktike«*, russisch: *»vlast' učenija«.*[3] Die beiden wichtigsten Mittel dieser Lehrautorität neben der Predigt sind der Kirchengesang und die Kirchenmalerei, die damit zu Instrumenten der Lehrinformation werden. Daraus wiederum ergibt sich eine Reihe von Folgerungen und Aspekten, von denen wir hier nur ihre wichtigsten anführen wollen.

1. Intelligibilität und spirituelle Intellektualität[4] der orthodoxen Bilderwelt finden ihren folgerichtigen Ausdruck in ihrer Semiozität, ihrer Zeichensprache, wie sie von *B. A. Uspenskij* dargestellt worden ist.[5] Seine Arbeiten haben uns, über ihre unmittelbare Thematik hinaus, wichtige Einsichten in den sozietären Charakter der altrussischen Ikone vermittelt. Entsprechend der gemeinsamen Aufgabe von Hymnographie und Ikonographie, Lehrinformation zu vermitteln – und keine unklaren religiösen Gefühle –, darf ein Gesetz aufgestellt werden: Kein Bild ohne Text. Anders gesagt: Die Ikone wird wie ein Ideograph gelesen. Dabei dienen dieselben Texte zugleich auch der Bildinterpretation und besitzen kirchliche Lehrautorität, weil sie sich ihrerseits auf

2 René Roques: L'Univers Dionysien. Structure Hiérarchique du Monde selon le Pseudo-Denys, Paris 1954, S. 282, Sperrungen im Text. Vgl. auch H. Goltz: HIERA MESITEIA. Zur Theorie der hierarchischen Sozietät im Corpus Areopagiticum, Erlangen 1974; K. Onasch: Die Ikonenmalerei. Grundzüge einer systematischen Darstellung, Leipzig 1968, Kap. I, S. 4–6.

3 K. Onasch: Kunst und Liturgie der Ostkirche in Stichworten unter Berücksichtigung der Alten Kirche, Leipzig 1981 (Wien, Köln, Graz 1981), Art. »Bischof«.

4 K. Onasch: Die »intellektuelle Mystik« der Ikone, in: Zeitschrift für ostkirchliche Kunst. Hermeneia, 3. Jg. 1987, S. 126–130.

5 B. Uspensky: The Semiotics of the Russian Icon, Lisse 1976; ders.: Zur Semiotik der Ikone, in: Semiotica Sovietica 2, Aachen 1986, S. 755–825; vgl. auch die These von Chr. Walter, »that sacred art is primary functional and conceptualist; aesthetic values are subordinated in it to the needs of cult and the communication of ideas«, in: Art and Ritual of the Byzantine Church, London 1982, S. 1 f.

Bibel- und Vätertexte beziehen oder Konzilsversammlungen darstellen. Diese Zusammenhänge machen einsichtig, daß die Ikone als Bildtext sich selbst interpretiert und keiner Fremdinterpretation bedarf. Die »indirekte theologische Materialzufuhr« (H.-G. Beck) durch regelmäßigen Besuch der Liturgie versetzt den Betrachter-Beter einer Ikone durchaus in die Lage, die geschilderte Beziehung zum Bild und seinem ikonographischen Kanon herzustellen.

In diesem Zusammenhang möchte ich auf die herrliche Großikone der »Verkündigung von Ustjug« (Ustjužskoe Blagoveščenie) verweisen. Das jedenfalls in der damaligen Zeit des 12. Jahrhunderts unikale Motiv des Christuskindes im Leibe der Gottesmutter findet jetzt eine einleuchtende Erklärung. Wie der jüngst von Hans Rothe und Antonin Dostál herausgegebene, im 11./12. Jahrhundert im Novgoroder Raum geschriebene altrussische Kondakar' zeigt, wurde damals der Akafist (Akathistos-Hymnos) am 25. März gehalten, dem Tag der Verkündigung der Gottesmutter.[6] In dieser Handschrift heißt es im 4. Oikos: »Der Vorsteher der Engel ward vom Himmel gesandt, zu sprechen zur Gottesgebärerin: 'Freue dich', und wie er schaut, daß du Fleisch geworden bist (vъploščьsa sę vižju tę), verwunderte er sich und rief zu ihr: '. . . freue dich, denn du bist der Thronsitz des Königs (jako jesi cesarevo sedališče); . . . freue dich, Schoß der göttlichen Fleischwerdung (utrobo bozьstvьnaago vъplъščenija) . . .« Der Maler hat also nicht aus freier Phantasie dieses Motiv »erfunden«, sondern hat sich streng an diese Texte des Akafist gehalten. Dabei ist die charakteristische Schauspielerhaltung der heiligen »Akteure« bemerkenswert. Sie wenden ihre Antlitze nicht zueinander, sondern zum Beter-Beschauer hin, damit dieser die zwischen der Gottesmutter und dem Erzengel Gabriel ausgetauschten Dialogtexte sozusagen »audiovisuell« verfolgen kann. Auf die kirchen- und gesellschaftspolitischen Zwischenbeziehungen der Ikone kann hier nicht mehr eingegangen werden. Es mag genügen, daß der wahrscheinliche Auftraggeber, der Fürst Vsevolod Mstislavič (gest. 1138), den die Novgoroder zum Rücktritt zwangen, als Taufnamen den des Erzengels auf der Ikone, Gabriel, führte. Oder, daß die Unikalität des Motivs auf die intensive Beschäftigung Novgoroder Klöster mit der byzantinischen Hymnographie und Hymnologie jener Zeit zurückzuführen ist.

Abb. S. 12

2. Die ikonische Lehrinformation verbindet die orthodoxen Gläubigen miteinander, d. h. sie stellt die Identität zwischen ihnen und der kirchlichen Sozietät und umgekehrt her. Bedenkt man, daß von den autokephalen Kirchen, aber auch innerhalb dieser – wie z. B. der russischen – außerordentlich weite geographische Räume im Sinne der episkopalen »exusia didaktike« verwaltet werden mußten, dann war es notwendig, das Kultusbild als eines der wichtigsten Instrumente derselben so zu entwickeln, daß es von jedermann, an jedem Ort und zu jeder Zeit »lesbar« war. Wir nennen diese Erscheinung die »Ubiquität« der orthodoxen Bilderwelt. Dabei kam es natürlicherweise zu Modifikationen innerhalb des ikonographischen Kanons. Soweit sie innerhalb des ethnisch-kulturellen Bereiches lagen, gaben sie keine Veranlassung zur Beunruhigung, im Gegensatz zu Abweichungen vom vorgeschriebenen dogmatischen Kanon.

6 Hans Rothe/Antonin Dostál (Hg.): Der altrussische Kondakar'. Auf der Grundlage des Blagoveščenskij Nižegorodskij Kondakar', 4. Bd., Gießen 1979, S. 181.

Verkündigung von Ustjug, 2. Hälfte 12. Jahrhundert, Tret'jakov-Galerie Moskau

3. Die Wirksamkeit der Ubiquität wird unterstützt und garantiert durch die Konstanz der ikonographischen Schemata, die ihrerseits erreicht wird durch im Laufe der Zeit festgelegte Standardmodelle. Diese entwickelten sich in frühbyzantinischer Zeit zunächst als mündliche Tradition, später durch schriftliche Fixierungen, um schließlich in den Malerbüchern (podlinniki) zusammengefaßt zu werden.[7] Diese Entwicklung ist nicht vorstellbar ohne die parallel verlaufende, im einzelnen sehr komplizierte Entfaltung dessen, was man das »hermeneutische Bewußtsein« der kirchlichen Sozietät nennen kann. Eine wichtige Phase dieser Entwicklung bildete bekanntlich der Abschluß des Bilderstreites und die langsame Formierung ikonographischer Kanones, die von der russischen Kirche weitgehend – wenn auch nicht ausschließlich – übernommen wurden. Dabei mußte das Prinzip der Ubiquität eingehalten werden, weshalb die Herausarbeitung neuer Bildschemata, nicht nur für die Ikonen- sondern auch für die Miniatur- und Monumentalmalerei, ihre Zeit brauchte und nicht überstürzt werden durfte. Daß es im Kirchengesang zu analogen Erscheinungen kam, zeigt die Bedeutung beider Kunstbereiche als Medien der Lehrinformation aufs neue.

Aus den wie gesagt sehr komplizierten Wechselbeziehungen zwischen dem »hermeneutischen Bewußtsein« der Kirche und ihrer Gemeinden und der Herausbildung eines ikonographischen Kanons möchte ich hier nur eine signifikante Erscheinung herausgreifen und an einem klassischen Denkmal der altrussischen Ikonenmalerei demonstrieren. Es handelt sich um die Reduzierung, oder besser Minimierung episch-aufwendiger (redundanter) Darstellungen. Dafür ließen sich nicht wenige Beispiele anführen, von denen ich nur die berühmte Ikone des »Entschlafens der Gottesmutter« (Uspenie Bogomateri) Feofan Greks nennen möchte. Auch die Art und Weise, wie die Ikonographie der »Synaxis der Gottesmutter« (Sobor Bogomateri) die der »Geburt Christi« hermeneutisch erweitert, wäre hier zu erwähnen.

Das eindrucksvollste Beispiel bleibt aber die »Dreifaltigkeit« (Troica) Andrej Rublevs. Durch Minimierung der epischen Elemente der Philoxenia wird eine Bildformel erreicht, die man als »dogmatisches Telegramm« bezeichnen darf. Durch intensive gedankliche Konzentration des Trinitätsdogmas auf das mit dem Golgathaopfer als Prototyp verbundene eucharistische Opfer, das seinerseits unausgesprochen auf den Bischof als Inhaber der »exusia hieratike«, der »vlast' svjaščenija« hinweist, wird das betont, was Epifanij Premudryj, ein Zeitgenosse Rublevs, so formuliert hat: die *eine* Gottheit, *eine* Kraft, *eine* Gewalt, *eine* Herrschaft der dreihypostatischen Gottheit« (triypostasnago božestva edina sila, edina vlast', edino gospodstvo«.[8]

Die kultivierte intellektuelle Spiritualität dieser Leistung findet sich in derselben Weise in der gleichzeitigen hochragenden Bilderwand, dem Ikonostas.[9] In unserem Zusammenhang soll nur gesagt werden, daß das genau durchdachte Bildprogramm dieses liturgischen Baukörpers in Verbindung mit der Vorstellung von der Epiklese himmlischer und irdischer Hierarchien zum Vollzug des eucharistischen Opfers hinter ihm eine »Summa Theologiae ecclesiae orientalis«

7 H. Torp: The Integrating System of Proportion in Byzantine Art. An Essay on the Method of the Painters of Holy Images, Rom 1984.

8 A. I. Klibanov: Reformacionnye Dviženija, Moskau 1960, S. 160.

9 Jetzt auch N. Labrecque-Pervouchine: L'Iconostase: Une évolution historique en Russie, Montréal 1982.

darstellt, wobei die gedankliche Analogie hinsichtlich des eucharistischen Opfers zur »Troica« ebensowenig übersehen werden sollte wie die Repräsentation der kirchlichen Hierarchie mit ihrem Anspruch auf die »vlast' učenija«. Auf die Tatsache, daß es sich bei der »Troica«, dem Ikonostas und dem anthropomorphen Trinitätsbild des »Otečestvo« (Vaterschaft) um Reaktionen der Kirche auf antihierarchische (nicht antitrinitarische!) Bewegungen der gleichen Epoche handelt, bin ich ausführlich anderen Orts eingegangen.[10]

4. Um das Identitätsgefüge der orthodoxen Sozietät mit Hilfe des Bildes konstant zu halten, war es notwendig, die Malerwerkstätten dem Gesamtsystem zu integrieren.[11] Im Hinblick auf die Repräsentanz der Kirche durch den Bischof ist in diesem Zusammenhang die Bestimmung des »Stoglav« von 1551 interessant, daß »der Erzbischof und der Bischof in allen Städten, Dörfern und Klöstern innerhalb ihres Aufsichtsbereiches die Ikonenmaler zu beaufsichtigen (ispytovati) und ihre Malerei selbst zu inspizieren (smotriti) haben. Sie sollen aus den Malern (živopiscy) die besten Meister auswählen und anordnen, daß sie über alle Ikonenmaler (ikonniki) die Aufsicht führen, damit es unter ihnen keine Üblen und Unanständigen gibt«.[12] Der Text macht deutlich, daß die russische Malerwerkstatt im Mittelalter verwaltungsmäßig eine Art »Büro für bildhafte Lehrinformation« des Bischofs gewesen ist. Bis heute ist eine Ikone erst dann liturgiewürdig, wenn sie vom Bischof oder einem von ihm Beauftragten die Weihe erhält, die eine Prüfung ihres ikonographischen Kanons einschließt. Hinsichtlich der Arbeitsdisziplin einschließlich arbeitsteiliger Kooperation der Mitglieder gehörte die Malerwerkstatt zum Typus der »small groups« mit ihren internen sozialen Problemen. Auf keinen Fall darf sie mit einem modernen Künstleratelier und seiner Atmosphäre »freischaffender« Genialität verwechselt werden. Der »Stoglav« und andere altrussische Quellen machen die wirkliche psychologische Situation jener Werkstätten einsichtig, wenn sie darüber klagen, daß die Maler »streitsüchtig« (svarlivye) und »mißgünstig« (zavislivye) seien. Auf der anderen Seite genoß der Ikonenmaler, weil er die »heilige Ikone als vorschriftsmäßiges Abbild« (za to čestnoe ikonnoe soobraženie) malte, hohes Ansehen. Bei Nichteinlösung der durch Sozietät und Gesellschaft ausgelösten Rollenerwartung erfolgten Sanktionen, die von Bußübungen (vor allem in Klosterwerkstätten) bis zur Exkommunikation reichten.[13] Wie das bei sozietären Systemen mit nahezu perfekter Identität und Selbstdarstellung so ist: war ein Hierarch Innovationen gegenüber aufgeschlossen, dann konnte seine Malerwerkstatt auch progressive Tendenzen haben, die der Hierarch mit seiner »duchovnaja vlast'« auch durchzusetzen vermochte, man denke nur an den Metropoliten Makarij.

10 K. Onasch: Identity Models of Old Russian Sacred Art, in: Medieval Russian Culture, hg. von H. Birnbaum und M. S. Flier, Berkeley, Los Angeles, London 1984, S. 175–205.

11 Vgl. N. Luhmann: Funktion der Religion, Frankfurt a. M. 1982, S. 242: »Den Integrationsbegriff wollen wir negativ definieren als Vermeidung des Umstandes, daß die Operationen eines Teilsystems in einem anderen Teilsystem zu unlösbaren Problemen führen«, d. h., daß Destabilisierung (»Unordnung«) in einer Malerwerkstatt zur Minderung der Qualitätskonstante führen und damit negative Auswirkungen innerhalb der kirchlichen Sozietät auslösen kann.

12 Stoglav, hg. v. D. E. Kožančikova, Sankt Peterburg 1863 (Slavic Reprint).

13 Vgl. ausführlich bei Onasch: Ikonenmalerei (Anm. 2), S. 117–120.

Pelená (Ikonenvorhang), um 1501, Historisches Museum Moskau

5. Zu der unter Punkt 3 erwähnten Reaktion der Kirche auf häretische Provokationen soll hier unter dem Gesichtspunkt der bildhaften Lehrinformation in aller Kürze auf eine Bemerkung von *Sinding-Larsen* hingewiesen werden, durch die m. E. ein noch kontrovers behandeltes Problem einer befriedigenden Lösung zugeführt werden kann: »New demands and unaspected deviations from norms through history have quickly resulted in iconographical adjustments so as to keep the system in balance . . . The system is thus provided with adjusting feedback mechanism.«[14] Dieser »feedback mechanism« erklärt z. B. die Reaktion der Kirche in mittel- bis spätbyzantinischer Zeit auf die mariologische Häresie der Bogomilen und anderer spätmanichäischer Bewegungen in Gestalt neuer Typen der Gottesmutterbilder mit Kind, unter ihnen vor allem der »Pelagonitissa«; auffällige Innovationen, die weder vom modern-ästhetischen noch vom kunsthistorischen Standpunkt alleine interpretiert werden können.[15]

6. Zum Schluß möchte ich noch auf eine Erscheinung eingehen, die ich den »Bildkonkordat« zwischen Kaiser- bzw. Zarenmacht und orthodoxer Kirche nennen möchte. Dazu sind einige, wenn auch kurzgefaßte Bemerkungen notwendig. Die Beziehungen zwischen den beiden Sozietäten von Staat und Kirche im byzantinisch-slavischen Bereich sollen hier als positives Konkurrenzverhältnis beschrieben werden[16], im Gegensatz zum Westen mit seinem negativen bis gegenseitig aggressiven Konkurrenzverhältnis. Daraus ergibt sich, daß die Darstellungen des Kaisers in seinem Gottesgnadentum mit deutlich byzantinischen Zügen im Westen eine mit dem Papsttum offensiv konkurrierende Repräsentanz zum Ausdruck bringen wollten.[17]
Im Osten hat sich dagegen dieses Verhältnis zwischen Kaisermacht und Patriarchatskirche anders entwickelt. Indem wir unter Hinweis auf die Arbeiten von Wessel, Kämpfer, Haustein und

14 Sinding-Larsen: Iconography and Ritual. A study of analytical perspectives, Oslo, Bergen, Stavanger, Tromsø 1984, S. 162.

15 H. Belting: Das Bild und sein Publikum im Mittelalter. Form und Funktion früher Bildtafeln der Passion, Berlin 1981, S. 53, 56, 265. Belting geht auf die oben angedeutete Interpretation nicht ein. Hier ist nicht der Ort, sich mit dieser Arbeit auseinanderzusetzen, die gerade für unsere Überlegungen von Bedeutung ist, insofern sie die im Einzelnen komplizierte Pragmatik der ostkirchlichen Kunst herausarbeitet. Zur Pelagonitissa vgl. P. Miljkovi'c-Pepek: Umilnite motivi vo vizantiskata umetnost na Balkanot i problemot na Bogorodica Pelagonitisa, in: Zbornik na archeološkiot muzej II, Skopje 1958 subsummiert diesen ikonographischen Typus den »sentiments humains, maternels et tendres dans l´art byzantin« (S. 27) und macht an häretischen Einflüssen lediglich einen sehr späten und unklaren Nestorianismus namhaft (S. 29). M. E. und unter unserem Aspekt ist die Pelagonitissa eine Antwort der Großkirche auf die doketische Mariologie der Bogomilen, die ihrerseits auf der Leugnung der Inkarnation des Logos basiert einschließlich ihrer Ablehnung des Kreuzestodes Christi. Die utrierte Darstellung des Kindes bedeutet den äußerstmöglichen Ausdruck der orthodoxen Mariologie, indem sie nicht »tendresse«, ein zärtliches Spiel zwischen Mutter und Kind, wiedergibt, sondern die bei der Mutter Hilfe suchende Angst des Menschgewordenen vor seinem Weg nach Golgatha.

16 Aus der sehr reichen Literatur über dieses Thema seien hier nur erwähnt Hans-Georg Beck: Kirche und theologische Literatur im byzantinischen Reich, 2. Aufl. München 1977; ders.: Das byzantinische Jahrtausend, München 1978. Es ist nicht möglich, hier die Frage zu erörtern, ob schon die Kiever Rus' das byzantinische »Symphonie«-Modell übernahm. M. E. ist das positive Konkurrenzmodell für das mittelalterliche Rußland am deutlichsten bei Iosif von Volokolamsk wirksam gewesen. Erst unter Ivan IV. Groznyj beginnt sich der »Symphonie«-Gedanke im Sinne Justinians, d. h. der »stillen« Leitung der Kirche durch den Staat durchzusetzen, um unter den Romanovs zunächst noch zurückhaltend angewendet zu werden, im Laufe des 19. Jahrhunderts aber restaurativ zu degenerieren. In der Kiever Rus' wurde das Verhältnis zwischen Feudalherrschaft und Kirche durchaus »konkordatsmäßig«, d. h. durch Ustavy geregelt.

17 Vgl. jetzt W. von Löhneysen: Eine neue Kunstgeschichte, Berlin-New York 1984, 2. Teil.

Seidel[18] vom orthodoxen Herrscherbild speziell absehen, ergibt sich folgende Übersicht: Das von Kaiser Justinian im Prooimion der 6. Novelle des Corpus iuris civilis als *»symphonia«* (consonantia) bezeichnete Verhältnis beider Sozietäten zueinander findet ihre klassische Bildformel auf den bekannten Mosaiken der Apsis von S. Vitale in Ravenna mit der Darstellung des Gaben darbringenden Kaisers und des Bischofs Maximinian mit ihren jeweiligen Würdenträgern und der Kaiserin Theodora mit ihren Hofdamen gegenüber.[19] Die ideellen Vorstellungen der *»symphonia«,* die in Wirklichkeit ein sehr bewegliches System von »konkordatsähnlichen« Absprachen zwischen Kaiser und Patriarch bildeten (H.-G. Beck), haben selbstverständlich auf die politische Ikonographie der Kirche eingewirkt. Um nur einige Beispiele zu nennen: Die berühmte Pelená (Ikonenvorhang, um 1501) des Historischen Museums in Moskau zeigt Ivan III. und den russischen Metropoliten mit ihren jeweiligen Würdenträgern und Angehörigen bei einer Palmsonntagsprozession[20]; vor der Gottesmutter von Bogoljubovo (Bogomater' Bogoljubskaja) aus demselben Museum (um 1502) kniet mit den Vertretern heiliger Personen der Kirche auch die russische Herrscherfamilie mit Vasilij III., Sofija Palaiologina und Ivan III.[21]; auch auf einer der intensivsten Selbstdarstellungen der russischen Kirche, der Ikone »Über Dich freuet sich . . .« (»O tebe raduetsja«), vom Anfang des 16. Jahrhunderts[22] erscheinen neben Vertretern der Kirche ebenso heiligmäßige Fürsten und Herrscher.

Abb. S. 15
Abb. S. 18
Abb. S. 19
Abb. S. 216

In der Nachfolge der Ideologie von »Moskau, dem dritten Rom« steht die Ikone der »Militanten Kirche« (»Cerkov' voinstvujuščaja«, 1552–53)[23], auf der, im Sinne der Verschiebung des Konkurrenzmodells zugunsten der orthodoxen Herrschermacht, die Gestalt Ivans IV. die Gesamtkomposition beherrscht. Die politische Mariologie verschafft sich in Gestalt der Gottesmutter mit dem Kinde im Tor des »Himmlischen Jerusalem« Ausdruck, wobei sich mit dem letzteren die Stadt Moskau identifizierte. Mit dieser Ikone, deren Ausmaße an antike Triumphfriese erinnert, ist der Höhepunkt bildhafter Symphonie-Vorstellungen überschritten und ihre Krise erreicht, wenn man bedenkt, daß die auf der Ikone mit ihren Wappen wiedergegebenen Feudalfürsten wenig später von Ivan IV. liquidiert wurden und auch der Metropolit Filipp 1569 wenige Tage vor der Vernichtung Novgorods den Tod fand.

Eine Renaissance des byzantinischen Symphonie-Modells, nicht zuletzt unter kräftiger Mithilfe griechischer Hierarchen, erlebte Rußland zur Zeit der ersten Romanov-Zaren[24], nachdem der

18 F. Kämpfer: Das russische Herrscherbild von den Anfängen bis zu Peter dem Großen. Studien zur Entwicklung politischer Ikonographie im byzantinischen Kulturkreis, Recklinghausen 1978; E. Haustein: Der Nemanjidenstammbaum. Studien zur mittelalterlichen serbischen Herrscherikonographie. Inaugural-Dissertation, Bonn 1985; I. Seidel: Die Herausbildung der Porträtmalerei als selbständiges Genre der russischen Kunst in der zweiten Hälfte des 17. Jahrhunderts, Dissertation B, Leipzig 1985 (Maschinenschrift); K. Wessel: Art. »Kaiserbild«, in: Reallexikon zur byzantinischen Kunst 4, Sp. 722–853.

19 W. F. Volbach: Frühchristliche Kunst. Die Kunst der Spätantike in West- und Ostrom, München 1958, Tafeln 164–167.

20 Kämpfer, S. 158 f.

21 Kämpfer, S. 164 f.

22 Onasch: Ikonen, Berlin 1961 (u. a.), Tafel 108; V. I. Antonova/N. E. Mneva: Katalog drevnerusskoj živopisi, Bd. 1, Moskau 1963, Nr. 280.

23 Hierzu jetzt die wichtige Untersuchung von I. A. Kočetkov: K istolkovaniju ikony »Cerkov voinstvujuščaja« (»Blagoslovenno voinstvo nebesnogo carja«), in: Trudy otdela drevnerusskoj literatury XXXVIII, 1985, S. 185–209 und seinen Beitrag hier.

24 Helmut Neubauer: Car und Selbstherrscher. Beiträge zur Geschichte der Autokratie in Rußland, Wiesbaden 1964; Wolfgang Heller: Die Moskauer »Eiferer für die Frömmigkeit« zwischen Staat und Kirche, Wiesbaden 1988.

Gottesmutter von Bogoljubovo, um 1502, Historisches Museum Moskau

Über Dich freuet sich, Anfang 16. Jahrhundert, Tret'jakov-Galerie Moskau >

Patriarch Nikon ohne Erfolg versucht hatte, dieses Modell, ebenfalls mit byzantinischen Argumenten (sowohl aus der 6. Novelle des Corpus iuris wie aus der Epanagoge) zugunsten der Kirche zu interpretieren. Ein Jahr nach der offiziellen Absetzung Nikons und Verwerfung seiner Vorstellungen, wiederum mit Hilfe griechischer Bischöfe, entstand 1668 die Ikone Simon Ušakovs mit dem charakteristischen Titel »Gottesmutter von Vladimir 'Pflanzung des Baumes der russischen Herrschaft'« (»Bogomater' Vladimirskaja 'Nasaždenie Dreva Rossijskago Gosudarstva'«).[25] Nach der vorübergehenden Störung der Symphonia durch Nikon zeigt die Ikone ihre Wiederherstellung in der Art und Weise, wie in schönster »consonantia« der Moskauer Großfürst Ivan Kalita († 1341) und der Metropolit Petr († 1326) vor der Kathedrale des Entschlafens der Gottesmutter (Uspenskij sobor) im Kreml' den Baum der russischen Herrschaft pflanzen, innerhalb der Kremlmauern andächtig flankiert vom Zaren Aleksej Michailovič, seiner Frau und seinen Kindern. Die stillschweigende Aufkündigung des Symphonie-Modells durch Peter I., der das Patriarchat durch den seinem Willen unterworfenen »Heiligsten Regierenden Synod« ersetzte, bedeutete logischerweise auch eine Aufkündigung des »Bildkonkordates«, das immer mehr zur reinen Herrscherglorifizierung degenerierte.

Abb. S. 21

In diesem Zusammenhang ist eine Ikone interessant, die im 18. Jahrhundert in der Ukraine entstand, deren Episkopat Peter nahestand. Sie stellt ein sehr altes Motiv kirchlicher Selbstdarstellung, den »Pokrov« (»Mariae Schutz und Fürbitte«), in den Dienst des ukrainisch-barocken Herrscherlobes.[26] Der visionäre »Narr in Christo« (»Jurodivyj Christa radi«) Andreas wird flankiert vom jungen Imperator und seiner Gattin auf der einen und dem Vorsitzenden des »Heiligsten Regierenden Synods«, Stefan Javorskij, auf der anderen Seite, während im Hintergrund das alte ikonographische Schema erscheint mit der Gottesmutter und dem Pokrov-Sujet. Im Gegensatz zur »Vladimirskaja Nasaždenie« mit ihrer Ausbalanziertheit des Verhältnisses von Zarenherrschaft und der »duchovnaja vlast'« (geistlichen Macht) der Kirche ergibt der kirchenpolitische Kontext der ukrainischen Ikone mit aller Deutlichkeit die Herrschaft des Imperators über die Kirche, wie sie dann im 19. Jahrhundert konsequent durchgeführt wurde.

Abb. S. 21

Hier konnten nur einige Aspekte und Bausteine zu einer Soziologie und Sozialgeschichte der altrussischen Ikonenmalerei erörtert werden. Auf andere soll wenigstens kurz hingewiesen werden, ohne sie erschöpfend auszubreiten: die Funktion des Bildes als soziale Kontrolle sowohl durch die Bilderwand wie die »Schöne Ecke« (»krasnyj ugol«) im Privat- und Intimbereich (alleine diese Erscheinung legitimiert zu einer soziologischen Betrachtung der Ikone!); das Mönchtum als Sozietät in der Sozietät und das Asketenporträt als monastische Selbstdarstellung; Translationslegenden und Klostergründungen auch als Ausdrucksformen der Kirchenpolitik; die Bedeutungsperspektive als »eikon« der hierarchischen Struktur der himmlischen und irdischen Kirche, ein Aspekt, bei dem ich einen Augenblick verweilen möchte. Die Novgoroder Ikone »Evan, Georgij und Vlasij« (Johannes Klimakos, Georg und Blasios) aus der 2. Hälfte des

Abb. S. 22

25 Onasch: Ikonen (Anm. 22), Tafel 133.
26 P. Beleckij/L. Vladič (J. Pamfilova, Übers.): Ukrainian Painting, Leningrad 1976, Tafel 19, 20. Zur klassischen Ikonographie des »Pokrov« vgl. Onasch: Ikonen, Tafeln 5, 21, 117 sowie Ders.: Kunst und Liturgie (Anm. 3), Art. »Pokrov«.

Simon Ušakov: Gottesmutter von Vladimir ‚Pflanzung des Baumes der russischen Herrschaft', 1668, Tret'jakov-Galerie Moskau

Pokrov (Mariae Schutz und Fürbitte), ukrainisch, 1. Hälfte 18. Jahrhundert, Museum der Ukrainischen Kunst in Kiev

Johannes Klimakos, Georg und Blasios, 2. Hälfte 13. Jahrhundert, Russisches Museum Leningrad

13. Jahrhunderts gibt ein exzellentes Beispiel für die Bedeutungsperspektive und eröffnet zugleich interessante Horizonte. Man sieht deutlich, wie die beiden Bauern- und Viehpatrone zu dem bis in Himmelshöhen ragenden Asketen Johannes Klimakos emporschauen. Diese fast schelmenhafte, pikareske Position der beiden Heiligen hierarchisch niederer Patronate mit ihrem entsprechenden Augenaufschlag legt nahe, parallel zu einer hagiographischen auch von einer ikonographischen Ironie zu sprechen. In einer so streng profilierten Sozietät wie der orthodoxen war die gedankliche Bewältigung der ideellen Fallhöhe zwischen dem allem Irdischen entrückten Asketen und den gerade diesem Irdischen tagtäglich verpflichteten Heiligen nur mit Hilfe des intellektuell und seelisch entlastenden Aktes der Ironie möglich, oder, eine Stufe tiefer, des Humors. Ob und wieweit hochragende altslavische Kumiry (Götzenbilder) als Vorbild der betonten Vertikalität des Evan eingewirkt haben, kann hier nicht mehr erörtert werden, dürfte aber religionssoziologisch das Phänomen der hagiographisch-ikonographischen Ironie auch von dieser Seite beleuchten.[27]

Die von uns angestellten Vorüberlegungen möchten wir in folgenden Punkten zusammenfassen:

1. die theoretischen Voraussetzungen einer Soziologie der altrussischen Ikonen- wie überhaupt der Kirchenmalerei liegen im gedanklich-intellektuell präzis aufgebauten Sozietätsmodell, wie es im corpus areopagiticum vorliegt und unmittelbar oder mittelbar das geprägt hat, was Christopher Walter als »a high level of sophistication« in Theologie und Kunst der byzantinischen Kirche bezeichnet hat.[28]
2. Kern dieses Modells ist die Vorstellung von einer inneren und äußeren Identität der kirchlichen Sozietät mit sich selbst und ihren Mitgliedern und umgekehrt.
3. Diese Funktion des ostkirchlichen Bildes in der Ikonen-, Miniatur- und Monumentalmalerei ist in ihrer konsequenten Perfektionierung dem westlichen Andachtsbild unbekannt geblieben.
4. Die Gründe hierfür werden wahrscheinlich im prinzipiellen Mißtrauen der römischen Theologie mit ihrem eher anthropozentrisch-praktischen Grundansatz gegenüber der kosmischen Vergottungstheologie der Griechen zu suchen sein, wie sie sich schließlich auch in ihrer Bildertheologie Ausdruck verschaffte. Das dürfte auf die sehr unterschiedliche Kunstentwicklung im Osten und Westen überhaupt starken Einfluß ausgeübt haben.
5. Die hier vorgetragene Betrachtungsweise der altrussischen Ikone wird möglicherweise manchen ungewohnt erscheinen, weil sie sich gewissermaßen auf »exterritorialem Gebiet« bewegt, d.sh. unter außerliturgischen, außertheologischen und auch außerästhetischen Gesichtspunkten erfolgte. Dabei wurden diese drei positiven »essentials« keineswegs unbeachtet gelassen, sie wurden nur von außen betrachtet. Dieser Standpunkt eröffnet methodisch die Möglichkeit für das, was Niklas Luhmann »distanziertere Begrifflichkeit«, »vielseitige Verwendbarkeit der Begriffe« und »Import von Theorieerfahrungen aus anderen Gegenstandsbereichen« nennt.[29]

27 Über das Thema der Bedeutungsperspektive im Zusammenhang dieser Ikone und seine ironisch-pikaresken Züge hoffe ich demnächst ausführlicher handeln zu können.

28 Christopher Walter: Art and Ritual of the Byzantine Church, London 1982.

29 N. Luhmann: Funktion der Religion, Frankfurt a. M. 1982, S. 10. Ich darf hier auf meinen älteren Aufsatz: Soziologische Aspekte der Ikonenmalerei, in: Theologische Literaturzeitung 93, 1968, Sp. 321–332 hinweisen.

Anders gesagt: Auf der Voraussetzung der drei »essentials« ist diese Betrachtungsweise nicht nur bemüht, ihr Vorhandensein zu registrieren, sondern auch darüber zu reflektieren, warum und auf welche Weise die Ikone in Kirche, Staat und Gesellschaft der alten Rus' und in der kirchlichen Sozietät bis heute eine so wichtige Rolle spielt. Dabei wird einsichtig, wie diese auf Verinnerlichung (Internalisierung) angelegte und deshalb die Zeiten überdauernde religiöse Kunst mit ihren drei Adressaten in einem ständigen, sich gegenseitig beeinflussenden Wechselverhältnis steht. Verinnerlichung des Bildtextes einer Ikone, das heißt in unserem Zusammenhang: Die Umsetzung objektiv gegebener Normen der kirchlichen Lehre in subjektive Motivationen der orthodoxen Gläubigen zu religiös-sittlichem Denken und Handeln. Das ist der Schatz im Acker, über den die russische orthodoxe Kirche verfügt.

Hubert Faensen

BEMERKUNGEN ZUR HERAUSBILDUNG DES ALTRUSSISCHEN IKONOSTAS

Kürzlich publizierte die »Stimme der Orthodoxie« einen Vortrag, den Mönchspriester Pavel Florenskij in der Kommission zur Erhaltung der Kunstdenkmäler und Altertümer des Dreifaltigkeitsklosters des hl. Sergij (Troice-Sergieva-Lavra) hielt. Die Überschrift heißt: »Der Kultakt als Synthese der Künste«.[1] Florenskij greift den allgemeinen Gedanken auf, daß Kunstwerke, aus ihrem ursprünglichen Daseins-, Funktions- und Sinnzusammenhang gerissen und in ein Museum versetzt, ihre lebendige Wirksamkeit einbüßen. Speziell meint er die Ikonen. Nur der sakrale Gebrauch, nur die Einordnung der Tafelbilder in das Medium des Gottesdienstes und des Kirchenraums sichere ihre Existenz. Entsprechend der orthodoxen Kultusästhetik setzt er die kultische Polyfunktionalität gleich mit dem »Gesamtkunstwerk«, der Verbindung verschiedener Künste. Zur lebendigen Wirksamkeit der Ikone, so sagt er, gehören das ungleichmäßig verteilte, flackernde Licht der Öllampen und Kerzen, die bläulichen Schwaden und der Duft des Weihrauchs, die Prozessionen und die Körpersprache der Zelebranten, das Falten- und Farbenspiel ihrer Gewänder, der Klang der Gebete und Gesänge, selbst die Berührung im Kuß mit den Lippen. Florenskij verwendet für die »kultische Synthese«, für die Einheit von Funktions-, Bedeutungs- und Gestaltwerten ausdrücklich den Stilbegriff.
Einen ähnlichen Sinn erhält der Stilbegriff aus einer ganz anderen, profanen Sicht, aus der Sicht der Kommunikationswissenschaft. Vor zwei Jahren publizierte das Internationale Design Zentrum West-Berlin Beiträge einer Konferenz unter dem Titel »Stilwandel als Kulturtechnik, Kampfprinzip, Lebensform oder Systemstrategie«.[2] Gemeint ist der moderne Lebensstil, der das Verhalten in Werbung, Design, Architektur, Mode, gesellschaftlich und privat, beim Schreiben, Kochen, Autofahren usw. bestimmt. In beiden Fällen geht es um mediale Polyfunktionalität und Synthese, freilich mit einem Unterschied: Die Kommunikationswissenschaft betont den »Stilwandel«, das Verhältnis von Tradition und Innovation. Dabei beschäftigt sie sich mit der Übertragung von mobilen »Versatzstücken«, wie sie uns auch aus der Stilgeschichte der Ikonenmalerei bekannt ist, vermutlich deshalb, weil die modernen Interessen Einfluß auf die historischen Erkenntnisse nehmen.
Zur Einordnung der Ikonen in den Kult und in den Kirchenraum gehört der Ikonostas. Wenn ich einige Überlegungen zu seiner besonderen Entwicklung in Rußland anstelle, geschieht das unter

1 Priester Pawel Florenski: Der Kultakt als Synthese der Künste, in: Stimme der Orthodoxie, Berlin 1988, Heft 9, S. 36–42. Analoge Gedanken wurden besonders aktiviert durch das Werk von André Malraux: Psychologie der Kunst, Band I. Das imaginäre Museum, Hamburg 1957.
2 Bazon Brock, Hans Ulrich Reck: Stilwandel, Köln 1986.

Ikonostas der Mariä-Verkündigungs-Kathedrale im Moskauer Kreml, um 1405

Theophanes der Grieche: Ikone der Gottesmutter aus dem Deisus der Mariä-Verkündigungs-Kathedrale im Moskauer Kreml, 1405

Ikonostas der Dreifaltigkeits-Kathedrale des Dreifaltigkeitsklosters des hl. Sergij, 1422–28

den eben genannten beiden Aspekten: als Instrument des Gottesdienstes und Instrument der historisch-gesellschaftlichen Systemstrategie. Am Rande gebe ich zu bedenken, daß der Stilbegriff aus zwei Richtungen in eine Problemsituation der Kunstgeschichtswissenschaft eindringt, in der es eigentlich zum guten Ton gehört, ihn auszuquartieren. Zwei Aspekte klammere ich aus: die Rolle der Wand- und Pfeilerikonen im Kirchenraum und den privaten Gebrauch.

Der Terminus »Ikonostas« im Sinn der Bilderwand taucht in der russischen Sprache Ende des 14., Anfang des 15. Jahrhunderts auf, und aus der gleichen Zeit stammt das früheste kunsthistorische Material. Bis dahin herrschte die Bezeichnung »Altarschranke«.[3] Die überkommenen Bildränge in der Verkündigungs-Kathedrale (Blagoveščenskij sobor) des Moskauer Kreml werden von der sowjetischen Forschung um das Jahr 1405, die in der Dreifaltigkeits-Kathedrale des Dreifaltigkeitsklosters des hl. Sergij in die Jahre 1422–1428 datiert.[4] In der zweiten Hälfte des 14. Jahrhunderts muß sich im aufsteigenden Moskauer Staat die Entwicklung von der relativ niedrigen, locker gefügten Altarschranke zu der dicht abgeschlossenen, hohen und mit Türen versehenen Wand intensiviert haben. Die Altarschranke war gekennzeichnet durch zwei Bildränge, einen oft inkorporierten Deisus am Gebälk über der Königstür zum Altarraum, sonst aber eine uneinheitliche Ikonographie und Verteilung der Ikonen.[5] Der Aufbau des Ikonostas umfaßte an der Wende zum 15. Jahrhundert drei, später fünf bis sechs Bildränge mit einem systematisierten Bildprogramm, das Léonide Ouspensky genau beschreibt.[6] Inhaltlicher Kern und Ausgangspunkt der Systematisierung war die Deisus-Gruppe. Zunächst erschien über dem »Verehrungsrang« und dem erweiterten »großen Deisus« als selbständiger Rang der Festtagszyklus. Ende des 15. Jahrhunderts kam der Propheten-Rang hinzu. Die weitere Aufstockung durch den Rang der biblischen Patriarchen bzw. Erzväter erfolgte im 16. Jahrhundert. Im Barockzeitalter erhöhte sich der Aufbau und differenzierte sich die Ikonographie, im 18. Jahrhundert besonders in den Holzkirchen Nordrußlands. Andererseits kehrte man – ein historistisches Phänomen – zu der niedrigen Ausführung zurück. Interessant ist die Bindung mobiler Tafelbilder in »Jarussy«, d. h. in Ränge eines stabilen, steinernen oder hölzernen Gerüstes, die ein Auswechseln praktisch unmöglich machten. In anderen Kirchenbauten der frühmoskowitischen Zeit finden sich weitere Belege für die architektonische Wandgeschoßbildung der Altarschranke, z. B. ein steinernes Sockelgeschoß oder steinerne Konsolen an Pfeilern und Wänden für Holzrahmungen.[7]

Abb. S. 26 u. 27
Abb. S. 28

Was das Paterikon des Kiever Höhlenklosters über fünf Deisus-Darstellungen des russischen Malermönchs Alimpij († 1114) und die Chronik des Klosters von Bogoljubovo bei Vladimir

3 Den Hinweis verdanke ich Dr. Gottfried Sturm, Akademie der Wissenschaften der DDR.

4 Geschichte der russischen Kunst, Redaktion I. E. Grabar, W. N. Lasarew, W. S. Kemenow, Band III, Dresden 1959, S. 47–137; J. A. Lebedewa: Andrei Rubljow und seine Zeitgenossen, Dresden 1962; V. N. Lasarew: Ikonen der Moskauer Schule, Berlin 1977.

5 Geschichte der russischen Kunst, Band I, Dresden 1957, S. 299 ff.

6 Ernst Hammerschmidt u. a. (Hg.): Symbolik des orthodoxen und orientalischen Christentums, Stuttgart 1962, S. 63 ff.

7 Die Geburt-Christi-Kirche des Marien-Klosters des hl. Sava in Storoži bei Zvenigorod (1405) weist zwischen den östlichen Kuppelpfeilern, die Mariä-Entschlafen-Kathedrale (Uspenskij sobor, 1475–1479) des Moskauer Kreml über die ganze Raumbreite eine steinerne Altarscheidewand auf, deren Fresken mit Heiligenfiguren den »Verehrungsrang« ersetzt haben und auf der vermutlich Bildränge mit mobilen Tafelbildern aufgebaut waren. Nähere Angaben wie Anm. 4.

unter dem Jahr 1158 über eine Deisus-Gruppe aus Pantokrator, Gottesmutter, Johannes dem Täufer und den Erzengeln Michael und Gabriel berichten, was sich aus dem Vladimir-Suzdaler, dem Novgoroder und dem nordrussischen Raum an Deisus-Ikonen aus dem 12. bis 14. Jahrhundert erhalten hat, dürfte Bestandteil einfacher Altarschranken gewesen sein. Die bei Archangel'sk gefundene, mit Kielbögen abschließende, in der Datierung ins 13. Jahrhundert zurückreichende Königstür zeigt, daß sich der Übergang zur Bilderwand allmählich vorbereitete.[8] *Abb. S. 31*

In Byzanz bezeichnete man die Altarschranke nach dem Bilderstreit als »templon« und verband damit wohl schon den Prozeß, der zwischen dem 11. und 14. Jahrhundert zur Herausbildung der Ikonostase mit festen Deesis- und Festtagsbildern führte.[9] Ikonen wurden an der Altarschranke und an anderen Orten des Kirchenraums plaziert, entsprechend dem Kirchenkalender auf einem Proskynetarion ausgewechselt und in Prozessionen mitgeführt, aber erst das systematisierte Programm der Bilderwand ermöglichte ihre Einordnung in das offizielle Ritual. Anders läßt sich nicht erklären, daß sie als »heilige Sache« relativ spät unter den Schutz des Kirchenrechts gestellt wurden und einen eigenen Weiheritus erhielten. Der später den griechischen Terminus »templon« ersetzende Terminus »eikonostasion« wird von Walter Felicetti-Liebenfels aus der Bezeichnung eines Bilderständers abgeleitet, der im Kaiserpalast von Konstantinopel in Verwendung stand.[10]

Ebenso wie der sich an der Wende zum 15. Jahrhundert in Rußland einbürgernde Terminus »Ikonostas« auf das Griechische zurückgeht, ist die russische Geschichte der Bilderwand nicht ohne Rezeption und Import aus Byzanz zu verstehen. Aus Schriftquellen wissen wir, daß zwischen 1378 und 1395 Abt Afanasij Vysockij, ein Schüler des hl. Sergij von Radonež, eine siebenteilige Halbfiguren-Deesis aus Konstantinopel in sein Kloster in Serpuchov mitbrachte. Die erhaltenen Bildtafeln sind mit 149 x 98 cm für byzantinische Verhältnisse relativ großformatig, so daß man in der russischen Bestellung den Grund für die Monumentalisierung sucht.[11] Zweifellos hat der Auftrag mit dem von Sergij und Afanasij artikulierten neuen geistlich-geistigen Klima des russischen Mönchtums zu tun und ordnet sich ein in den gesamtgesellschaftlichen Wandel des religiösen und politischen Verhaltens. Schematisch und vereinfacht lassen sich folgende Tendenzen herausgreifen, mit denen die moskovitische Ausformung zusammenhängt:

- der Aufstieg des Großfürstentums Moskau, – markiert durch den Segen der Metropoliten, die Privilegierung der Gemeinschaftsklöster und des Dienstadels und die langsame Befreiung von der Tatarenherrschaft;
- die Kopplung von Binnenkolonisation und Einsiedlerbewegung sowie die allmähliche Umwandlung der »Einödklöster« in Gemeinschaftsklöster;
- die neue Mönchsmystik, die sich durch die Rezeption des byzantinischen Hesychasmus und die Verarbeitung der russischen Einsiedleraskese herausbildete, in die Volksfrömmigkeit ein-

8 Walter Felicetti-Liebenfels: Geschichte der russischen Ikonenmalerei, Graz 1972, S. 40.

9 Manolis Chatzidakis: Ikonostas, in: Reallexikon der byzantinischen Kunst, Band III, hrsg. von Klaus Wessel und Marcel Restle, Stuttgart 1978, Sp. 326–353.

10 Walter Felicetti-Liebenfels: Entstehung und Bildprogramm des byzantinischen Templons im Mittelalter, in: Festschrift für Wladimir Sas-Zaloziecky, Graz 1956, S. 49 und Anm. 6.

11 M. Alpatow, N. Brunow: Geschichte der altrussischen Kunst, Augsburg 1932, S. 313, siehe auch Anm. 8, S. 44.

Königstür mit Darstellung der Verkündigung und zwei Heiligen, letztes Drittel des 13. Jahrhunderts, Tret'jakov-Galerie Moskau

drang und zum gesamtgesellschaftlichen Ideal wurde, so daß man später das gesamte 14. Jahrhundert als das »asketische Zeitalter« bezeichnet hat;
- die kultischen Innovationen in den frühmoskovitischen Gemeinschaftsklöstern, – auf Grundlage der neuen Redaktion des Jerusalemer Typikons in Konstantinopel, auf dem Athos und in Serbien und mit Hilfe der Übersetzung von Afanasij Vysockij ins Kirchenslavische;
- die damit verbundene Intensivierung der Passions- und Inkarnationssymbolik, der Fürbitte-Gebete, des Heiligenkults und des Votivwesens, die Psychologisierung in Kult, Sprache, Gesang und Malerei zum Zweck der seelischen Einfühlung, Kontemplation und Selbstvervollkommnung.

In der Geschichte der byzantinischen Deesis überlagerte der Interzessionscharakter immer stärker den eschatologischen Gerichtsbezug. Die Begleitfiguren neigen sich fürbittend in Dreiviertelwendung und Profilansicht zum Pantokrator und zeigen immer mehr natürliche Regungen. Auch in Rußland wurden im 14. Jahrhundert die Statik und Frontalität aufgegeben, zunächst in der Wandmalerei und im Novgoroder Gebiet. Der Grund ist in der allmählichen Veränderung der Gottesdienstpraxis zu suchen, die mit der Erneuerung des Jerusalemer Erbes und des Passionsbezugs zusammenhängt.[12] Die Fürbitte erhielt besonderes Gewicht im Sinn des Verkehrs der Gläubigen mit Gott. Auf der einen Seite wurden Lobpreis und Gedächtnis der himmlischen Hierarchie bei der Proskomidie und der eucharistischen Darbringung ausgeformt, auf der anderen Seite wurden sie ergänzt durch »Ektenien«, vom Diakon vorgetragene und vom Chor bzw. der Gemeinde wiederholte Bitten um Gottes Erbarmen und Beistand. Solche Bitt-Litaneien häuften sich nicht nur in der Göttlichen Liturgie sondern auch in den anderen Offizien. Ihre Pflege in den monastischen Stundengebeten hat wohl die Rezeption durch die frühmoskovitischen Gemeinschaftsklöster begünstigt. Die »Ektenien« ließen die ehrfürchtige Unterwerfung übergehen in die Hoffnung auf göttliche Gnade und Milde. Der Diakon stand zum Altar gewandt auf der Solea vor der Königstür, die Mönchsgemeinde hinter ihm, sich nach jeder Bitte bekreuzigend und verneigend. Das Bedürfnis lag nahe, sich in den Ikonen und in einer festen Ordnung einen visuellen Ansprechpartner zu schaffen.

Das Beten trug von Anfang an den Charakter der Fürbitte. Aber nun erfolgte die Einübung eines »kollektiven Stils« meditativer und affektiver Religiosität (Hans Belting).[13] Man müßte daraufhin den liturgischen Begriff der Inbrunst untersuchen. Zudem gewann der Anruf um Beistand der Heiligen vor Gottes Thron und Richterstuhl stärkere Bedeutung für die individuelle Heilsvergewisserung. Charakteristisch ist die russische Bezeichnung des Pantokrators als »Spas«, als Erretter bzw. Erlöser. Über die repräsentative Bedeutung des Allerhalters und Weltenrichters legte sich die emotionale des Christus patiens, und zwar im Deisus ohne Veränderung des Gestaltschemas. Ein neues, menschlicheres Gottesbild kam auf. Die Ikonen von Andrej Rublev, in der Regel für den Ikonostas gemalt, dürften typisch sein für die Evokation einer meditativen Andachtsstim-

12 Demetrios I. Pallas: Passion und Bestattung Christi, München 1965, unterscheidet den ursprünglichen liturgischen Ritus von dem theologischen Kommentar (der nachträglich unterlegten Symbolik) und führt die Ikonographie der Ikone als Kultgegenstand auf den Gehalt der Handlung zurück.

13 Hans Belting: Das Bild und sein Publikum im Mittelalter, Berlin 1981.

Andrej Rublev: Christus (»Spas«) aus dem Deisus von Zvenigorod, um 1410–15, Tret'jakov-Galerie Moskau

mung, für den »kontemplativen Psychologismus« (Dmitrij S. Lichačev).[14] Die klugen und gütigen Gesichtszüge des »Spas« aus dem sogenannten Zvenigoroder Deisus (1409) haben nur wenig von der konventionellen Strenge eines byzantinischen Pantokrators. Viktor Lazarev stimmt N. A. Demina zu, wenn sie in der Gestalt ein Beispiel »russischer Schönheit« sieht und deren Blick als Absicht wertet, in die Seele des Betrachters einzudringen.[15]

Abb. S. 33

Die Psychologisierung des Rituals verwandelte die Altarschranke in die Bilderwand. Unter Psychologisierung verstehe ich die stärkere Differenzierung in anagogisch-sakramentale, affektiv empathische, historisch-didaktische bzw. theologisch-meditative Appellfunktionen. Den kultischen Innovationen korrespondierte die Aufwertung des Flächenelements, das die Raumordnung auf die »Dramaturgie« des Heilsdramas einrichtete. Der Ikonostas mußte seinen Beitrag leisten zur Inszenierung der verschiedenen religiösen Stimmungslagen. Analog zur Polyfunktionalität und Polysemantik des Gottesdienstes durchdringen sich in ihm mehrere Funktionen und Bedeutungen. Wir haben es mit einer Werthierarchie zu tun, in der jeweils eine Valenz dominiert. Man kann – wie Erwin Panofsky, Kurt Weitzmann, Hans Belting[16] – bestimmte Bildklassen nach Bildrhetorik und Aussage unterscheiden. Einerseits grenzt der Ikonostas das Allerheiligste ab, entzieht er das Mysterium der Betrachtung oder hüllt es bei geöffneten Türen in ein geheimnisvolles Hell-Dunkel, ganz im Sinn der Lichtmystagogie des Hesychasmus, die das innere Wesen Gottes für unerkennbar und unanschaulich und seine Relationen zur Welt nur in Lichtenergien, in Gnadengaben für möglich hält. Andererseits bietet er sich selbst als Ersatz an. Seine Grenz- und Schaufläche ist, wie Symeon von Thessaloniki Anfang des 15. Jahrhunderts kommentierte, der Ort der Begegnung von Himmlischem und Irdischem. Hinter und vor ihm entbreitet sich die »sakrale Schaubühne« der Zelebranten. Und er visualisiert die himmlische Hierarchie, die zu der immerwährenden Liturgie Christi beiträgt und den Vermittlungsdienst für die Gläubigen übernimmt.

Wenn wir die drei wesentlichen Interpretationsmodelle – wiederum schematisch und vereinfacht – zusammenfassen, läßt sich sagen, daß der Ikonostas verstanden wird:

– als Ort der Aussöhnung zwischen Gott und seinen Geschöpfen, der Theophanie und der »Vergöttlichung des Menschen«, des Aufstiegs der Gläubigen zu Gott (Léonide Ouspensky);[17]
– als »Summe der Theologie«, d. h. Medium kirchlicher Lehrinformationen, durch das wie im Umgang mit Einzelikonen soziale Standards eingeübt werden (Konrad Onasch);[18]
– als gedankliche Zusammenfassung und agitatorische Wiederholung der Themen des Dekorationsprogramms, also der Wand- und Deckenmalerei des Kirchenraums (Viktor Lazarev).[19]

Gemeinsam ist den Interpretationsmodellen, daß sie auf die Werthierarchie durch die horizontale und vertikale Einordnung der Ikonen hinweisen, auf die Abfolge der Bildränge und auf die

14 Dmitri S. Lichatschow: Der Mensch in der altrussischen Literatur, Dresden 1975, S. 140 ff.

15 V. N. Lasarew: Ikonen der Moskauer Schule, S. 25 ff.; N. A. Demina, Čerty geroičeskoj dejstvitel'nosti XIV–XV vekov v obrazach ljudej Andreja Rubleva i chudožnikov ego kruga, in: Trudy Otdela drevnerusskoj literatury Instituta russkoj literatury, Band XII, Moskau-Leningrad 1956, S. 319.

16 Literaturangaben siehe Belting, wie Anm. 13.

17 Wie Anm. 6, auch: L. Ouspensky/W. Lossky: Der Sinn der Ikonen, Bern und Olten 1952, S. 60.

18 Konrad Onasch: Kunst und Liturgie der Ostkirche in Stichworten, Leipzig 1981, S. 57 ff. mit weiteren Literaturangaben.

19 Wie Anm. 4.

Bedeutung der mittleren Vertikale. Sie beziehen sich auch auf den instrumentalen Charakter, sei es unter kultischem, sei es unter soziologischem Aspekt. Aber zu wenig beachtet werden die Besonderheiten der Bildrhetorik, der für Publikum inszenierten »Pathosformeln«, nämlich Gebärden, Gesten und Körperbewegungen der Heiligenfiguren.

Wie bekannt, erweiterte sich schon in Byzanz die Fürbitte durch Anschluß der Erzengel, der Apostel, der Liturgieväter und anderer Heiliger zu dem sogenannten großen Deisus. In der Moskauer Region erhielt jede Heiligenfigur ihre eigene Tafel. Die relativ kleinen, in der Regel halbfigurigen Darstellungen, wie wir sie aus Byzanz, den Balkanländern und dem Novgoroder Gebiet kennen, wurden abgelöst durch großformatige mit ganzen Figuren und einer auf Fernwirkung berechneten Perspektive. Zwar lassen sich seit dem 14. Jahrhundert für die Ganzfigurigkeit byzantinische und serbische Beispiele anführen, aber sie halten sich, wie der Deesis-Rang in Gračanica, in kleinen Dimensionen, dort mit einer Höhe von nur 77 cm. Im Gegensatz dazu gestaltete schon Theophanes der Grieche im Auftrag des Moskauer Großfürsten seine Figuren auf Tafeln von etwa zwei, Rublev sogar auf Tafeln bis zu drei Meter Höhe. Um die repräsentative Distanz des in seinem »Obergeschoß« unmittelbarer Verehrung unerreichbaren Deisus-Rangs durch visuelle Annäherung auszugleichen, mußten Theophanes, Rublev, später Dionisij und ihre Schulen die besonderen Stilmittel finden, die auf uns heute noch so außergewöhnliche Reize ausüben.

Abb. S. 27

In Rußland festigte sich der große Deisus zum eigenen Bildrang, den man »Čin« nannte, was so viel wie Ordnung bedeutet. Er wurde zum Zentrum der Systematisierung. Ihm korrespondiert im »Sockelgeschoß« der sogenannte Verehrungsrang – mit den obligaten Darstellungen des Erlösers (links von der Königstür, vom Betrachter aus rechts), der Gottesmutter (vom Betrachter aus links) und des Patroziniums (Ortsikone). Relativ großformatige, autonome Figuren- und Repräsentationsbilder sind zwischen die drei Altartüren plaziert. Die Aneinanderreihung des Fürbittegestus fehlt. Festtagsszenen existieren zumeist nur als Ortsikone. Die Darstellungen wirken in der Vereinzelung und Eigenständigkeit, nicht in der Gruppierung. Der Kontext wird auf der kultischen Funktions- und Bedeutungsebene hergestellt. Der liturgischen Dramaturgie entspricht nicht nur das Öffnen und Schließen der Altartüren sondern auch die bildrhetorische Betonung anagogisch-sakramentalen Verhaltens. Die ehrfurchtsvolle Kommemoration des Heilsmysteriums bezeugt der Priester im Gottesdienst durch Beweihräucherung und Kuß. Andererseits suchen die Gläubigen außerhalb der Offizien die hoheitsvolle Distanz affektiv durch Berührung zu überwinden.

Eine interessante Fallstudie bietet das Thema der Dreifaltigkeit. Mit dem Lobpreis des dreieinigen Gottes schließt jede Bitt-Litanei ab. Im Festtagsrang spielt die alttestamentliche Philoxenia, in der sich seit dem 10. Jahrhundert die Idee des göttlichen Heilsplans mit dem Festgedanken von Pfingsten verbindet, eine sekundäre Rolle. In der Regel erscheint die neutestamentliche Ikonographie der Ausgießung des Heiligen Geistes. Die meisten frühen Dreifaltigkeits-Ikonen sind großformatig. Sie fanden ihren Platz im »Verehrungsrang«. Rublevs berühmte »Troica«, ursprünglich für das Grab des hl. Sergij gemalt, diente lange Zeit im Ikonostas des Katholikons der Dreifaltigkeits-Lavra als Ortsikone.[20] Sie ist beispielhaft für den Frömmigkeitswandel an der Wende zum

20 Wie Anm. 4.

15. Jahrhundert, für den »kontemplativen Psychologismus«. Kultische Repräsentation geht in ihr über in die Inszenierung eines religiösen Dialogs. Als Gnadenbild eignete sie sich besonders, eine meditative Andachtsstimmung hervorzurufen. Einerseits festigt sie das über jede Diskussion erhabene Dogma der Wesensgleichheit. Andererseits sorgt sie für eine psychologische Rollenverteilung der drei göttlichen Personen, die den gläubigen Betrachter zum Gesprächspartner stimuliert, weil sie auf seine Erwartungen und Stimmungen eingeht, freilich mehr intellektuell als emotional. Die Akten der Moskauer Hundertkapitel-Synode von 1551 zeigen, wie sich dieser Stellenwert verändern kann, wenn über ein Jahrhundert später andere Interessen aufkommen.
Historisch kommentiert wird der Deisus-Rang in den monumentalen Kurzszenen des Festtagsrangs. Analog zur liturgischen Aufwertung der Passion, Inkarnation und anderen Lebensphasen Christi ordnete man ihm – in Byzanz seit dem 11. Jahrhundert – die 12 großen, innerhalb des Kirchenjahres hervorgehobenen Herren- und Marienfeste (Dodekaortion) zu. Allerdings wurden Zahl und Wahl nicht streng fixiert. In Liturgiekommentaren ist der Festtagsrang zur Anamnese in Bezug gesetzt worden, die freilich auch eine anagogisch-sakramentale Komponente besitzt. Dementsprechend wird die Festtagsikone zum jeweiligen Fest auf dem Proskynetarion zur Verehrung durch die Gemeinde ausgelegt. In kleinen Kirchen hat man sie anfangs aus dem Bildrang herausgenommen; bald bewahrte man eine zweite Serie im Diakonikon auf. Am Ikonostas ist die Festtagsikone wegen ihrer Kleinformatigkeit bei größerer Entfernung oft schwer zu erkennen. Die Darstellung in den abstrakten Formen monumentaler Kurzszenen erleichtert die Betrachtung. Aber die Psychologisierung förderte dann seit der Wende zum 15. Jahrhundert Formen der natürlichen Erfahrung und der emotionalen Ausdrucksintensität. Eine reichere illustrative Ausgestaltung verband sich mit dem Appell an das intime Miterleben, an die Einfühlung, und war nur auf dem Proskynetarion wirklich zugänglich.
Kehren wir zum Beispiel von Rublevs Troica zurück. Die Machtpropaganda Ivans IV., des Schrecklichen, nutzte ihr Vorbild. Sie wurde Bestandteil eines staatskirchlichen Kontroll- und Disziplinierungssystems, das selbst noch den Einsiedler erfassen sollte. Freilich wurde das Thema auch variiert: durch narrative Anreicherung mit illusionistischen Details und Pathosformeln, und – wie bei der »Vierteiligen Ikone« Pskover Meister in der Moskauer Verkündigungs-Kathedrale – durch theologische Allegorisierung.[21] Ihren eigentlichen Platz fand die Dreifaltigkeits-Ikone allerdings nun im Patriarchen-Rang des Ikonostas, der während des 16. Jahrhunderts als oberster Bildrang entstand. Hier wurde sie in die kultische Repräsentation zurückgebunden und eröffnete das gesamte Bildprogramm. In der Mitte der Erzväter, der Vorfahren Christi, symbolisiert sie die Ecclesia, die Gemeinschaft der Gläubigen und Heiligen mit dem dreieinigen Gott. Ihr Dogma stand zudem im Brennpunkt der Politik, besonders der josefitischen Ideologie, und verwies auf die Schutzherrschaft des Zaren, auf die Ketzerbekämpfung, auf die »Ecclesia militans«. Von der Dreifaltigkeits-Ikone aus führt die zentrale Vertikale nach unten: über die Gottesmutter inmitten der Propheten, über eine Osterikone des Festtagsrangs, über den »Spas« des Deisus bis zur Königstür, um so den göttlichen Heilsplan zu demonstrieren. Aus dem Funktionsbereich unmittelbarer Nähe rückte die Darstellung wiederum in einen hoheitsvollen

21 Wie Anm. 8, S. 162 ff.

und ehrfurchtgebietenden Abstand, aus der Vereinzelung in die Gruppierung, obwohl ihr Gestaltschema und ihr Format keine Veränderung erfuhren.

Wir stoßen dabei auf ein Phänomen, das uns schon in der frühchristlichen Kunst begegnet. Die gleiche Ikonographie und Formensprache kann verschiedenen Zwecken dienen. Friedrich Wilhelm Deichmann hat, parallel zur alexandrinischen Exegese, die Funktions- und Sinnschichten untersucht und interpretiert, wie ein und dieselbe Darstellung unterschiedlich wirksam werden kann, abhängig jeweils von dem Bereich, in dem sie erscheint.[22] Die Polyfunktionalität bzw. Polysemantik des Einzelbilds ist die Voraussetzung, daß durch einen Wechsel der Situation andere Werte abrufbar sind. Am Ikonostas sorgt die Plazierung in dem Koordinatensystem von Horizontalen und Vertikalen für die kultische Valenz. Ob und wie weit sich Anbringungsort und Gebrauch auf die Bildform bzw. Bildrhetorik auswirken, läßt sich nur im Einzelfall genau analysieren.

Man muß sicherlich zwischen ursprünglichen und historisch hinzugewachsenen Funktions- und Bedeutungswerten unterscheiden.[23] Der byzantinische Hesychasmus, unter dessen Einfluß sich die Schule des hl. Sergij herausbildete, nahm zu den Ikonen eine skeptische Haltung ein. Seine Grundforderung für das Gebet war die »Bildlosigkeit«. Er schloß jede Kommunikation mit einem äußeren physischen Subjekt oder Objekt aus, also auch jede Bildmeditation, wenngleich er die Bilderverehrung in der Volksfrömmigkeit tolerierte. Sein Verhältnis zum Bild ähnelte dem des Reformmönchtums eines Bernhard von Clairvaux. Dagegen berichtet Iosif von Volock über Daniil Černyj und Andrej Rublev, sie hätten sich in ihren Mußestunden lange in Ikonen vertieft, sogar während der Ostermesse.[24] Die hesychastische Lichtmystagogie veränderte in Rußland ihren Charakter. Die russischen Mönche teilten nicht die Bilderskepsis ihrer griechischen Brüder. Vermutlich mußten sie auch Rücksicht auf den »Doppelglauben« des Kirchenvolks nehmen, in dem die Bildmagie eine wichtige Rolle spielte.

Der orthodoxe Theologe Vladimir Ivanov verweist auf die vielen Beispiele der russischen Frömmigkeitsgeschichte für Visionen, die im Zusammenhang mit Bildern stehen. Er sieht »keine Diskrepanz zwischen geistlicher Erfahrung und Kunst« und erkennt in der Ikonenverehrung einen spezifischen, nationalen Beitrag Rußlands zur orthodoxen Frömmigkeit und Theologie.[25] Zahlreiche evangelische und katholische Theologen vertreten die gleiche Meinung: Rußland habe mit der byzantinischen Bildertheologie, mit der Nutzung der Kunst als sakrales Medium überhaupt erst ernst gemacht, indem es sie konsequent in die kultische Praxis umsetzte.[26] Ikonen blieben keine begleitende Maßnahme sondern wurden notwendiges Instrumentarium. Aus der Koinzidenz von Kult- und Bildregie, die an der Wende zum 15. Jahrhundert von den frühmoskoviti-

22 Friedrich Wilhelm Deichmann: Einführung in die christliche Archäologie, Darmstadt 1983, S. 169, 182.

23 Vgl. Günter Bandmann: Mittelalterliche Architektur als Bedeutungsträger, Berlin 1951[5]; Friedrich Möbius: Symbolwerte mittelalterlicher Kunst, Leipzig 1984.

24 Josif Volockij: Skazanije o sv. Otcech, in: Čtenija v Obščestve Istorii i Drevnostej pri Moskovskom universitete, Moskau 1847, Nr. 7.

25 Wladimir Iwanow: Die Theologie der Ikone und die orthodoxe Spiritualität, in: Stimme der Orthodoxie, Berlin 1987, Heft 10, S. 43–45.

26 s. K. Ch. Felmy: Die Deutung der Göttlichen Liturgie in der russischen Theologie, Berlin/New York 1984 und G. Podskalsky: Christentum und Theologische Literatur in der Kiever Rus, München 1982, S. 273 ff.

schen Gemeinschaftsklöstern ausging, erklärt sich die Aufwertung des Ikonostas und die Systematisierung des Bildprogramms. Eng verbunden war damit zweierlei: die neue mystische Frömmigkeit und der Aufstieg der Moskauer Großfürsten zur gesamtrussischen Zentralgewalt.

Die Grenzfläche des Ikonostas verbirgt den Laien Höhepunkte des Heilsdramas und schränkt damit, wie Konrad Onasch feststellt, den gemeinschaftlichen Vollzug, die »Bestätigung« ein.[27] Aber die Schaufläche sorgt für einen Ausgleich. Sie soll den dialogischen Charakter des Gottesdienstes auf die gesamte Gemeinde erweitern. Was sich an Handlungen, Lesungen, Gebeten, Hymnen auf Priester, Diakon und Chor konzentriert, visualisiert sie für alle. Sie bietet das Heilsmysterium gleichnishaft dem Auge der Öffentlichkeit dar. Die himmlische Hierarchie übernimmt die Vermittlung. Das Bilddenken des frühmoskovitischen Gemeinschaftsmönchtums sorgte dabei nicht nur für eine Systematisierung der Bildaussagen, sondern übertrug auch die kultische Differenzierung von anagogisch-sakramentalen, affektiv-empathischen und historisch-didaktischen bzw. theologisch-meditativen Appellfunktionen in die Formensprache. Die »Summe der Theologie« hängt eng zusammen mit der Spezifizierung der Bildrhetorik. Jeder Gläubige sollte sich in die Bildkommunikation einbezogen fühlen, unterschiedlich je nach religiösen Stimmungslagen, nach sozialem Rang und Bildungsstand und nicht nur während der Offizien, sondern auch als stiller und einsamer Beter.

Begünstigt wurde die Ausformung des Ikonostas durch den Aufstieg Moskaus. Die byzantinische Verwandtschaft von Liturgie und Kaiserkult erneuerte sich im Bündnis der frühmoskovitischen Gemeinschaftsklöster mit den Großfürsten. Die Machtpropaganda mußte auf die Bildbedürfnisse des Kirchenvolks ebenso Rücksicht nehmen wie die Glaubenspropaganda. Zugleich mußten sich die Bündnispartner auf die neue Zeit einstellen, auf die Systemstörung durch Tendenzen der individuellen Heilsvergewisserung, des Nonkonformismus und der offenen Opposition, auf den Kampf gegen Andersgläubige, besonders gegen Einflüsse aus dem Westen. Wenn gesellschaftliche Spannungen durch die Einübung autokratischer Normen in die Innenwelt verdrängt werden, wächst das Bedürfnis nach Kompensation. So ist die Fixierung der einzelnen, mobilen Tafelbilder in Wandgeschossen, die fast kanonische Organisation des Bildprogramms, die Monumentalisierung des Deisus- und des Propheten-Rangs zu verstehen. Der altrussische Ikonostas entstand als »Ausgleichsprodukt« (Martin Warnke).[28] Er glich die Widersprüche zwischen Öffentlichkeit, Mystagogie und Intimität, zwischen Herrschaftsstrategie, kollektiver und privater Heilserwartung, zwischen kultischer Kommemoration, intellektuellem Lehrinhalt und affektiver Frömmigkeit aus. Auf ihn konzentrierten die Russen ihre künstlerischen Energien. Alles, was ihnen lieb und wert war, mußte er visualisieren.

27 Wie Anm. 18, S. 58.
28 Martin Warnke: Bau und Überbau, Frankfurt a. M. 1979[2].

SCHEMA DER IKONOSTASE DER MARIÄ-VERKÜNDIGUNGS-KATHEDRALE IN MOSKAU

A *Reihe der Erzväter,* in der Mitte: Gott-Zebaoth

B *Reihe der Propheten,* in der Mitte: Gottesmutter Hodegetria (16. Jahrhundert)

C *Festtagsreihe:* 1 Mariä Verkündigung; 2 Christi Geburt; 3 Darbringung im Tempel (Mariä Reinigung); 4 Unterweisung (Mittpfingsten); 5 Taufe Christi; 6 Verklärung Christi; 7 Auferweckung des Lazarus; 8 Christi Einzug in Jerusalem; 9 Abendmahl; 10 Kreuzigung; 11 Grablegung; 12 Christi Niederfahrt zur Hölle (Auferstehung); 13 Christi Himmelfahrt; 14 Ausgießung des Heiligen Geistes; 15 Mariä Himmelfahrt

D *Deisus-Reihe:* 1 Basileios der Große; 2 Apostel Petrus; 3 Erzengel Michael; 4 Gottesmutter; 5 Erlöser auf dem Thron; 6 Johannes der Täufer; 7 Erzengel Gabriel; 8 Apostel Paulus; 9 Johannes Chrysostomos (beide Reihen 1405)

E *Reihe der Monats-Ikonen (18. Jahrhundert)*

F *Verehrungsreihe:* 1 Gottesmutter von Tichvin (16. Jahrhundert); 2 Erzengel Uriel, Tür zur Prothesis (18. Jahrhundert); 3 Erlöser auf dem Thron (17. Jahrhundert); 4 Gottesmutter Hodegetria (16. Jahrhundert) mit Medaillons der Urmütter (18. Jahrhundert); 5 Königs- oder Paradiestür mit Darstellungen der Verkündigung und der vier Evangelisten; 6 Erlöser auf dem Thron (1337); 7 Verkündigung von Ustjug (Kopie aus dem 17. Jahrhundert); 8 Johannes der Täufer, Apostel Petrus, Alexios der Gottesmensch (1683); 9 Erzengel Rafael, Tür zum Diakonikon (18. Jahrhundert); 10 Erlöser von Smolensk (16. Jahrhundert)

Gottesmutter aus dem Deesis-Rang der Ikonostase von 1497, Kloster des hl. Kirill Belozerskij

Johannes der Täufer aus dem Deesis-Rang der Ikonostase von 1497, Kloster des hl. Kirill Belozerskij

Apostel Petrus aus dem Deesis-Rang der Ikonostase von 1497, Kloster des hl. Kirill Belozerskij

Hl. Georg aus dem Deesis-Rang der Ikonostase von 1497, Russisches Museum Leningrad

O. V. Lelekova

NEUE ERKENNTNISSE ÜBER IKONOSTASEN UND IKONENMALER NACH DEM MATERIAL AUS DEM KLOSTER DES HL. KIRILL BELOZERSKIJ

Das Studium der altrussischen Kunst konzentriert sich in der Sowjetunion zur Zeit darauf, neues Material zusammenzutragen sowohl über die bereits bekannten und früher erforschten als auch über die bei Restaurierungsarbeiten neu aufgedeckten Werke. Überprüft werden müssen deshalb viele früher gebildete Vorstellungen über Malschulen und Malweisen, über die Prinzipien, nach denen die Ikonenmaler organisiert waren, über die Begriffe der Tradition und die Charakteristik dessen, was im Schaffen der altrussischen Künstler individuell und was kanonisch war. Die Prinzipien, nach denen Ikonen zugeschrieben wurden, v. a. das Niveau der Stilanalyse, genügen nicht mehr. In letzter Zeit machte sich das Bedürfnis geltend, diese mit technischen und technologischen Untersuchungen zu verbinden. Dafür hat das Interesse merklich zugenommen. Betrachtete man diese Analysen früher als möglich und wünschenswert, so gelten sie heute immer häufiger als notwendiges Element, v. a. wenn es sich um die Erforschung ganzer Ikonostasen oder um Teile davon handelt, wobei sich diese Untersuchungen als sehr effektiv für die Zuschreibung erwiesen haben. Das »Allunions-Institut für wissenschaftliche Restaurierung« (Vsesojuznyj naučno-issledovatel'skij institut restavracii Ministerstva kul'tury SSSR) in Moskau sammelte auf diesem Gebiet einige Erfahrungen. Besonders viel Material erbrachten und erbringen die Arbeiten im Kloster des hl. Kirill Belozerskij, das sowohl von seiner Bedeutung als auch von der Größe her an zweiter Stelle nach dem Dreifaltigkeits-Kloster des hl. Sergij steht. Diese Arbeiten führt das Institut schon seit zwanzig Jahren durch.

Beim Restaurieren jeder Ikonostase dieses Klosters müssen Gutachten abgegeben und Zuschreibungen durchgeführt werden, d. h. detaillierte stilistische und technologische Untersuchungen der Ikonen, wobei das reichhaltige Klosterarchiv von großem Nutzen ist. Auf diese Weise wurde die fast vollständig erhaltene Ikonostase von 1497, die aus rund sechzig Ikonen besteht, eingehend erforscht, und jetzt werden nach einem bereits ausgearbeiteten Schema Analysen der Werke – Ikonen, Wand- und Buchmalereien – durchgeführt, die Dionisij, einem hervorragenden Künstler an der Wende vom 15. zum 16. Jahrhundert, zugeschrieben werden. Die Ergebnisse dieser Untersuchungen erbrachten reichhaltiges Material über den ikonographischen Bestand und die Änderungen im Aufbau der Ikonostasen vom 15. zum 18. Jahrhundert, über die Technik der Ikonenmalerei, die Arbeitsweise der Ikonenmaler sowohl in den Klöstern als auch in den bedeutenden historischen und kulturellen Zentren.

Das Material erscheint vorläufig in den Arbeitsberichten und Sonderveröffentlichungen des Instituts.[1] Unseres Erachtens ist es jedoch nicht nur von Bedeutung für die Ikonensammlung des Klosters und ihre Geschichte, sondern auch in Verbindung mit einer ganzen Reihe allgemeiner Fragen, die die Erforschung russischer Ikonen betreffen. Auf einige dieser Fragen möchte ich kurz eingehen.

Da praktisch alle erhaltenen Ikonostasen im Laufe der Zeit umgebaut und verändert worden sind, sind viele Vorstellungen über ihren Aufbau ohne eine genügende Grundlage. Man nimmt z. B. an, daß die unterste Reihe der Ikonostase, die sogenannte »Lokale (oder Örtliche) Reihe« aus Ikonen der Gottesmutter, Christi und den Ikonen gesamtrussisch sowie lokal verehrter Heiligen bestehe (die letzteren in der Regel mit Szenen aus ihrer Vita auf den Randfeldern). Jedoch begegnet man in den Sammlungen der Museen großformatigen Ikonen des 15. und 16. Jahrhunderts, die oft über einen Quadratmeter messen, zu den Themen der Zwölf Feste: »Taufe«, »Kreuzigung«, »Höllenfahrt«, »Einführung Mariä in den Tempel« u. a. Diese Ikonen wurden Patroziniumsikonen genannt, d. h. sie zeigten jeweils das heilsgeschichtliche Ereignis, dem die betreffende Kirche geweiht war. Dies stimmt jedoch nicht ganz, da einige Ikonostasen erhalten sind, wo mehrere entsprechende Ikonen in der lokalen Reihe angebracht sind: z. B. stehen in der »Lokalen Reihe« der Ikonostase von 1553 aus der Kathedrale des Entschlafens der Gottesmutter (Uspenskij sobor) von Belozersk mehrere »Festtagsikonen«: »Taufe«, »Kreuzigung«, »Höllenfahrt«, während das Patroziniumsbild das »Entschlafen der Gottesmutter« zum Thema hat. In den Dokumenten aus dem Archiv werden solche Ikonen des 16. Jahrhunderts auch in der »Lokalen Reihe« der Kirchen des Klosters des hl. Kirill Belozerskij erwähnt.

Des weiteren kennen wir aus den schriftlichen Quellen ein interessantes Detail des altrussischen klösterlichen Gottesdienstes: in der Mariä-Entschlafen-Kathedrale des Klosters des hl. Kirill Belozerskij wurden alle Ikonen der »Lokalen Reihe« mit einem gemusterten Vorhang aus Seide bedeckt, der durch die Zarentür in zwei Hälften geteilt war. Das Vorhandensein dieses Vorhangs in der Kathedrale läßt sich über einen Zeitraum von hundert Jahren verfolgen. Offenbar sollte er die am meisten verehrten Heiligen in der Zeit außerhalb des Gottesdienstes müßigen Blicken entziehen. Im 19. Jahrhundert war diese Tradition im Kloster schon nicht mehr erhalten.

Vom obersten Rang der Ikonostase – dem Prophetenrang – war bekannt, daß gewöhnlich die Ikone »Gottesmutter des Zeichens« die Mitte und die Propheten die Seiten einnahmen. Einige erhaltene Prophetenränge ohne die »Gottesmutter des Zeichens«, in deren Mitte die Propheten David und Salomon (manchmal auch andere) einander zugewandt stehen, gelten als Ausnahmen von der allgemeinen Regel. Aber beim Restaurieren stößt man darauf, daß in einigen Ikonostasen des 15., 16. und 17. Jahrhunderts die zentrale Ikone des Prophetenrangs – die »Gottesmutter des Zeichens« – viel später als die übrigen Ikonen entstanden ist: so befindet sich jetzt im Zentrum des Prophetenrangs in der von Rublev gemalten Ikonostase des 15. Jahrhunderts in der Dreifaltigkeitskathedrale im Dreifaltigkeits-Sergij-Kloster eine Ikone des 18. Jahrhunderts. Wie die

1 Ausführlich bei: O. V. Lelekova: Ikonostas Uspenskogo sobora Kirillo-Belozerskogo monastyrja 1497 god, Moskau 1988. O. V. Lelekova: Materialy k istorii chudožestvennoj masterskoj Kirillo-Belozerskogo monastyrja v XVII–XVIII vv., in: Drevnerusskoe iskusstvo 1989, S. 157–180.

Prophet David aus dem Prophetenrang der Ikonostase von 1497, Tret'jakov-Galerie Moskau

Hl. Georg aus dem Deesis-Rang der Ikonostase von 1497, Russisches Museum Leningrad

Apostel Petrus aus dem Deesis-Rang der Ikonostase von 1497, Kloster des hl. Kirill Belozerskij

Apostel Paulus aus dem Deesis-Rang der Ikonostase von 1497, Kloster des hl. Kirill Belozerskij

Untersuchungen ergaben, ist sie auf eine neue und nicht auf eine alte Tafel gemalt.[2] Ikonen mit der Darstellung der »Gottesmutter des Zeichens« aus dem 18. Jahrhundert befinden sich auch in der Ikonostase von 1572 in der Kirche des hl. Johannes Klimakos und der von 1645 in der Kirche des hl. Epiphanios von Zypern im Kloster des hl. Kirill Belozerskij u. a. Die älteste Ikone aus einem Prophetenrang, auf der an Stelle der »Gottesmutter des Zeichens« die Propheten David und Salomon dargestellt sind, ist die berühmte Ikone aus der Tret'jakov-Galerie. In der Literatur wird sie Novgorod zugeschrieben, jedoch hat sich erwiesen, daß sie aus der Mariä-Entschlafen-Kathedrale des Klosters des hl. Kirill Belozerskij von 1497 stammt. Es gibt auch noch weitere Fragmente von Prophetenrängen des 16. Jahrhunderts ohne die »Gottesmutter des Zeichens« in der Tret'jakov-Galerie.

Abb. S. 43

Offenbar gab es ursprünglich auch keine Ikone der »Gottesmutter des Zeichens« in der Mariä-Entschlafen-Kathedrale des Moskauer Kreml: in Dokumenten von 1621 und 1627 wird diese Ikone im Prophetenrang nicht genannt, erstmalig ist von ihr 1638 die Rede, so daß man annehmen kann, daß sie erst dann neu gemalt worden war. Die »Gottesmutter des Zeichens« fehlt außerdem in der Mariä-Entschlafen-Kathedrale des Klosters des hl. Josif von Volokolamsk, in der Joachim- und Anna-Kirche in Suzdal', in einigen Kirchen von Novgorod, Možajsk u. a.[3] Diese unvollständige Statistik und die erhaltenen Ikonen lassen den Schluß zu, daß es bis zum 17. Jahrhundert neben Ikonostasen mit der Ikone »Gottesmutter des Zeichens« im Prophetenrang auch solche ohne sie gab. Im 17. Jahrhundert, als die Anordnung auf den Bilderwänden genau geregelt wurde, als es z. B. obligatorisch wurde, in der »Lokalen Reihe« rechts eine Christus- und links eine Muttergottesikone anzuordnen, wurde die Ikone der »Gottesmutter des Zeichens« im Zentrum des Prophetenrangs vorgeschrieben. Damals wurde die Ikone für jene Ikonostasen, auf denen sie ursprünglich fehlte, neu gemalt.

Die drei Propheten – David, Daniel und Salomon – konnten durch komplizierte symbolische Assoziationen jeweils als Prototyp Christi verstanden werden: Christus nannte man den »wahren Salomon«, David galt als Urbild und direkter Vorfahre Christi (Matth. I), die Gestalt des Daniel in der Löwengrube wurde dem Bild Christi im Grabe gleichgesetzt.[4] Die Aufnahme der Ikone »Gottesmutter des Zeichens« ändert prinzipiell nichts am Bedeutungsgehalt des Prophetenrangs, die Illustration der Idee von der Inkarnation des Gottessohnes, welche die Propheten auf ihren Schriftrollen vorhersagen, wird nur noch anschaulicher.

Im Deesis-Rang des 15. und 16. Jahrhunderts befanden sich fast immer Ikonen von Säulenheiligen – und nicht nur in Klosterkirchen. Diese Ikonen waren in der Regel nur halb so breit wie die übrigen Ikonen der Deesis.

Den stärksten Veränderungen waren die Festtagsränge der Ikonostasen unterworfen. Im 15. und 16. Jahrhundert war eine Zahl von 25 Festtagsikonen auf großen Ikonostasen keine Ausnahme. So viele Ikonen umfaßten die Festtagsränge der Mariä-Entschlafen-Kathedralen in Vladimir, im

2 Troice-Sergieva Lavra, Moskau 1968, S. 92.

3 N. V. Kalacev (Hg.): Piscovye knigi Moskovskogo gosudarstva I/1, Sankt Peterburg 1872; I/2 Sankt Peterburg 1877.

4 E. Smirnova, V. Laurina, E. Gordienko: Živopis' Velikogo Novgoroda. XV v., Moskau 1982, S. 325.

Taufe Christi aus dem Festtagsrang der Ikonostase von 1497, Kloster des hl. Kirill Belozerskij

Moskauer Kreml, im Kloster des hl. Kirill Belozerskij, in der Sophienkathedrale in Novgorod zu Beginn des 16. Jahrhunderts, in einigen Kirchen von Suzdal'. Außer den Festtagsikonen befanden sich in demselben Rang eine oder zwei Ikonen von Styliten, ungeachtet dessen, daß dieselben Darstellungen auch im Deesis-Rang vorhanden waren. Die Ikonen von Säulenheiligen im Festtagsrang konnten die gleichen Maße wie die Festtagsikonen besitzen oder auch schmaler sein. Ikonen mit der Darstellung von Styliten aus Festtagsreihen sind nur vereinzelt erhalten, so z. B. zwei Ikonen dieser Art im Novgoroder Museum.[5]

Insgesamt ist uns nur eine umfangreiche Festtagsreihe aus der Ikonostase der Mariä-Entschlafen-Kathedrale des Klosters des hl. Kirill Belozerskij aus dem Jahre 1497 erhalten geblieben: *Abb. S. 47* 24 Festtagsikonen, die 25., die den Säulenheiligen Alimpij darstellte, ist verlorengegangen. Die Festtagsreihe wuchs durch die Aufnahme von Darstellungen der Passion, d. h. der Ereignisse während der letzten Woche des Lebens Christi auf Erden, an. In den sowjetischen Sammlungen werden nur wenige Passionsikonen aufbewahrt, und manche nur in einem Exemplar, wie z. B. die Ikone »Die Aufrichtung des Kreuzes« aus der Ikonostase von 1497.[6] Dies kommt daher, daß im 18. Jahrhundert in großem Umfang die Ikonostasen alter Bauart, bei denen die Ikonen nebeneinander auf Balken standen, durch neue vergoldete und geschnitzte Konstruktionen ersetzt wurden und man dort nicht mehr alle Ikonen unterbringen konnte. Es blieben die zwölf obligatorischen Themen, während die anderen entfernt wurden, darunter alle Passionsikonen außer der Kreuzigung.[7] Die abgenommenen Ikonen gingen mit der Zeit aus verschiedenen Ursachen zugrunde.

Die Untersuchung der erhaltenen Passionsikonen, aber auch solcher Motive auf anderen Werken der Kirchenkunst, auf gestickten Tüchern und geschnitzten Königstüren etwa, zeigt, daß es im 15. und 16. Jahrhundert keine große Zahl von ikonographischen Varianten bei den Festtagsikonen, inklusive der Passionsikonen, gab, und daß sie im wesentlichen der Ikonographie der Novgoroder Tabletki des 15. Jahrhunderts aus der Sophienkathedrale folgen. Eine andere, weniger verbreitete Linie stellen nur einige Tabletki des frühen 15. Jahrhunderts aus dem Moskauer Umkreis in Zagorsk vor. Aus diesem Grund kann man davon ausgehen, daß die Novgoroder Tabletki zu Beginn des 15. Jahrhunderts als ikonographisches Sammelwerk entstanden sind, das deshalb in Rußland sehr weit verbreitet wurde. Davon zeugt deutlich die Tatsache, daß Passionsikonen Novgoroder Art überall anzutreffen sind: in Moskau, Rjazan', Rostov, Suzdal', in Galizien, Vologda usw. Es ist jedoch nicht auszuschließen, daß die Novgoroder Tabletki selbst irgendeine frühere Serie nachbilden. Doch dies ändert nichts an der These: die Tabletki entstanden als Sammlung ikonographischer Vorbilder für das Programm der Festtagsreihe auf den Ikonostasen des 15. und 16. Jahrhunderts.

5 Eine der Ikonen stellt den Styliten Simeon dar und wird in das Jahr 1465 datiert. Inv. Nr. 1547, 72 x 47 cm.

6 Sie befindet sich jetzt im Andrej-Rublev-Museum, Inv. Nr. 184, 83 x 66 cm.

7 Am vollständigsten sind die Passionsthemen auf der Ikonostase von 1497 aus dem Kirill-Belozerskij-Kloster erhalten geblieben: »Auferweckung des Lazarus«, »Fußwaschung«, »Abendmahl«, »Christus vor Pilatus«, »Kreuztragung«, »Aufrichtung des Kreuzes«, »Kreuzigung«, »Kreuzabnahme«, »Beweinung«, »Die Frauen am Grabe«. In der Sophienkathedrale von Novgorod befinden sich unter den Ikonen von 1509 die Darstellungen »Christus besteigt das Kreuz«, »Verspottung Christi«, »Bitte um den Leichnam Christi bei Pilatus«. In der Mariä-Entschlafen-Kathedrale in Belozersk gibt es unter den anderen Passionsikonen auch solche wie »Der Judaskuß«, »Christus besteigt das Kreuz«, »Bitte um den Leichnam Christi«.

In diesem Zusammenhang stellt sich erneut die Frage nach der Bedeutung der Tabletki. Man nimmt an, daß die Tabletki der Reihe nach an den entsprechenden Feiertagen vor der Ikonostase aufgestellt wurden oder am Gedenktag des Heiligen, der auf der Tabletka dargestellt war.[8] Die Darstellungen auf der Rückseite der Tabletka sind jedoch nach einem typologischen Prinzip angeordnet: heilige Mönche, Märtyrer, heilige Krieger, Hierarchen usw. Außerdem ist aus Dokumenten bekannt, daß in der Maria-Entschlafen-Kathedrale des Klosters des hl. Kirill Belozerskij sämtliche Tabletki vor der Ikonostase in speziellen Schreinen lagen und von dort nie weggebracht wurden. Dies bestätigt die Vermutung, daß die Tabletki die Rolle einer ikonographischen Vorlagensammlung spielten und den Malern als Vorbilder dienten. Die Analyse der Beschreibung von Darstellungen in den erhaltenen Ikonenmalbüchern zeigt, daß sie für den Ikonenmaler nur kurzgefaßte Hinweise auf das Sujet sein konnten und das Vorhandensein farbiger Vorlagen voraussetzten, da ja in der Ikonenmalerei eine dauerhafte Kontinuität in Ikonographie und Farbgebung zu verfolgen ist, die ohne farbige Vorlagen nicht hätte bewahrt werden können.
Das Problem der Vorlagen ist Teil eines noch größeren ungelösten Problems, das mit der Erforschung der Organisation der Ikonenmalerei in der Rus' zusammenhängt. Einige Forscher sind der Meinung, daß die Ikonenmaler nicht nur bei einem Fürsten oder Metropoliten arbeiteten, sondern daß jedes Kloster eigene Ateliers mit Ikonenmalern besaß, denen die Ikonen aus diesem Kloster zugeschrieben werden. Wichtiges Material zur Lösung dieser Frage ergaben das gut erhaltene Archiv und die Bilderwände des 15., 16., 17. und 18. Jahrhunderts des Klosters des hl. Kirill Belozerskij. Im Kloster bestand seit Beginn des 16. Jahrhunderts ein ziemlich hochentwickeltes Atelier, in dem Kunsthandwerker arbeiteten, die selbst hergestelltes Holzgeschirr sowie Möbel für Kirchen und Wohnungen mit Gold und Farben bemalten. Noch heute gibt es im Kloster eine große Zahl datierter bemalter Holzleisten aus dem 16. und 17. Jahrhundert. Diese mit Malerei verzierten Holzleisten wurden auf Vorrat angefertigt, und nach Bedarf machte man daraus Schreine für Ikonen und Ikonostasenbalken. Die meisten Ornamente variieren Verzierungen, wie sie in Büchern üblich waren. Jedoch gab es bis zum Ende des 17. Jahrhunderts im Kloster keine eigenen Ikonenmaler, und die für das Kloster nötigen Ikonen fertigten Ikonenmaler, die ständig aus verschiedenen Städten eingeladen wurden, und zwar aus Moskau, Jaroslavl' und Vologda. Außerdem wurden Ikonen in großer Zahl in diesen Städten gekauft. Bestellt und gekauft wurden – man muß es nicht betonen – Ikonen immer derselben Sujets: die Darstellung des heiligen Kirill Belozerskij, »Das Erscheinen der Gottesmutter vor dem hl. Kirill im Simon-Kloster«, »Das Entschlafen der Gottesmutter«. Alle Ikonen besaßen ungefähr dieselbe Größe – man nannte sie »pjadnicy« – d. h. eine Spanne oder »Handfläche« (ca. 30 x 25 cm). Ständig wurde im Kloster eine große Zahl solcher Ikonen aufbewahrt.
Dieselbe Situation bestand im Dreifaltigkeitskloster, nur daß dort Ikonen mit der Darstellung des heiligen Sergij von Radonež und der Hl. Dreifaltigkeit bestellt und gekauft wurden. Im Solovki-Kloster bewahrte man zu Tausenden Ikonen mit den Bildnissen der Klostergründer Zosima und

8 V. N. Lazarev: Stranicy istorii novgorodskoj živopisi. Dvustoronnie tabletki iz sobora sv. Sofii v Novgorode, Moskau 1977, S. 27–31.

Savvatij auf. Wozu diente diese Unmenge gleichartiger Ikonen? In der Rus' existierte der strikt eingehaltene Brauch, mit einer Ikone jeden zu segnen, der in das Kloster kam um zu beten oder der dem Kloster eine Spende in Form von Geld, Sachen oder Grund und Boden gab. Eine Ikone wurde jedem überreicht, mit dem das Kloster in Geschäftsbeziehungen trat oder an den es eine Bitte richtete. Gegen Ende der Herrschaft des Zaren Aleksej Michailovič hatten sich bei Hofe über achttausend dem Zaren dargebrachte Ikonen angehäuft. Am Ende des 18. Jahrhunderts begann man Stiche mit denselben Themen anstelle der Ikonen zu verschenken.
Im 18. Jahrhundert erscheinen im Kloster eigene Ikonenmaler, und deshalb wurden keine Meister von außerhalb mehr eingeladen. In den Dokumenten sind keine anderen Arbeiten der eigenen Ikonenmaler vermerkt als das Malen eben dieser Darbringungs- oder Schenkungsikonen. Die gleiche Situation findet sich im 18. Jahrhundert auch im Dreifaltigkeits- und im Solovki-Kloster sowie in anderen Klöstern. Den »klostereigenen« Ikonenmalern wird nicht die Rolle zugeschrieben, die sie in Wirklichkeit gespielt haben.
Die russischen Ikonenmaler wurden ihrer Eignung nach unterschieden, und seit dem Ende des 17. und vor allem im 18. Jahrhundert durch die Einteilung in Kategorien reglementiert, für die ein bestimmter Tätigkeitsbereich vorgeschrieben war. Die professionellen Ikonenmaler, die man mit vollem Recht Künstler nennen kann, schufen neue Ikonostasen und Einzelwerke auf neuen Brettern und restaurierten offenbar nur ungern und in Ausnahmefällen beschädigte Ikonen (ausgenommen war in bestimmten Fällen die Reparatur wundertätiger Ikonen).
Die lokalen Ikonenmaler, die Handwerker, darunter auch die »klostereigenen«, machten Instandsetzungen, d. h. sie festigten und erneuerten alte Ikonen. Vor der Erneuerung zerstörten sie die alte Malerei aber nicht, da sie ohne diese nicht auskommen konnten. Bei der Überprüfung ihres Könnens gaben die gewerblichen Ikonenmaler in Vologda interessante Zeugnisse ab: Einer sagte von sich, daß »er auf neuen Brettern keine neuen Ikonen malen könne, sondern nur alte erneuern und dabei nur die Ränder und Gewänder, die Gesichter ausgenommen«; ein anderer konnte weder neue Ikonen malen noch alte erneuern, sondern »konnte nur anstreichen« (Gebietsarchiv von Vologda, 1771).
Es gab auch höhere Kategorien handwerklicher Ikonenmaler, die nicht nur alte Ikonen erneuern sondern auch neue Ikonostasen malen durften. Ein großer Teil jeder beliebigen Sammlung altrussischer Kunst besteht aus oft rührend naiven, aber künstlerisch minderwertigen Ikonen.
Beim Restaurieren entfernen viele Generationen von Restauratoren auf Hunderten und Aberhunderten von Ikonen die obersten, späten Schichten handwerklicher Malerei, die das alte Original bedecken, d. h. sie vernichten die Arbeit der Handwerker, die die Ikonen erneuert hatten. Hätten die professionellen Künstler nicht nur neue Ikonen gemalt, sondern sich in gleichem Maße mit der Renovierung alter Tafeln befaßt, dann wäre eine neuerliche Restauration derselben im Prinzip unmöglich: man müßte sonst bedeutende Kunstwerke vernichten, um unter der Übermalung die frühere Malerei aufzudecken.
In allen Klöstern wurden viel seltener als einmal in einem Jahrzehnt die Wandmalereien in den Kirchen erneuert oder neue Ikonostasen geschaffen. Deshalb luden die Klöster, besonders in ihrer Blütezeit, dazu berühmte Künstler ein. Kein Kloster war imstande, solche Künstler ihrem Niveau entsprechend ständig zu beschäftigen. Jede bedeutende Ikonostase in jedem Kloster ist das Werk eines in seiner Zeit berühmten Künstlers und nicht klostereigener Ikonenmaler. Ein

Gottesmutter aus der Ikone »Geburt Christi«, Festtagsrang der Ikonostase von 1497, Kloster des hl. Kirill Belozerskij

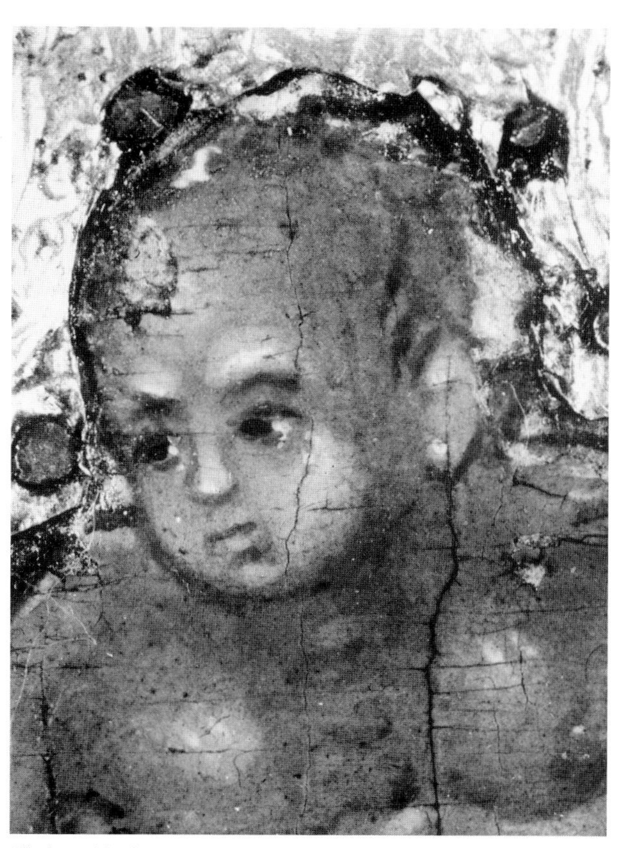

Christuskind aus der Ikone »Darstellung Christi im Tempel«, Festtagsrang der Ikonostase von 1497, Kloster des hl. Kirill Belozerskij

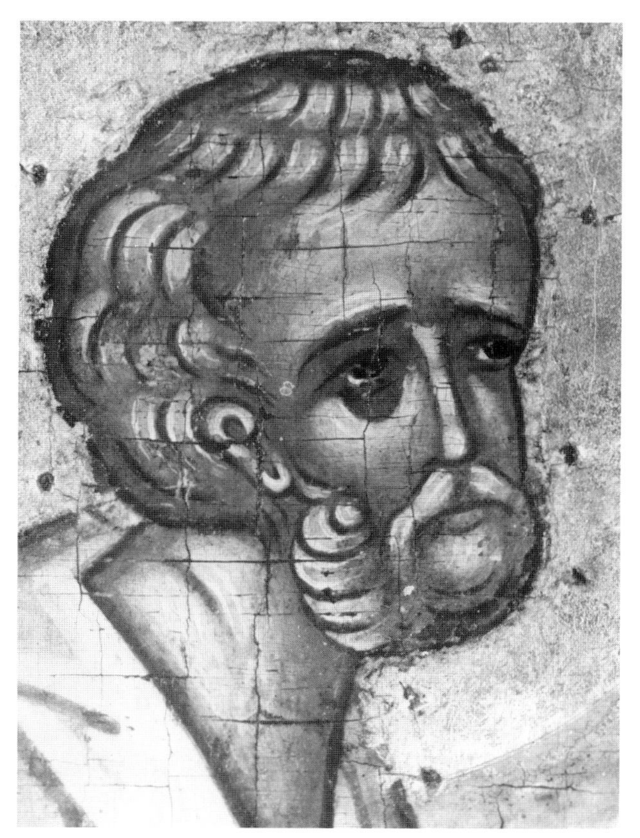

Petrus aus der Ikone »Pfingsten«, Festtagsrang der Ikonostase von 1497, Kloster des hl. Kirill Belozerskij

Jakob aus dem Prophetenrang der Ikonostase von 1497, Russisches Museum Leningrad

professionell arbeitender Künstler mußte die Möglichkeit haben, ständig eine verantwortungsvolle Arbeit auf hohem Niveau ausführen zu können.
In der Rus' gab es bis zum 18. Jahrhundert keine Organisation wie die Gilden in Westeuropa. Gruppen von Künstlern malten Kirchen aus und schufen für sie Ikonostasen und wechselten von einer Arbeitsstelle zur anderen. Manche Teams bestanden lange Zeit in unveränderter Zusammensetzung, meistens aber scheinen sie sich jedes Mal für eine bestimmte Arbeit neu gebildet zu haben. Über die Zusammensetzung mittelalterlicher Künstlergruppen kann man sich heute bis zu einem gewissen Grade nur auf Grund der erhaltenen Ikonostasen und Wandmalereien ein Bild machen. Die altrussische Ikonenmalerei war ein Gesamtkunstwerk, aber die Verhältnisse, unter denen die Museumssammlungen entstanden, brachten es mit sich, daß die meisten erhaltenen Ikonostasen auseinandergenommen wurden und die Einzelteile sich in verschiedenen Museen befinden. Deshalb werden sogar Ikonen aus einer Ikonostase isoliert voneinander untersucht. Bei der Zuschreibung führt das zu einer künstlich übertriebenen Forderung nach Übereinstimmungen aller Details bei Ikonen ein und desselben Künstlers, wodurch die Zahl der Schöpfer jeder Ikonostase unerhört »anwächst«. So kamen einige Forscher zum Ergebnis, daß die Ikonostase der Dreifaltigkeitskathedrale im 15. Jahrhundert von fast dreißig Künstlern gemalt worden sei, von denen in den Chroniken nur Rublev und Daniil Černyj erwähnt sind.
Dasselbe geschah auch mit der Ikonostase von 1497 aus der Mariä-Entschlafen-Kathedrale des Klosters des hl. Kirill Belozerskij. Sechzig erhaltene Ikonen aus dieser Ikonostase sind jetzt auf vier Museen verteilt, die sich in verschiedenen Städten befinden. Verschiedene Spezialisten schrieben diese Ikonostase, ähnlich wie die der Dreifaltigkeitskathedrale, einer großen Zahl gesonderter Gruppen zu, wobei noch Einzelikonen hinzukamen, so daß die Zahl der Maler wie im ersten Falle ungefähr an die dreißig heranreichte. Die Ikonen schienen einigen Forschern aus verschiedenen Zeiten zu stammen, einige von ihnen schrieben sie Rublev, Daniil Černyj, Dionisij und anderen Moskauer Malern zu, andere Ikonen hingegen Künstlern aus Novgorod, Rostov oder lokalen klösterlichen Ikonenmalern . . . Am Institut ergaben sich bei der Untersuchung der gesamten Ikonostase nicht nur durch Stilanalyse sondern auch durch das Heranziehen technischer und technologischer Daten über die Beschaffenheit der Holztafeln, der Gewebe, der Farben, die Maltechnik u. a. insgesamt drei scharf umrissene Gruppen, d. h. drei Künstler, jeder mit seiner Farbskala und Malweise. Alle Ikonen haben sich unzweifelhaft als gleichzeitig erwiesen, so daß alle berühmten Namen von selbst fortfielen.

Abb. S. 40, 51, 55

Im 15. Jahrhundert bestanden gar keine großen Malergruppen mit etwa dreißig Mitgliedern. Das bestätigen nicht nur die Forschungen sondern auch die im Archiv erhaltenen Dokumente. In der Dreifaltigkeitskathedrale des Dreifaltigkeits-Sergij-Klosters z. B. sind in der Chronik nur Andrej Rublev und Daniil Černyj als leitende Meister erwähnt. Ihre Gehilfen, die in der Chronik nicht namentlich genannt werden, haben offensichtlich nur technische Arbeiten ausgeführt, so daß sich ihre Beteiligung nicht auf den Stil und das künstlerische Niveau der Ikonostase ausgewirkt haben. Die Ikonostase für die Moskauer Mariä-Entschlafen-Kathedrale schuf Dionisij zusammen mit drei anderen Meistern; die Fresken und Ikonen für die Mariä-Entschlafen-Kathedrale des Klosters des hl. Josif von Volokolamsk malten vier Künstler: derselbe Dionisij mit seinen beiden Söhnen und dem greisen Paisij; Dionisij mit seinen beiden Söhnen malte die Geburt-Mariä-Kirche im Kloster des hl. Ferapont aus und die für diese Kirche bestimmte Ikonostase (1502).

In Novgorod ergänzten 1509 zwei Moskauer Maler die Ikonostase der Sophienkathedrale. Es gibt noch mehr solcher Fälle. Aber schon diese zeigen, daß die Gruppen klein waren und sie bei der Zuschreibung der Ikonostasen und Wandmalereien grundlos zu groß angegeben werden. Die Gefahr besteht hierbei nicht in der spekulativen Erhöhung der Anzahl der Meister, die eine Ikonostase geschaffen haben, sondern darin, daß man ihre Arbeit fälschlicherweise mit dem Handwerk in Beziehung bringt und nicht mit der Kunst.
Eine völlig übereinstimmende Malweise ist nur für die in Massen gewerblich hergestellten Ikonen typisch. Die Analyse der Ikonostase von 1497 hat hingegen erwiesen, daß jeder Künstler bemüht war, die Farbgebung und die graphische Ausarbeitung seiner Ikonen zu variieren, so daß man zwischen den qualitätvollen Ikonen ein und desselben Künstlers keine völlige Übereinstimmung erwarten kann.
Die Untersuchung der Ikonostasen aus dem Kloster des hl. Kirill Belozerskij hat ergeben, daß sich der Künstler bei der Schaffung einer Bilderwand innerhalb der Gruppe seine völlige Selbständigkeit bewahrte. (Jedenfalls haben wir dies bei den von uns untersuchten Ikonostasen im Kloster des hl. Kirill und im Moskauer Kreml festgestellt.) Die Künstler hatten bei der Auswahl ihrer Farbpalette völlige Freiheit, und sie malten nicht alle auf die gleiche Weise mit vorbereiteten Farben, sondern jeder wählte und mischte seine Farben nach eigener Vorstellung. Die Maler waren gleichgestellt: auf der Ikonostase von 1497 malte jeder der drei Künstler die Mitte eines Ranges der Bilderwand, einer das Zentrum der Prophetenreihe, der zweite das der Deesisreihe und der dritte die Mitte der Festtagsreihe, während ihre übrigen Ikonen in den Reihen abwechseln. Diese Selbständigkeit war durch eine jahrhundertealte Erfahrung bestätigt und gerechtfertigt: die Farbunterschiede, die aus der Nähe zu erkennen sind, gleichen sich aus der Ferne betrachtet – auf der Ikonostase – aus. Außerdem beruht die traditionelle Farbkomposition der Ikonostase auf einer strengen Symmetrie. In jeder Deesis verwendeten die Maler im Zentrum auf der Ikone »Christus mit den Himmelsmächten« (»Spas v silach«) obligatorisch Zinnober, während zu jeder Seite die Figuren der heiligen Märtyrer und Hierarchen, auf deren Ornat große Flächen von Zinnober und Weiß vorherrschen, durch das sie beherrschende Kolorit wie Perlen aufgereiht sind. Eine außergewöhnlich vereinheitlichende Wirkung besaß der Goldgrund, so daß der Künstler bei der Wahl der Farben für die übrigen Gestalten einige Freiheit genoß. Das Gelingen des Ensembles war weitgehend schon durch die jahrhundertealte Tradition im Aufbau der Ikonostase sowie durch die Beständigkeit der Ikonographie und der Farbgebung gesichert. Die symmetrische Anordnung der Deesis verhinderte ihr »Auseinanderfallen« bei der zunehmenden Zahl paarweise angeordneter Märtyrer, Hierarchen, heiliger Mönche usw. In der Festtagsreihe, die sich im 15. Jahrhundert über dem Deesisrang, hoch oben, befand, waren Unterschiede in der Farbgebung und der Komposition bei Ikonen verschiedener Meister nicht von Bedeutung, wenn sie nur in der richtigen Reihenfolge angeordnet waren. In der Praxis wurde dies berücksichtigt. Nicht von ungefähr wechselte die Zusammensetzung der Ikonenmalergemeinschaften so häufig. Auf diese Weise bilden die erhaltenen Ikonen verschiedene Klassen: zur einen gehören die äußerst qualitätvollen Werke, die von professionellen Ikonenmalern geschaffen wurden, die man als Künstler bezeichnen kann, wie die Bilderwand von 1497 aus dem Kloster des hl. Kirill Belozerskij; die andere, umfangreichere Klasse bilden die Ikonen der gewerblichen Ikonenmaler verschiedenen Niveaus. An sie müssen unterschiedliche Maßstäbe angelegt werden. Häufig werden

alle erhaltenen Ikonen gleichgestellt, was nicht gerechtfertigt ist. Als Kunstwerke sind sie oft nicht zu vergleichen. Die Vielzahl der vorzüglich erhaltenen Ikonostasen im Kloster des hl. Kirill, v. a. die von 1497, erfordert, sich erneut Problemen der Erforschung der altrussischen Kultur zuzuwenden, die schon gelöst zu sein schienen. Eines dieser Probleme ist das der Malschulen: der Novgoroder, Moskauer, Rostover usw. In der Frühzeit der Erforschung der altrussischen Malerei, als den Wissenschaftlern nur eine begrenzte Anzahl von Denkmälern zur Verfügung stand, waren die Stilunterschiede zwischen den einzelnen Schulen klar und deutlich. In der Gegenwart jedoch, wo die Zahl der freigelegten Ikonen um das hundertfache gewachsen ist, werden die Abgrenzungen zwischen den Schulen nicht deutlicher sondern beginnen sich im Gegenteil zu verwischen. Die Schwierigkeiten bei der Zuordnung der Ikonen aus der Ikonostase von 1497 zu bestimmten Schulen stellten sich gleich von Anfang an ein. Um ihrer Herr zu werden, schlugen einige Forscher sehr komplizierte und schwer verständliche Lösungen vor, z. B. diese: »Die Eigenart der besten Ikonen der Mariä-Entschlafen-Kathedrale des Klosters des hl. Kirill läßt sich nur damit erklären, daß die meisten Maler, nachdem sie sich ihre Fertigkeit in Novgorod angeeignet hatten, im Laufe der achtziger und neunziger Jahre in Moskau tätig waren . . . Dieser geschlossenen und eingearbeiteten Gruppe schlossen sich Novgoroder Maler an, denen die Moskauer Praxis fehlte (ihre Anzahl läßt sich nicht endgültig feststellen), sowie lokale Künstler. Zu der Gruppe gehörten auch Moskauer, die offenbar ihrerseits einige Methoden bei den Novgoroder Malern entlehnten.«[9]

Manche Forscher schrieben ein und dieselben Ikonen der Ikonostase von 1497 Moskauer Künstlern zu, andere Novgoroder Malern, die dritten lokalen Ikonenmalern, was von der Unbeständigkeit stilistischer Merkmale der Malschulen zeugt. Die eindeutige Feststellung, daß an der Ikonostase insgesamt nur drei Künstler gearbeitet haben,[10] berechtigt zu der These, daß die stilistische Abgrenzung der Schulen im 15. Jahrhundert nicht allzu starr war, daß schon damals bei ein und demselben Künstler ein organisches Verschmelzen der stilistischen Merkmale verschiedener Schulen möglich war. Somit wird durch die Untersuchung der Ikonostase von 1497 der Prozeß, in dem sich die stilistischen Eigenheiten der Schulen verwischen, ins 15. Jahrhundert vorverlegt, wobei er sich besonders stark auf das Werk bedeutender Künstler auswirkte. Es gelingt jedoch nur bei einer umfassenden Untersuchung ganzer Ikonostasen, diesen Prozeß aufzudecken, während Einzelwerke, deren Herkunft nicht bekannt ist, leicht von einer Schule in die andere »verlagert« werden, wobei nicht selten die Einstellung des Forschers den Ausschlag gibt. Konkrete Untersuchungen ergeben, daß die Künstler eine große Spannbreite in ihrem Schaffen besaßen.

V. N. Lazarev konstatierte, daß gegen Ende des 15. Jahrhunderts sowohl für die Moskauer als auch die Novgoroder Kunst »eine sich selbst genügende Vorliebe für die Maltechnik«[11] charakteristisch war. Dies bedeutet durchaus nicht, daß damals in Moskau und in Novgorod das Entstehen

9 G. V. Popov: Živopis' i miniatjura Moskvy serediny XV – načala XVI v., Moskau 1975, S. 63 f.

10 Durch die Analyse sind die Konstruktion der Bretter, die Beschaffenheit der auf die Tafel geklebten Gewebe, die Malmaterialien und die graphische Bearbeitung der Malfläche festgestellt worden, ebenso eine Reihe morphologischer Merkmale der Darstellung, die Art der Komposition, die Zeichnung u. a.

11 V. N. Lazarev: Moskovskaja škola ikonopisi, Moskau 1971, S. 51.

Christus aus der Ikone »Auferweckung des Lazarus«, Festtagsrang der Ikonostase von 1497, Russisches Museum Leningrad

Christus aus der Ikone »Entschlafen der Gottesmutter«, Festtagsrang der Ikonostase von 1497, Kloster des hl. Kirill Belozerskij

Christus aus der Ikone »Christus vor Pilatus«, Festtagsrang der Ikonostase von 1497, Andrej-Rublev-Museum Moskau

Christus aus der Ikone »Einzug in Jerusalem«, Festtagsrang der Ikonostase von 1497, Kloster des hl. Kirill Belozerskij

formvollendeter Werke eine alltägliche Erscheinung war. Offenbar räumte ein Teil der Künstler einer beliebigen Richtung der Ikonenmalerei der Perfektionierung der Formen den Vorrang ein, und an irgendeinem Zeitabschnitt wurden diese Versuche und Anstrengungen verwirklicht. In der Novgoroder Kunst gab es eine Epoche der »Vorliebe für die Maltechnik«, wofür die Novgoroder Tabletki, die Ikonen aus Volotovo und sogar die Ikonen aus dem Kloster von Murom als Beispiel dienen können. Dies sind vermutlich die Höchstleistungen der Novgoroder Künstler im Hinblick auf die formalen Möglichkeiten. In Vologda können die Ikonen des 16. Jahrhunderts aus der Georgskirche (dem Museum von Vologda) Beispiele für die Verwirklichung solcher Versuche sein. Bei diesen Denkmälern aus Vologda ist alles zur Vollkommenheit gebracht: die brillante Technik, mit der die Bretter vorbereitet wurden, die vorzügliche Grundierung, die klaren Farben, die ausgezeichnete Vergoldung und die erlesene Zeichnung. Vor allem sind jedoch solche Versuche und Leistungen charakteristisch für die Moskauer Kunst. Repräsentanten der glänzenden Moskauer »Stilisten« waren die Schöpfer der Ikonostase der Kirche »Spas na Boru« im Moskauer Kreml, einer weiteren Bilderwand, zu der das sogenannte »Blaue Entschlafen der Gottesmutter« gehört, und auch die Meister der Ikonostase von 1497 aus dem Kloster des hl. Kirill Belozerskij. Alle diese Maler bewahrten die Qualität der alten Malerei, die sie zu ihrer höchsten Formvollendung führten. Ihre Versuche unterschieden sich von denen ihrer Zeitgenossen aus dem Kreis des Dionisij. Diese reformierten die Malweise, nahmen ihr die frühere Vielschichtigkeit, Dichte und Stofflichkeit. Für ihre Werke sind ein Minimum an graphischer Ausarbeitung, die Zusammenfassung der Kontur sowie der Ausgleich und die Harmonisierung der Massen charakteristisch. Der Richtung, zu der die Schöpfer der Ikonostase von 1497 gehörten, ist dagegen ein Maximum an graphischer Ausarbeitung eigen, komplizierte und elegante Konturen, kurz das, was V. N. Lazarev »eine Vorliebe für die Maltechnik« nennt.

Soweit zu den neuen Fakten, die bei der Restaurierung und Erforschung der Ikonostasen des 15.–18. Jahrhunderts gewonnen wurden, und den daraus entstandenen Fragestellungen, die einer Klärung bedürfen.

Nikolaj Bregman

ZUR SYSTEMATISIERUNG TYPISCHER UND INDIVIDUELLER MERKMALE IN DER IKONENMALEREI DES 12.–16. JAHRHUNDERTS

Der unbestreitbare künstlerische Wert der russischen Ikone, der im 20. Jahrhundert entdeckt wurde, hat dazu geführt, daß heute viele Menschen ästhetische Befriedigung aus der Ikonenmalerei ziehen, ohne die geringsten Kenntnisse von der Datierung, Herkunft der Ikone oder dem Namen des Malers zu haben. Daraus folgt, daß die künstlerischen Qualitäten der Ikone nach subjektiven Kriterien beurteilt werden und Datierungen und Zuschreibungen strittig bleiben. Die Objektivierung der kunsthistorischen Arbeit beginnt mit der Erforschung der wissenschaftlichen Literatur zur Geschichte der Ikonenmalerei. Die »literarische« Methode, ein konkretes Denkmal der Ikonenmalerei zu erforschen, abstrahiert heute meistens von der Beschäftigung mit einer Ikone als individuellem Werk der altrussischen Malerei und konzentriert sich traditionellerweise auf ikonographische und ikonologische Fragen mit dem Ziel, eine Reihe theoretischer Vorstellungen zu einer bestimmten Ikone, die im stilistischen und zeitlichen Zusammenhang mit analogen Ikonen gesehen wird, zu systematisieren. Diese Forschungsmethode setzt zwar ein systematisches und kritisches Studium der bekannten Quellen und Ergebnisse der Mittelalterforschung im allgemeinen voraus, bleibt aber, wenn man es dabei beläßt, im Rahmen der traditionellen kunsthistorischen Methodik stecken.

Bekanntlich wurden die Ikonen, bedingt durch ihre kultische Rolle, periodisch erneuert, wodurch ihre Malerei sowohl in der Farbgebung als auch in ihrer zeichnerischen Komponente recht bald verändert wurde. Die restauratorische Praxis und insbesondere die Erkenntnisse während der Freilegung alter originaler Malschichten zeigen, daß nur in außergewöhnlichen Fällen eine Ikone sowohl in ihrer Gesamtheit als auch im Detail ein unverändertes Werk darstellt. Während aus musealer Sicht die Ikonen des 18.–19. Jahrhunderts oft vorzüglich erhalten sind, müssen in der Regel Werke der früheren Zeit anders beurteilt werden. Sehr oft beobachtet man ein summarisches Bild von Malfragmenten, die aus verschiedenen Zeiten stammen und ein komplexes Bild ergeben. Die von den Restauratoren angewandte Methode zur Untersuchung der Ikonenmalerei und zur Begutachtung solcher »komplexen« Bilder fördert hingegen keine emotionsgeladenen und begeisterten Beschreibungen der konkreten Ikone, sondern führt zu einer nüchternen Bewertung des Erhaltungszustandes, welche heute unbedingt Untersuchungen unter dem Mikroskop voraussetzt. Diese Art von technischer oder technologischer Analyse der Ikonenmalerei und die dazugehörende chemo-physikalische Untersuchung der verwendeten Materialien hat die Aufgabe, die ursprünglichen Farbschichten der Ikone während ihrer Freilegung und Konservierung optimal zu erhalten. Die technologische Untersuchung der Ikonenmalerei ist heute in der Regel langwierig und kompliziert, was einigen Restauratoren und Kunsthistorikern vielleicht langweilig erscheinen mag. Aber die Mühe wird belohnt durch die Möglichkeit, den tatsächlichen Erhaltungszustand der Ikone richtig zu beurteilen, ferner die versteckten und schwer zu erkennenden

Besonderheiten der individuellen Malweise und der »Handschrift« des Ikonenmalers zu bestimmen. Diese Besonderheiten können primär als wichtige morphologische Kennzeichen dienen, um die Ikone einem bestimmten Meister zuzuschreiben, was in einer unmittelbaren Beziehung zum Problem des Stils im traditionellen kunsthistorischen Sinne steht. Die Berührungslinie der wissenschaftlichen Restaurierung und der kunsthistorischen Forschung war immer fließend, und in der praktischen Arbeit verschmelzen oft beide Methoden, was zu vertieften Erkenntnissen führt. Andererseits führt die Wechselwirkung zwischen den wissenschaftlichen restauratorischen Methoden und der technologischen Untersuchung letztendlich zu differenzierten Vorstellungen über die Ikonenmalerei als System der Malerei und steht damit im Gegensatz zur intuitiven, letztendlich nur auf wenig überzeugenden und nicht konkreten Behauptungen basierenden Erkenntnis.

Ein rein literarischer Topos ist z. B. die Vorstellung, die Farben der altrussischen Malerei seien ungewöhnlich dauerhaft und haltbar; infolgedessen wurde die alte Ikonenmalerei oft mit Elfenbein und kostbarem Email verglichen. Die Stilanalyse einer Ikone, die sich nicht auf Erkenntnisse der restauratorischen Untersuchung des Erhaltungszustandes stützt, führt oft zu falschen Schlußfolgerungen und Zuschreibungen. Freilich läßt sich das Problem des Stils und der Bedeutung der altrussischen Malerei nicht auf die historische Maltechnik reduzieren. Andererseits sind in den methodologischen Prinzipien, nach denen Kanon und Stil beurteilt werden, bei vielen bekannten Forschern der altrussischen Malerei grundlegende Unterschiede zu verzeichnen. Oft wird im Zusammenhang mit der Ikonenmalerei nur der »Zeitstil« angesprochen.[1] Die wissenschaftliche Rekonstruktion der Arbeitsweise des altrussischen Künstlers und die damit verbundene Bestimmung des individuellen Stils des Ikonenmalers stößt auf die Schwierigkeit, daß Aussagen auf diesem Gebiet wegen der Veränderungen des originalen Zustandes der Ikonen, etwa durch Patina und Fehlstellen, relativiert werden müssen.

Michail Alpatov schrieb einmal: »Die Bedeutung der alten Ikonenmalerei nur auf die Leuchtkraft, den Zusammenklang und die Reinheit der Farben zurückführen, heißt ihr Wesen nicht begreifen können . . . Der zeitgenössische Mensch muß all seine Geisteskräfte sammeln, um auch nur ansatzweise die altrussische Farbästhetik zu verstehen.«[2] In dem Buch, aus dem dieses Zitat stammt, hat sich Michail Alpatov ausschließlich auf die Farbsymbolik konzentriert, die den mystischen Sinn der Ikone, ihren geistigen Kosmos offenbart. Die umfassende und systematisch verfeinerte Herangehensweise Alpatovs an die Stilanalyse und gleichzeitig an die kanonische Ausrichtung der Ikonenmalerei, erlaubte es ihm, die These zu formulieren, daß die Farbe in der Ikonenmalerei nicht nur eine Bedeutung habe. »Der Unterschied zwischen dem Farbverständnis von Feofan und dem von Rublev offenbart den grundlegenden Unterschied zwischen der russischen und der byzantinischen Kunst.«[3] Es ist bezeichnend, daß Alpatov in seinem Buch »Die Farben der altrussischen Malerei« nicht einmal in den Anmerkungen und in den Literaturangaben konkrete

1 G. K. Vagner: Kanon i stil' v drevnerusskom iskusstve, Moskau 1987, S. 40–43.
2 M. V. Alpatov: Kraski drevnerusskoj živopisi, Moskau 1974, S. 5.
3 Ibid., S. 11.

Angaben zur Maltechnik, Faktur und den Malmaterialien der Ikonen aufgeführt hat. Alpatovs Prinzip, das typisch ist für viele Kunsthistoriker, hat seinerzeit wiederholt Viktor Lazarev kritisiert.[4] Wenn auch die kunstgeschichtliche Forschung heute vereinzelt die Resultate der Restaurierungsgutachten benutzt, so hängt die Stilanalyse des Kunstwerks weiterhin von der Unausgewogenheit zwischen objektivem Befund einerseits und subjektiver Vorstellung des Ikonenforschers andererseits ab, letztere bedingt durch die Tradition der wissenschaftlichen Literatur. Die Ikonenrestaurierung und ihre Theorie waren immer vom wissenschaftlichen Stand der Kunstgeschichte abhängig. Kunsthistoriker und viele Restauratoren betrachten die Kunstgeschichte als eine der Restaurierung übergeordnete Wissenschaft. Manche sind überzeugt, daß die Restaurierungstätigkeit eine besondere Art von kunsthistorischer Tätigkeit ist: während der Restaurator die Ikone untersucht und vor allem freilegt, kommt er zur wissenschaftlichen Beurteilung des ursprünglichen Zustandes der Malerei (I. Grabar'). Man muß in diesem Zusammenhang darauf hinweisen, daß es bei allem sprachlichen Talent unmöglich ist, das visuelle Bild mit dem sprachlichen Äquivalent in Einklang zu bringen, insbesondere die Farbe mit der Farbbezeichnung. Man konnte und kann auch heute ohne Reproduktionen aller Art nicht auskommen. Die verschiedenen Möglichkeiten, die Ikonenmalerei wissenschaftlich zu erfassen, sind dabei stets mit der Untersuchung des Originals einerseits und dem Heranziehen von Aufnahmen oder Reproduktionen andererseits verbunden. Letztere können ja keinesfalls mit den entsprechenden Originalen identisch sein, und deswegen soll bei der Arbeit mit Reproduktionen berücksichtigt werden, daß nur Detail-Farbaufnahmen in Vergrößerung – und diese auch nur bedingt – den Erfordernissen der technologischen Untersuchung für vergleichende Analysen genügen können.

Unter dem Mikroskop sieht das Auge, was ihm normalerweise nicht zugänglich ist. Die besten Bilder von der Oberfläche der Malerei für unsere Zielsetzung (Bestimmung der Faktur, der Farbstruktur und des Erhaltungszustandes) liefert das üblicherweise in der Medizin für Operationen verwendete Stereomikroskop. Es garantiert während der Freilegungs- und Konservierungsarbeiten nicht nur die maximale Erhaltung der bearbeiteten Farbschicht, sondern ist für die objektive Bestimmung von wichtigen, für die Maltechnik charakteristischen visuellen Wahrnehmungen als Arbeitsgerät heute unabdingbar geworden. Leider wurde das Mikroskop in die Restaurierungspraxis der altrussischen Ikonenmalerei viel zu spät eingeführt. Die traurigen Resultate unwissenschaftlicher Freilegungsmethoden sind an vielen Werken abzulesen: Verletzungen, chaotisches Nebeneinander von verschiedenen Malschichten, Olifa-Reste, Fehlstellen bis auf die blanke Grundierung und Retuschen.

Abb. S. 61

Der Restaurator hat seine Arbeit gut gemacht, wenn er die Faktur der ursprünglichen Malerei optimal erhalten hat. Beispiele gut erhaltener mittelalterlicher Malfaktur zeigen Makroaufnahmen altrussischer Ikonen und Miniaturen. Der Vergleich zahlreicher Makrofragmente russischer Malerei in 8- bis 24facher Vergrößerung macht deutlich, was unter dem Begriff »Faktur« zu verstehen ist, nämlich die sichtbare Malstruktur. Solche Vergleiche ermöglichen erst die Qualitätsbe-

4 V. N. Lazarev: Russkaja srednevekovaja živopis', Moskau 1970, S. 313.

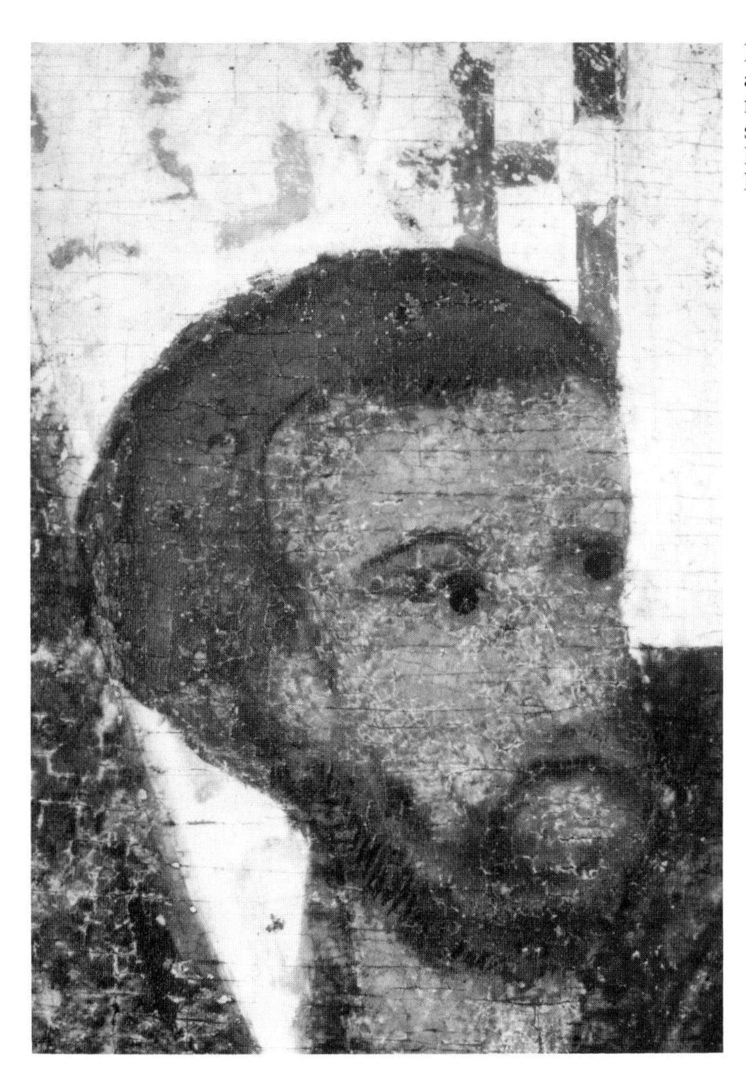

Ikonenmaler aus dem Umkreis des Dionisij: Kopf des Apostels Paulus aus der Ikone »Entschlafen der Gottesmutter«, Anfang 16. Jahrhundert, früher Kloster des hl. Pavel von der Obnora, heute Staatliches Kunstmuseum Vologda. Normale Reproduktionsbeleuchtung. Durch die geglättete Darstellung der Faktur des Hintergrundes zeigt sich klar das aufgedeckte Netz der Craqueluren.

Dasselbe Fragment in Streiflicht. Summarisches Bild des Erhaltungszustandes ohne detaillierte Durcharbeitung der Faktur des Hintergrundes

Während die Gesichter dieses Fragments unter dem Mikroskop freigelegt sind, zeigen sich in Gewändern und Nimben Fehlstellen, die auf eine frühere Freilegung ohne Mikroskop zurückgehen

stimmung des Mikroreliefs und seiner Erhaltung und die Identifizierung der Farbunterschiede zwischen den verschiedenen Malschichten. Hier sollte man auf die terminologischen Schwierigkeiten hinweisen, auf die Ikonenbeschreibungen stoßen, aber es darf mit Recht vorausgesetzt werden, daß die Resultate von Freilegungen, die nicht unter dem Mikroskop sondern nur »per Augenschein« unternommen wurden, oft unvollkommen sein werden. Für den ästhetisch vorgebildeten Betrachter, Kunsthistoriker, Maler, Restaurator, ist – um es mit R. Arnheim auszudrücken – »das Kunstwerk nicht eine Illustration des Denkens des Autors, sondern das Endergebnis seines Gedankenganges selbst«. Zwischen unserer Vorstellung von der Malerei einer Ikone im allgemeinen und dem Erhaltungszustand der Farbschicht, deren Faktur unter dem Mikroskop sichtbar wird, besteht ein Verhältnis, das keinen neutralen und rein statischen Charakter hat, sondern die ästhetisch-bildhafte Wahrnehmung der freigelegten Ikonenmalerei beeinflußt. Der ohne Mikroskop arbeitende Restaurator früherer Zeiten war von wichtiger visueller Information abgeschnitten, was der optimalen Erhaltung der Ikone nicht förderlich war. Dilettierende Restauratoren behaupteten früher, daß eine schonende Restaurierung dann erfolgt sei, wenn die originale Malerei noch ihren, wenn auch dabei »gedünnten« Originalfirnis (olifa) aufweise (raskrytie v pol-olify), was in der Regel nicht stimmte. Wenn aber eine totale Freilegung (polnoe raskrytie) durchgeführt wurde, war die Malerei unwiederbringlich beschädigt. Erst die gewissenhafte Untersuchung der Malerei unter dem Mikroskop schließt falsche visuelle Beurteilungen des Originalzustandes aus. Oft wird behauptet, daß dem Kunstwerk ein langweiliges positivistisches Protokoll entgegengestellt wird, daß dabei die einheitliche künstlerische Aussage und ästhetische Wahrnehmung der Ikone verloren gehen. Trotzdem können die üblichen Gutachten, wenn sie die Fragen nach Authentizität und Erhaltungszustand beantworten müssen, an der Mikroanalyse nicht vorbeigehen.

Wenn man den historischen Aspekt einer Ikone und die Resultate der unvermeidbaren Restaurierungen nicht berücksichtigt, so wird die Folge einer unkritischen, »einheitlich ästhetischen Wahrnehmung« der altrussischen Malerei die subjektive Vorstellung des Kunsthistorikers oder des Restaurators sein, die zu Entstellungen der Malerei führt. Das Beispiel der zerstörten Fragmente der »Entschlafen Mariae«-Ikone aus dem Umkreis des Dionisij[5] zeugt von veralteten restauratorischen Praktiken und gleichzeitig davon, wie das Niveau der »wissenschaftlichen« Bestrebungen des Restaurators die gesamte Vorstellung von der Malerei beeinflussen kann.

Abb. S. 60, 61

Die Verwendung des Mikroskops als Arbeitsinstrument und obligatorische Voraussetzung für die Erhaltung der Faktur der Malerei während des Freilegungsprozesses erlaubt es, das stratigraphische Bild des Erhaltungszustandes richtig einzuschätzen, schnell und genau die repräsentativen Mikrofragmente der Malerei zu identifizieren und die originale Malerei sauber und risikolos, unter optimaler Schonung der feinen Malfaktur freizulegen. Erhaltung und objektive Beurteilung gehen dann Hand in Hand.

Bei der Analyse der Besonderheiten von Technik und Stil des altrussischen Ikonenmalers setzt der Forscher üblicherweise voraus, daß der Autor der konkreten Ikone über eine bestimmte Zahl

5 Entschlafen der Gottesmutter, Anfang 16. Jh., Ikonenmaler aus dem Umkreis des Dionisij. Aus dem Kloster des hl. Pavel von der Obnora; heute Staatliches Kunstmuseum von Vologda, Inv. Nr. 11928.

beständiger (kanonischer) Malweisen verfügt hat, die für die Ikonenmalerei einer bestimmten Stilrichtung und Zeit charakteristisch waren.
Bei der weitreichenden Unkenntnis der Maltechnik der mittelalterlichen Meister im Detail ist es evident, daß solche Annahmen meistens hypothetisch bleiben und nur als Arbeitshypothesen bis zur Erlangung überzeugender Beweise dienen können. Die Forscher, die sich mit der altrussischen Malerei beschäftigen, folgen häufig in ihren Arbeiten der Tradition, aus zunächst allgemeinen Vorstellungen heraus die einzelnen Fakten, die mit dem konkreten Werk verbunden sind, zu erklären. Weil historisch belegbare Daten fehlen, sind viele Zuschreibungen und verallgemeinernde Hypothesen, die den Stil dieser oder jener Ikonenschule festlegen wollen, viel zu hastig aufgestellt worden. Einleuchtende Überlegungen, die aus allgemeinen Vorstellungen über die altrussische Kultur hervorgegangen sind, erlaubten es, bei der seinerzeit großen Zahl von neuentdeckten Ikonen Hypothesen über die Entwicklung der altrussischen Malerei zu entwickeln. Erst in unserer Zeit müssen wir feststellen, daß von den glänzenden Mutmaßungen eines Igor' Grabar' nicht viel übrig geblieben ist. Selbst die Vorstellung von der Stilanalyse als Instrument der Erforschung der altrussischen Kunst hat sich geändert. Da die historischen Quellen über die Meister der altrussischen Kunst äußerst knapp sind und sich dies wohl mit der Zeit nicht grundlegend ändern wird, stellt die wissenschaftliche Forschung die Frage nach wohlüberlegten Zielsetzungen und Methoden. Die Verschwommenheit der beschreibenden Methode bei der stilistischen Analyse der Malerei führt nur zu immer mehr pseudowissenschaftlichen Publikationen, zwingt aber auch, nach objektiven Methoden der Systematisierung der Ikonenmalerei zu suchen.
Bei der Erforschung der Ikonenmalerei können zwei Richtungen oder Tendenzen beobachtet werden. Zum ersten die Analyse der literarischen Quellen zu einem bestimmten Denkmal, zum zweiten die Einordnung des betreffenden Werkes in eine systematische und typologische Darstellung, die von den zeitgenössischen Kunsthistorikern erarbeitet wurde. Die freie Manipulation mit ikonographischen Typen kann die pedantische Frage nach der kritischen Beurteilung von Quantität und Qualität der angeführten Beweise für einen ikonographischen Wandel, für Prototypen und Varianten stellen, welche von der Beharrlichkeit und der subjektiven Annahme des Autors abhängen, daß die Zahl der Argumente ausreichend sei.
Die ikonographische Methode, die die Weltanschauung des Künstlers rekonstruieren will, ist ein wissenschaftliches Modell der Vergangenheit. Sie geht primär von den schriftlichen Quellen aus, die den kulturellen Hintergrund, die Welt des Künstlers erhellen. Die traditionelle Vorstellung von einer Wissenschaftsdisziplin setzt das Vorhandensein einer Forschungsmethode voraus. Für die Kunstgeschichte, die sich als Geschichte des Werkes und seines Schöpfers versteht, ist das Qualitätsurteil vor allem eine Frage der Ästhetik. Nur in geringerem Maße spielt der Entstehungsprozeß, das Handwerk oder der Erhaltungszustand der Malerei eine Rolle. Besonders der Erhaltungszustand wird, wenn man von restauratorischen Gutachten absieht, mit unterschiedlichen, unbestimmten Begriffen bezeichnet, die sich nicht von subjektiven Geschmacksurteilen unterscheiden. Der Kunsthistoriker, der eine objektivere Einschätzung wagt, wird in der Regel auf einen kompetenten Restaurator verweisen, der fähig ist, fachmännisch zwischen Original und späteren Übermalungsschichten zu unterscheiden.
Das spekulative kunsthistorische Modell dient der geistigen Auseinandersetzung mit dem Ikonenmaler und seinem Werk. Man sollte aber heute auch sein Interesse auf real existierende und

visuell wahrnehmbare Fakten in der Ikonenmalerei selbst lenken, die nicht aus dem Bereich kunsthistorischer Arbeitshypothesen stammen.

Eine der interessantesten Untersuchungsarten der Technik des Ikonenmalers ist die Erforschung der Ikonenmalerei mit infraroten Strahlen. Wir wollen hier nicht unbedingt die theoretischen Möglichkeiten des Sichtbarmachens von untersten Malschichten und Vorzeichnungen aufarbeiten, da die Methodik für jede mittelalterliche Malerei Europas anwendbar und bekannt ist. Der Unterschied zwischen einer Ikonenvorzeichnung und der Vorzeichnung auf einem mitteleuropäischen Tafelbild der Renaissance um 1500 liegt in der Funktion der Ikonenmalerei. In der russischen Ikonenmalerei und Miniatur spielt die Vorzeichnung nicht die Rolle einer graphischen Vorstudie der Dinge in ihrer Licht-Schatten-Wirkung. Deswegen finden wir weder in der Vorzeichnung von Faltenwürfen und Gewändern noch in der Darstellung der menschlichen Figur auf Ikonen jene Schraffuren, die so charakteristisch sind für die westeuropäischen Vorzeichnungen derselben Zeit, eine Tatsache, die sich nicht nur mit den unterschiedlichen Maltechniken, Tempera oder Öl, erklären läßt.

Abb. S. 65
Abb. S. 67

Weitverbreitet ist die Vorstellung, nach der die kanonische altrussische Malerei mit Proportionssystemen, geometrischen Vorzeichnungen oder geometrisch angelegten Kompositionen in Verbindung gebracht wird. Alle uns zur Verfügung stehenden technischen Mittel wie Endoskopie, Röntgen- und Infrarot-Strahlen, haben bis heute keine Beweise für irgendwelche Spuren solcher Konstruktionen geliefert, die ja als Vorzeichnung unter der eigentlichen Malschicht ausgeführt worden sein müßten.

Das Verhältnis der Ikonenmaler zu der sich unter der Malschicht befindlichen Vorzeichnung erinnert an das Verhältnis des Bildhauers zum inneren Stützgerippe seines Tonmodells, wie die Aufnahmen mit Infrarot-Strahlen von Ikonen des 12.–16. Jahrhunderts zeigen.[6] Auf manchen Ikonen ist die Zeichnung auch bei normaler Beleuchtung sichtbar, wenn die Malerei in dünnen Schichten, die mit der Zeit fast durchsichtig geworden sind, ausgeführt wurde. Das Durchscheinen der Vorzeichnung (Pentimenti) kommt aus verschiedenen Gründen häufiger bei Ikonen des 14.–16. Jahrhunderts vor – abgesehen von mechanisch oder chemisch nachträglich gedünnten Malschichten durch sogenannte »Restauratoren« – und ist in der Zeit des Zaren Boris Godunov sogar ein charakteristisches Stilmittel. Die Vorzeichnung, die man mit einer schwarzen flüssigen Farbe ausführte, haftete leicht auf der Kreidegrundierung, deswegen konnte der Ikonenmaler sie im Lauf des Malvorganges nach Belieben ausbessern oder verändern.

Bei der Erforschung des persönlichen Stils des Ikonenmalers ist von Bedeutung, inwieweit die Vorzeichnung mit der abschließenden Binnenzeichnung übereinstimmt, da dies bei verschiedenen Meistern unterschiedlich gehandhabt wurde. Als ein weiteres Stilmerkmal, das für die individuelle Art der Ikonenvorzeichnung typisch sein kann, erweist sich die Präzision der Vorzeichnung auf Ikonen unterschiedlicher Funktion und Größe. Die Untersuchungen von Miniatur- und Deesis-Ikonen zeigen, daß ihre Vorzeichnungen in ihrer lockeren Ausführung mit

6 Aufnahmen auf infrachromatischem Fotomaterial mit einer Empfindlichkeit bis 1060 nm bringen genauere Linien und Abstufungen hervor als reflektographische Bilder auf dem Infrarot-Monitor.

Hl. Nikolaus, 14. Jh., aus Murom. Fragment. Zustand nach der Freilegung. Aufnahme in normalem Licht

Infrarot-Aufnahme mit sichtbar gewordener Vorzeichnung

Wandmalereien in russischen Kirchen zu vergleichen sind. Die Vorzeichnung auf Ikonen mittlerer Größe und vor allem auf Ikonen aus der Festtagsreihe der Ikonostase eines und desselben Malers ist dagegen detaillierter und prägnanter. Die Eigenart der Vorzeichnung von Gewandfalten und einige technische Besonderheiten können als individuelles Merkmal des Ikonenmalers gelten, das auch seine graphische Handschrift bei der Arbeit mit dem Pinsel kennzeichnet.

In den älteren Arbeiten über die altrussische Malerei und insbesondere über die Ikonenmalerei hat man oft das Problem des Kanons mit besonders strengen Regeln und standardisierten Proportionen – etwa für die menschliche Figur und die Gesichter – in Verbindung gebracht. Mit dieser Fragestellung hat man m. E. die Vorstellung von dem Vorhandensein und dem häufigen Gebrauch von graphischen Umrißzeichnungen (prorisy) in der Art der späteren Ikonenmalbücher (ikonopisnye podlinniki)[7] auch in den frühen Zeiten der altrussischen Malerei verbunden. Um diesen Standpunkt zu widerlegen, können neben indirekten Argumenten die Infrarot-Aufnahmen der Vorzeichnungen als Beweis dafür herangezogen werden, daß Ikonenvorzeichnungen niemals mit der daraufliegenden Malerei genau übereinstimmen.

Spezielle Untersuchungen zur Zeichnung in der Ikonenmalerei konzentrierten sich, wie bereits erwähnt, vor allem auf die geometrischen Raumkonstruktionen, die Poetik der Kompositionen, auf die zahlreichen Beschreibungen von »Linienrhythmen« (linejnye ritmy) und lineare Strukturen. Bei dem beschränkten Verständnis für die Aufgaben der Stilanalyse, wird je nach Vorliebe des einzelnen Forschers der Nachdruck auf Begriffe wie »das Malerische«, die feine »koloristische Differenzierung«, »das Lineare« oder auch »das Graphische« des konkreten Stils einer Ikonenschule gelegt. Der Versuch, diese Begriffe in eine ästhetische Methode für die Ikonenforschung zu integrieren, Ikonographie und Ikonologie inbegriffen, bedeutet ihre Erforschung auf dem Niveau der Gnoseologie und einer Kunststilistik, die sich »den ewigen Kunstwerten« verschrieben hat. In dieser Situation, in der auf der Vielschichtigkeit der ästhetisierenden Ikonenforschung beharrt wird, bestehen Zweifel an der Notwendigkeit, das Kunstwerk in seinem Entstehungsprozeß – von seiner technisch-technologischen Seite her – zu analysieren, wie wenn ihre Bedeutung außerhalb der künstlerischen Aspekte liegen würde. Um diese These zu überspitzen, kann man sagen, daß in der Konsequenz dieser »wissenschaftlichen« Methode die Malerei – als Zeichnung und Farbe – nicht als Ausdruck der Weltanschauung des Malers, sondern nur als ihre Illustration verstanden wird. In der ausschließlichen Hinwendung zur Systemanalyse der Ikonenmalerei liegt unserer Meinung nach eines der Paradoxa, mit dem man das Typische und Typologische einer als stilgebundenes Werk verstandenen Ikone erklären will.

Wie die Infrarot-Aufnahmen von Ikonen aus der Ikonostase der Mariä-Entschlafen-Kathedrale des Klosters des hl. Kirill Belozerskij[8] zeigen, stimmen – abgesehen von äußeren Ähnlichkeiten in der Technik der Zeichnung bei verschiedenen Ikonen – die Vorzeichnungen mit den endgülti-

Abb. S. 70, 71

7 V. N. Lazarev: Russkaja srednevekovaja živopis', Moskau 1970, S. 307; V. N. Lazarev: O nekotorych problemach v izučenii drevnerusskogo iskusstva, 1967 (Vortrag); V. N. Lazarev: Vizantijskoe i drevnerusskoe iskusstvo, Moskau 1978, S. 224.

8 O. V. Lelekova: Ikonostas Uspenskogo sobora Kirillo-Belozerskogo monastyrja 1497 goda, Moskau 1988.

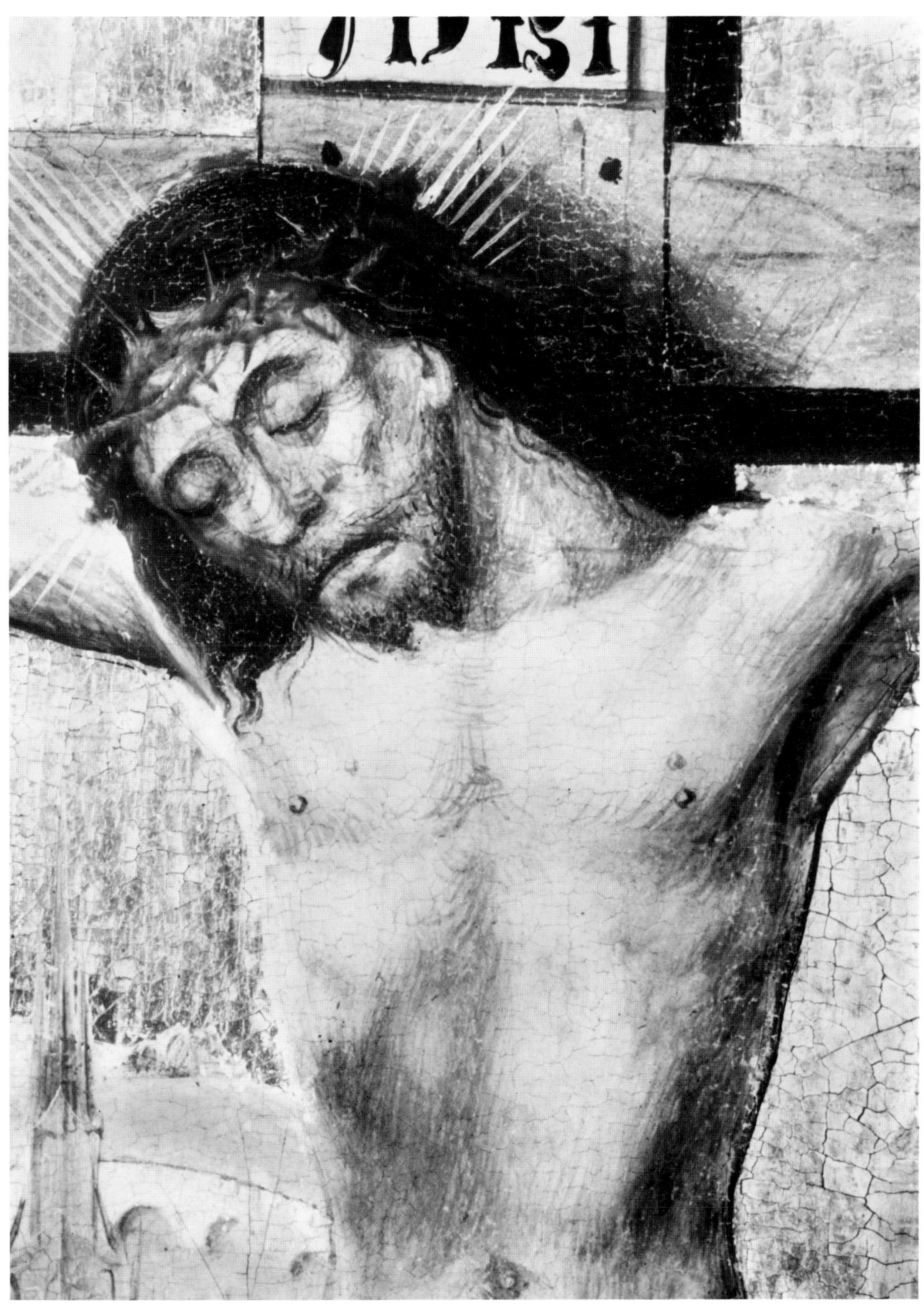

Kreuzigung, Fragment des Talliner Altars von Bernt Notke, 1483. Mit Infrarot-Strahlen deutlich gewordene Vorzeichnung, die von der Malerei abweicht

gen Binnen- und Konturzeichnungen nirgendwo genau überein. Man beobachtet hierbei eine eigentümliche, graphisch aufgefaßte und überzeugend lakonische Art, die Darstellung auf eine kurze Formel zu bringen, ohne das vorhandene Vorbild sklavisch zu wiederholen. Individuell und typisch für den Meister der Ikonenmalerei ist ein Malstil, der die in der Ikone gefundene zeichnerische Form beibehält.

Bis heute sind auf russischen Ikonen der frühen Zeit keine Spuren gefunden worden, die darauf hindeuten, daß man die Vorzeichnung mit einer Schablone oder Pause übertragen hätte. Dies gilt sogar für ornamentale Motive auf Ikonen des 17. Jahrhunderts. Die systematische Untersuchung der altrussischen Ikonenmalerei mit Infrarotstrahlen wird in Zukunft möglicherweise unsere Vorstellungen über die Zeichnung der altrussischen Meister erweitern, sie wird jedoch nichts an der Tatsache ändern, daß für den mittelalterlichen Ikonenmaler die Hauptarbeit im Farbauftrag, in der Schaffung des Bildes mit malerischen Mitteln, mit Pinsel und Farbe bestand. Eine gute Vorstellung über die Arbeitsweise eines Ikonenmalers des 14.–15. Jahrhunderts gibt ein Zitat aus dem bekannten Brief des Epifanij Premudryj über Feofan Grek: »Niemand sah, daß er irgendwann einmal auf Vorlagen geschaut hätte, wie das einige Ikonenmaler tun, die in zweifelhaften Fällen fortwährend darauf schauen, hierhin und dorthin, und die nicht soviel mit den Farben malen als sie auf Vorlagen schauen.«[9] Die Äußerung Epifanijs gibt die Art wieder, wie das Vorbild benutzt wurde – »hierhin und dorthin schauend« – und kennzeichnet es generell als Bild in Farben und nicht als Zeichnung von der Art einer Pause (proris').

Die sorgfältige Untersuchung der Ikonenmalerei mit den Methoden der technisch-technologischen Analyse zeigt, daß eine bestimmte Zahl der Ikonenmaler nach formalen Lösungen suchte. Die Binnenzeichnung innerhalb der mehrschichtigen deckenden Malerei liegt meistens auf einer nur flüchtig ausgeführten Vorzeichnung, gibt aber ihrerseits genau überlegte Faltenwürfe an, elegante Konturen, eine Fülle kaum wahrnehmbarer graphischer Details in der Art kalligraphischer Schnörkel.

Bei dem »malerischen« Stil wird die dünne Vorzeichnung mit Farbschichten komplizierter Zusammensetzung bedeckt, die sich oft schlecht erhalten haben. Daher läßt sich die komplizierte und feine Koloristik solcher Werke nur mit Mühe ohne optische oder andere Hilfsmittel wahrnehmen.

Wichtige individuelle Merkmale der Technik des Ikonenmalers bestehen in der Wahl der Pigmente für die Herstellung der Farben und in der Art und Weise, wie er seine Malerei aufbaut. Eine grundsätzliche Möglichkeit von systematischen Untersuchungen in dieser Richtung besteht nur bei der parallelen Untersuchung der russischen und der byzantinischen Ikonen, den Miniaturen der mittelalterlichen Handschriften, der Wandmalerei sowie der Malerei und der Fassung von Skulpturen mittelalterlicher Altäre. Als Ergebnis der seit 1975 im Allunions-Forschungsinstitut für Restaurierung (VNIIR) durchgeführten Arbeiten wurde festgestellt, daß in der altrussischen Malerei dieselben Malpigmente Anwendung fanden wie in der byzantinischen und der mittelalterlichen westeuropäischen Malerei. Nur Bleizinngelb wurde als Pigment äußerst selten ge-

9 G. I. Vzdornov: Feofan Grek, Moskau 1983, S. 43.

braucht und wurde auf Miniaturen der Handschrift von 1073 »Codex Svjatoslavi« festgestellt.[10] Bis zum Ende des 14. Jahrhunderts hat man blaue Farbschichten auf russischen Ikonen mit anderen Farben untermalt. Die obere Schicht aus Azurit oder Ultramarin liegt auf einer vorbereitenden Schicht aus Ruß oder Indigo. Beispiele sind das blaue Gewand der Gottesmutter des Zeichens (Znamenie), 12. Jh. aus Novgorod, der blaue Hintergrund der Ikone »Erlöser mit dem goldenen Haar« (»Spas Zlatye Vlasy«), 13. Jh. (Museen des Moskauer Kreml, Inv. Nr. 5136) oder das blaue Gewand der Gottesmutter Eleusa (Umilenie), 14. Jh. aus einer Kirche des Moskauer Kreml. Nicht nur die blauen Farben sondern auch die roten Zinnober-Farbschichten konnten auf eine Schicht aus Mennige aufgetragen werden, so auf der Rückseite der Ikone »Gottesmutter des Zeichens« aus Novgorod, 12. Jh.

Bei der Mehrschichtigkeit der Ikonenmalerei wandern die eigentlichen Farbpartikel, die größeren Kristalle und Pigmentteile in die oberen Schichten. Die stratigraphischen Untersuchungen von Anschliffen der Farbschicht bestätigen diese Regel, die es dem Ikonenmaler erlaubte, sparsam mit seinen Materialien umzugehen. Die Besonderheiten der Arbeitsaufteilung der altrussischen Meister können nachvollzogen werden, indem man die Farbuntersuchung mit chemophysikalischen Methoden durchführt, denn die Farben auf Ikonen sind fast immer komplizierte Mischungen aus mehreren Komponenten. Die Technologie der Pigmentzubereitung und der Herstellung der Farbenmischung ist ebenfalls kennzeichnend für die individuelle Art des Ikonenmalers, seine verborgenen stilistischen Besonderheiten. Wenn ein bestimmter Komplex von Ikonen im Mikrobereich untersucht wird, kann man die Zahl der Meister, die z. B. an einer Ikonostase gearbeitet haben, feststellen und auch eine Gruppe von Ikonen einem bestimmten Meister zuschreiben. Es ist längst bekannt und auch von Mitarbeitern des Allunions-Forschungsinstituts für Restaurierung bestätigt worden, daß in den Inkarnaten von Heiligendarstellungen auf Ikonen bis zum 15. Jahrhundert zwei verschiedene Malweisen existierten: 1. das Auftragen der Fleischfarben auf einer dunklen Schicht, im Russischen »sankir'« genannt, einer Mischung aus reinem Ocker mit grünen oder blauen Pigmenten und Ruß, auf die man anschließend immer heller werdend, modelliert hat. 2. der Auftrag ohne »sankir'«-Schicht, direkt auf die allgemeine helle vorbereitende Schicht (griechisch: Proplasmos, Anm. d. Übers.) aus einer Mischung von Bleiweiß mit hellem Ocker. Darauf werden anschließend die dunklen Schatten der Inkarnate mit einer Farbenmischung aus Ruß, Glaukonit oder Azurit in verschiedenen Verhältnissen aufgetragen. Ikonen der frühen Zeit der altrussischen Malerei weisen in der Regel keine »sankir'«-Schicht auf: so die Ikonen »Gottesmutter des Zeichens« (12. Jh.), »Erlöser mit dem goldenen Haar« (13. Jh.), »Hl. Georg« (11.–12. Jh., Staatliches Museum des Moskauer Kreml), »Hl. Nikolaus« (13. Jh., aus dem Neujungfrauen-Kloster, heute in der Tret'jakov-Galerie). Gegen Ende des 13. Jahrhunderts dominiert die Anwendung der »sankir'«-Schicht. Die individuellen Malweisen der Ikonenmaler, die nach der »sankir'«-Methode arbeiteten, wurden komplizierter und mannigfaltiger.[11]

10 Izbornik 1073, Staatl. Historisches Museum Moskau, Sin. D. 31. Siehe M. M. Naumova: Pigmenty miniatjur Izbornika 1073 goda, in: Drevnerusskoe iskusstvo. Rukopisnaja kniga, Moskau 1983, S. 109.

11 Nicht selten können auf einer einzigen Ikone, etwa auf doppelseitigen und Vita-Ikonen, zwei Malweisen, verschiedenartige »Sankir'«-Schichten, an Inkarnaten beobachtet werden.

Ikone »Geburt der Gottesmutter« aus der Ikonostase von 1497, Kloster des hl. Kirill Belozerskij

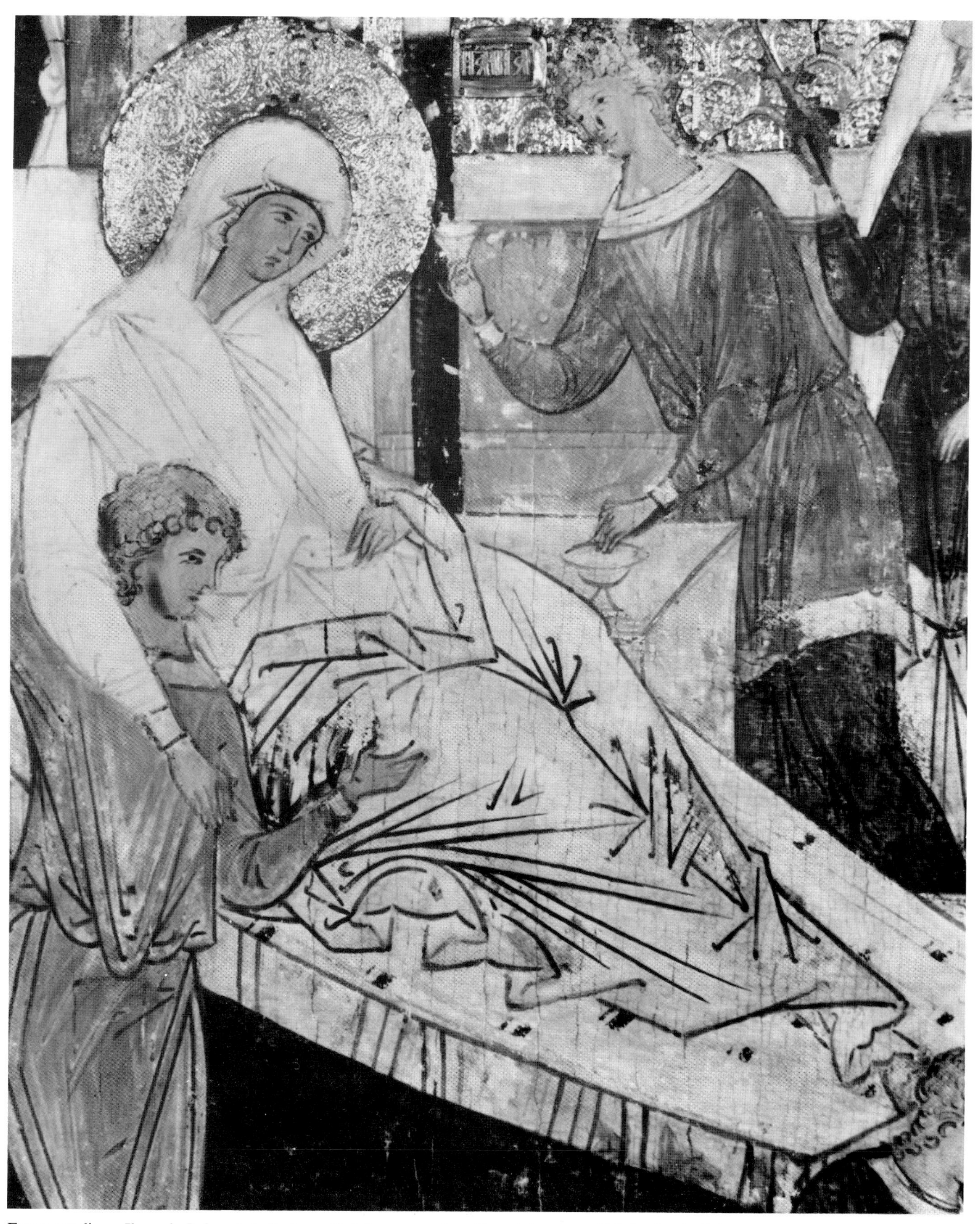

Fragment dieser Ikone in Infrarot-Aufnahme. Sichtbar gewordene Vorzeichnung und Malweise der Inkarnate. Die typischen graphischen Details der Gewänder und der Stoffe am Bett der hl. Anna weisen auf einen der drei Maler der Ikonostase hin.

Während also diese Schicht differenziert gestaltet wird, beobachten wir in derselben Zeit stets dieselben Pigmente für den »Sankir'« bei einem bestimmten Meister. Zum Beispiel besteht diese Schicht auf den Ikonen der Festtagsreihe der Verkündigungs-Kathedrale des Moskauer Kreml, die traditionell Andrej Rublev zugeschrieben werden, stets aus einer Mischung von gelbem Ocker und Ruß. Bei Ikonen einer anderen Gruppe von derselben Ikonostase besteht die »Sankir'«-Schicht aus einer Mischung von gelbem Ocker, Glaukonit und grünen Kupferkristallen, was bestimmt auf einen anderen Meister schließen läßt.
Die Untersuchung der Deesis-Ikonen der Mariä-Entschlafen-Kathedrale des Klosters des hl. Kirill Belozerskij erlaubte es, die Ikonen gerade aufgrund der Zusammensetzung des »Sankir'« in drei Gruppen einzuordnen: 1. gelber Ocker mit Azurit, 2. gelber Ocker mit nadelförmigen Rußpartikeln, 3. gelber Ocker mit Glaukonit und Zinnober-Partikeln. In diesem Fall stimmen die Resultate der Mikroanalyse mit den anderen Untersuchungsergebnissen der Deesis-Ikonen aus dem Kloster des hl. Kirill, die Stilanalyse miteingeschlossen, überein.[12]
In manchen Fällen können sogar rein technische Merkmale der Ikonen, etwa die Gewebeart der Leinwand (pavoloka) oder die Art, wie sie auf die Tafel geklebt wurde, Hinweise für die Händescheidung, Zeitbestimmung etc. liefern. Die Untersuchung von Ikonen-Leinwänden der Festtags- und Deesis-Reihe der Mariä-Entschlafen-Kathedrale im Kloster des hl. Kirill anhand von Röntgenaufnahmen zeigte, daß die Mehrzahl der Ikonen sowohl nach Gewebeart als auch nach stilistischen und anderen Kriterien innerhalb der genannten drei Gruppen übereinstimmt. Der Zufall ist auch deswegen völlig auszuschließen, weil sich die Ikonentafeln – ähnlich wie die Leinwände – nach Holzart und Konstruktionsmerkmalen unterscheiden, obwohl sie – bedingt durch ihren Standort in einer Reihe der Ikonostase –ein einheitliches Format aufweisen.
Zum Schluß dieser Anmerkungen zur Technik und Technologie der Ikonenmalerei wollen wir erneut die Wichtigkeit von mikroskopischen Untersuchungen unterstreichen. Bei der Restaurierung ist dies nötig für die Freilegung und Erhaltung der originalen Malerei. Bei der technologischen Untersuchung gibt uns das Mikroskop Informationen, die zwar außerhalb künstlerischer Faktoren und ästhetischer Wahrnehmungen stehen, jedoch mit der künstlerischen Individualität der altrussischen Meister, ihren Arbeitsmethoden, den Stilen und Schulen eng verbunden sind. Es ist zu hoffen, daß die weitere Entwicklung der Restaurierungstechniken es in Zukunft ermöglicht, noch produktivere Untersuchungsergebnisse zu erhalten, die auch von der Kunstgeschichte bei gemeinsamer Zielsetzung effektiver genutzt werden.

Übersetzung aus dem Russischen: Ivan Bentchev

12 Lelekova, S. 178.

G. I. Vzdornov

FRÜHE RUSSISCHE IKONEN

Allgemeine Bemerkungen

In der Geschichte der osteuropäischen darstellenden Kunst gibt es keine schwierigere und infolgedessen keine unklarere Frage als die über die frühen russischen Ikonen.[1] Ihre Herkunft und Datierung, ihr Stil und ihr ursprünglicher Aufbewahrungsort in dieser oder jener Stadt oder in einem Kloster, schließlich ihre verwandtschaftliche Verbindung mit den Werken anderer künstlerischer Kulturen – all dies entzieht sich dem Zugriff historischer Forschung, verbindet sich mit anderen Fragen verschiedener Natur und bringt in jeder neuen Generation von Forschern stets neue Hypothesen hervor. Dies ist auch verständlich: Je näher ein Kunstdenkmal unserer Zeit ist, desto mehr dokumentarische Zeugnisse über die Bedingungen seiner Entstehung sind uns erhalten. Und umgekehrt: entsprechend dem zeitlichen Abstand eines solchen Denkmals von uns nimmt die Anzahl solcher Zeugnisse ab.

Glücklicherweise hat die Entwicklung der Geisteswissenschaften, insbesondere der Wissenschaft über die künstlerische Vergangenheit Rußlands und der mit ihm verbundenen Nachbarländer, die einen gemeinsamen Glauben besaßen und die ähnliche geschichtliche Prozesse durchliefen, im Verlauf der letzten Jahrzehnte nicht wenige Werke der darstellenden Kunst ans Licht gefördert, die Ort, Zeit und Umstände ihrer Entstehung wechselseitig erkennen lassen. Dutzende neuentdeckter oder von neuem interpretierter Denkmäler haben die Möglichkeiten vergleichender Gegenüberstellungen beträchtlich erweitert. Und wir verfügen heute, was besonders bemerkenswert ist, über unmittelbare Fakten hinsichtlich der Entstehung von Ikonen in der vormongolischen Rus'.

Auf welche Art fanden Ikonen in dem gerade erst christianisierten Land Verbreitung? Die theoretische Antwort auf diese Frage ist einfach: Entweder handelte es sich um Ikonen, die in Konstantinopel oder in einem anderen bekannten byzantinischen künstlerischen Zentrum gemalt worden waren und die man dann nach Rußland geschickt hatte. Andere Ikonen wurden von byzantinischen Meistern hergestellt, die in den russischen Städten gegen Entlohnung arbeiteten. Schließlich gab es auch Ikonen russischer Künstler, die bestrebt waren, die importierten Ikonen nachzuahmen und allmählich einen eigenen Stil herauszubilden. Wir wollen unsere Annahmen

1 Vgl. zu diesem Thema die folgenden grundlegenden Arbeiten: A. I. Anisimov: Domongol'skij period drevnerusskoj živopisi. Voprosy restavracii II, Moskau 1928, S. 102–182; Živopis' domongol'skoj Rusi. Katalog vystavki, hrsg. von O. A. Korina, Moskau 1974; V. N. Lazarev: Russkaja ikonopis'. Ot istokov do načala XVI veka, Moskau 1988, S. 31–47, 163–169; A. I. Jakovleva: Priemy pis'ma drevnerusskoj živopisi (domongol'skij period). Selbstreferat einer Dissertation, Moskau 1986.

anhand der wenigen vollständig erhalten gebliebenen Denkmäler prüfen, um uns der Richtigkeit der eingangs formulierten Thesen zu vergewissern.

Die russischen Chroniken, die Heiligenviten, die Erzählungen über wundertätige Ikonen und andere chronographische und hagiographische Quellen enthalten nicht wenige Zeugnisse über die Einfuhr griechischer Ikonen nach Rußland, die gewöhnlich in Konstantinopel, der Hauptstadt des byzantinischen Kaiserreiches, entstanden waren. Solche Erwähnungen begegnen insbesondere in der zweiten Hälfte des 14. und gegen Anfang des 15. Jahrhunderts, in einer Zeit, als nach langer Unterbrechung die Beziehungen zwischen Moskau, Novgorod und von Tver' mit dem Patriarchen von Konstantinopel sowie mit dem kaiserlichen Hof der Palaiologen wiederbelebt wurden. Ein ähnliches Bild läßt sich auch in der Zeit vor dem Jahre 1204 beobachten, als Konstantinopel von den Kreuzfahrern erobert wurde. Die Laurentios- und die Hypatios-Chronik teilen, wenn ihre Verfasser von der Übersiedlung des Andrej Bogoljubskij von Vyšgorod nach Vladimir im Jahre 1155 sprechen, eine völlig glaubwürdige Tatsache mit: danach nahm Andrej die Ikone der Gottesmutter, die in früherer Zeit von Konstantinopel nach Kiev gelangt war, mit in die nordöstliche Rus'. Es handelt sich um die berühmte Gottesmutter von Vladimir.[2] Wir haben es hier mit dem Import eines Bildes von außergewöhnlicher Qualität zu tun, das zweifellos aus der Hauptstadt stammt.

In der vormongolischen Rus' war der Anteil solcher Import-Ikonen jedoch im allgemeinen wahrscheinlich nicht sehr hoch. Es überwogen, so ist anzunehmen, Ikonen, die von griechischen Künstlern unmittelbar in russischen Städten gemalt wurden. Nicht anders kann man zum Beispiel die riesige, etwa zweieinhalb Meter hohe Ikone aus der Sophienkathedrale in Novgorod einordnen, die die Apostel Petrus und Paulus darstellt. Sie entstand zweifellos bereits zur Zeit der ursprünglichen Ausstattung der Novgoroder Sophienkathedrale mit Gegenständen des kirchlichen Kults, in der zweiten Hälfte des 11. oder spätestens zu Beginn des 12. Jahrhunderts. Eine derartig monumentale Ikone über zweitausend Kilometer hinweg, selbst auf dem Wasserwege – »von den Griechen zu den Warägern« – zu transportieren, wäre nicht sinnvoll gewesen: einfacher war es natürlich, Meister zur Ausführung des Großauftrags unmittelbar nach Novgorod zu entsenden, dies um so mehr, als man als Pendant zu der Peter-und-Paul-Ikone für die Novgoroder Sophienkathedrale eine weitere, den Ausmaßen nach gleich große Ikone malte, die Ikone der Gottesmutter Hodegetria, deren ursprüngliche Malschicht uns nicht erhalten ist. Schließlich sollten wir bei einem solchen Vorgehen einen weiteren Vorteil für den Auftraggeber nicht vergessen: die Möglichkeit, dem herbeigereisten Griechen örtliche Maler, die bereits eine erste Unterweisung erfahren hatten, die aber die höheren Geheimnisse ihrer Kunst kennenzulernen wünschten, zum Unterricht anzuvertrauen.

Abb. S. 75

2 Das gesamte Material zur Geschichte dieses Bildes liegt gesammelt vor bei A. I. Anisimov: Vladimirskaja ikona Bož'ej Materi, Prag 1928 (auch in englischer Übersetzung).

Apostel Petrus und Paulus, Mitte 11. Jahrhundert, Museum Novgorod

Statistik

Nach dem Katalog der steinernen Kirchen der vormongolischen Zeit, den P. A. Rappoport im Jahre 1982 veröffentlichte, zählte man in der Rus' in dieser Epoche nicht weniger als zweihundertfünfzig Kirchen.[3] Die archäologischen Forschungen der letzten Jahre förderten die Reste einiger weiterer Bauten zu Tage. Zweifellos besaß jede Kirche zumindest zwei Ikonen: eine Ikone Christi und eine der Gottesmutter. In den Kirchen, die einzelnen Heiligen oder den zwölf Hauptfesten geweiht waren, mußten sich zudem die Ikonen mit ihren Darstellungen befinden. Selbst wenn wir die Holzkirchen nicht in Betracht ziehen (deren Zahl im Laufe der Zeit immer mehr anwuchs), hätte die vormongolische Epoche der Geschichte der russischen Kunst uns einen echten Schatz als Erbe hinterlassen müssen: zwischen fünfhundert und eintausendfünfhundert Ikonen.[4] Doch Zeit und Kriege verringerten diese beeindruckende Zahl fast bis zur völligen Unkenntlichkeit. In der Ausstellung »Die Malerei der vormongolischen Rus'«, die im Jahre 1974 in der Tret'jakov-Galerie stattfand, wurden siebenundzwanzig Werke vorgestellt. Jedoch bezog man in ihre Zahl aus einem mir unverständlichen Grund auch einzelne Ikonen aus dem reifen 13. und vom Beginn des 14. Jahrhunderts sowie Fragmente der Mosaikdekoration aus dem Kiever Michaelskloster »mit den goldenen Dächern« (Michajlovskij Zlatoverchij monastyr') ein. Eine kritische Auslese der unstreitig alten Ikonen aus dem Material dieser Ausstellung bringt uns zu einer Zahl von zwanzig solcher Ikonen.

Unlängst wurde in einer Ausstellung von Kunstgegenständen aus dem Tverer Museum in Moskau eine weitere alte Ikone mit der Darstellung des Hauptes Christi gezeigt. Hinzuzufügen sind schließlich noch die Ikonen, von denen nur der Grund in Gestalt der alten Bildtafel, nicht aber die Malerei erhalten ist. Dazu gehören die bereits erwähnte Gottesmutter Hodegetria in der Novgoroder Sophienkathedrale, eine runde Ikone mit der Darstellung des hl. Nikolaus des Wundertäters aus der Nikolo-Dvoriščenskij-Kathedrale in Novgorod sowie eine Ikone des hl. Demetrios von Thessaloniki in der Mariä-Entschlafen-Kathedrale des Moskauer Kreml, die aus Vladimir nach Moskau überführt wurde. Sie ändern jedoch an dem allgemeinen dürftigen Bild nichts: erhalten geblieben sind bis auf unsere Tage äußerst wenige vormongolische Ikonen – kaum mehr, so kann man sagen, als die geringe Zahl orientalisch-christlicher enkaustischer Ikonen.

Die überwiegende Mehrzahl der vormongolischen Ikonen wird heute in Moskau aufbewahrt. Vier von ihnen befinden sich in den Kathedralen des Moskauer Kreml, zehn in der Tret'jakov-Galerie. Drei Ikonen gehören dem Russischen Museum in Leningrad, zwei dem Museum in Novgorod, eine dem Museum in Vladimir und eine dem Museum in Jaroslavl'. Diese Verteilung in gleicher Anzahl auf die Museen ist wissenschaftlich ohne Bedeutung, da sie künstlich zustande

3 P. A. Rappoport: Russkaja architektura X–XIII vv. Katalog pamjatnikov (Archeologija SSSR. Svod archeologičeskich istočnikov), Leningrad 1982.

4 Fragen der Statistik, insbesondere der Wahrscheinlichkeitsberechnung einstmaliger Zeugnisse der altrussischen Kunst stellen den am wenigsten bearbeiteten Aspekt unserer Wissenschaft dar. Als Beispiel einer solchen Untersuchung sei genannt: B. V. Sapunov: Kniga v Rossii v XI–XIII vv., Leningrad 1978. Vgl. die kritischen Bemerkungen von V. V. Rozov: Kniga drevnej Rusi, Moskau 1977, S. 78–85 (»Über den gegenwärtigen Stand der Statistik des altrussischen Buches des 11. bis 14. Jahrhunderts«) zu den früheren Veröffentlichungen von Sapunov.

Hl. Georg, 2. Viertel 12. Jahrhundert, Tret'jakov-Galerie Moskau

Hl. Nikolaus mit ausgewählten Heiligen, Anfang 13. Jahrhundert, Tret'jakov-Galerie Moskau

gekommen ist; sie geht auf die staatliche Politik der Verteilung von Kunstwerken in den zwanziger und dreißiger Jahren zurück. Tatsächlich befanden sich die genannten Ikonen bis zur Revolution an den folgenden Orten: vier Ikonen stammten aus Novgorod, zwei aus Belozersk, eine aus Vladimir, zwei aus Jaroslavl', eine aus dem bei Moskau gelegenen Dmitrov, eine aus dem Neuen Jungfrauenkloster (Novo-Devičij monastyr') in Moskau, neun Ikonen befanden sich in der Mariä-Entschlafen-Kathedrale des Moskauer Kreml, eine Ikone schließlich gehörte dem Rumjancev-Museum, sie war jedoch aus dem Glockenturm »Ivan Velikij« im Moskauer Kreml, einem Depot verschiedener Kunstaltertümer, in das Museum gelangt.

Da die wirkliche Entwicklung Moskaus als kirchlich-politisches und kulturelles Zentrum erst im 14. Jahrhundert begann, können wir zu Recht annehmen, daß die im Kreml angesammelten Ikonen tatsächlich nicht Moskauer Herkunft sind. Als Vasilij III. und nach ihm Ivan IV., der Schreckliche, ein zentralistisches russisches Reich schufen, unterdrückten sie die Novgoroder Republik grausam und führten zahlreiche Kunstdenkmäler, die seine frühere Pracht ausmachten, weg. Gerade aus Novgorod gelangten Ikonen in die Mariä-Entschlafen-Kathedrale des Moskauer Kreml, zum Beispiel die Darstellung der Verkündigung an Maria von Ustjug *Abb. S. 12* und das Bildnis des ganzfigurigen hl. Georg, *Abb. S. 77* worüber die Geschichtsquellen des Jahres 1561 berichten. Mit Novgorod verbunden sind auch die Ikonen des hl. Nikolaus des Wundertäters *Abb. S. 77* aus dem Neuen Jungfrauenkloster (so die Überlieferung des Klosters) und des Entschlafens Mariens *Abb. S. 79* »aus dem Zehntkloster« (Uspenie Desjatinnoe), deren ursprünglicher Aufbewahrungsort in der Kirche der Geburt der Gottesmutter des Zehntklosters (Desjatinnyj monastyr') in Novgorod durch die Chronik des Avraamka bezeugt wird.[5] Andererseits war Moskau als neue Hauptstadt der nordöstlichen Rus' die Nachfolgerin des Großfürstentums Vladimir und bediente sich in reichem Maße aus dem Schatz der Mariä-Entschlafen-Kathedrale in Vladimir. So überführte man aus dieser Kathedrale im Jahre 1395 die wundertätige Ikone der Muttergottes von Vladimir nach Moskau. Es ist anzunehmen, daß von ebendort zu einer uns unbekannten Zeit zwei Deesisdarstellungen nach Moskau gelangten, der »Erlöser« (Spas oplečnyj) und die »Erscheinung des Erzengels Michael vor Josuah«. *Abb. S. 80* Unschwer kann man jetzt erkennen, daß acht vormongolische Ikonen sich früher in Novgorod befanden, sechs in Vladimir, zwei in Belozersk, zwei in Jaroslavl' und eine in Dmitrov. Unklar bleiben nur die Wege, auf denen die Ikone des halbfigurigen hl. Georg mit der Darstellung der Gottesmutter auf der Vorderseite *Abb. S. 81 u. 103* und das kleine Bildnis der Gottesmutter der Rührung *Abb. S. 82* (Umilenie) nach Moskau gelangten, die sich bis zum heutigen Tage in der Mariä-Entschlafen-Kathedrale des Kreml befinden. Doch auch ohnedies wird deutlich, daß fast alle ältesten russischen Ikonen nordwestlicher und nordöstlicher Herkunft sind und daß sie sich in den ältesten russischen Städten befanden, von denen zwei, Novgorod und Belozersk, schon im 9. Jahrhundert, drei, Jaroslavl', Vladimir und Dmitrov im 11. Jahrhundert, in den Jahren 1108 und 1154, gegründet worden waren.

5 Die geschichtlichen Zeugnisse über die Verlagerung einer Reihe früher russischer Ikonen sind in den Katalogen angeführt, auf die in der diesem Aufsatz beigefügten Übersicht über die Denkmäler verwiesen wird.

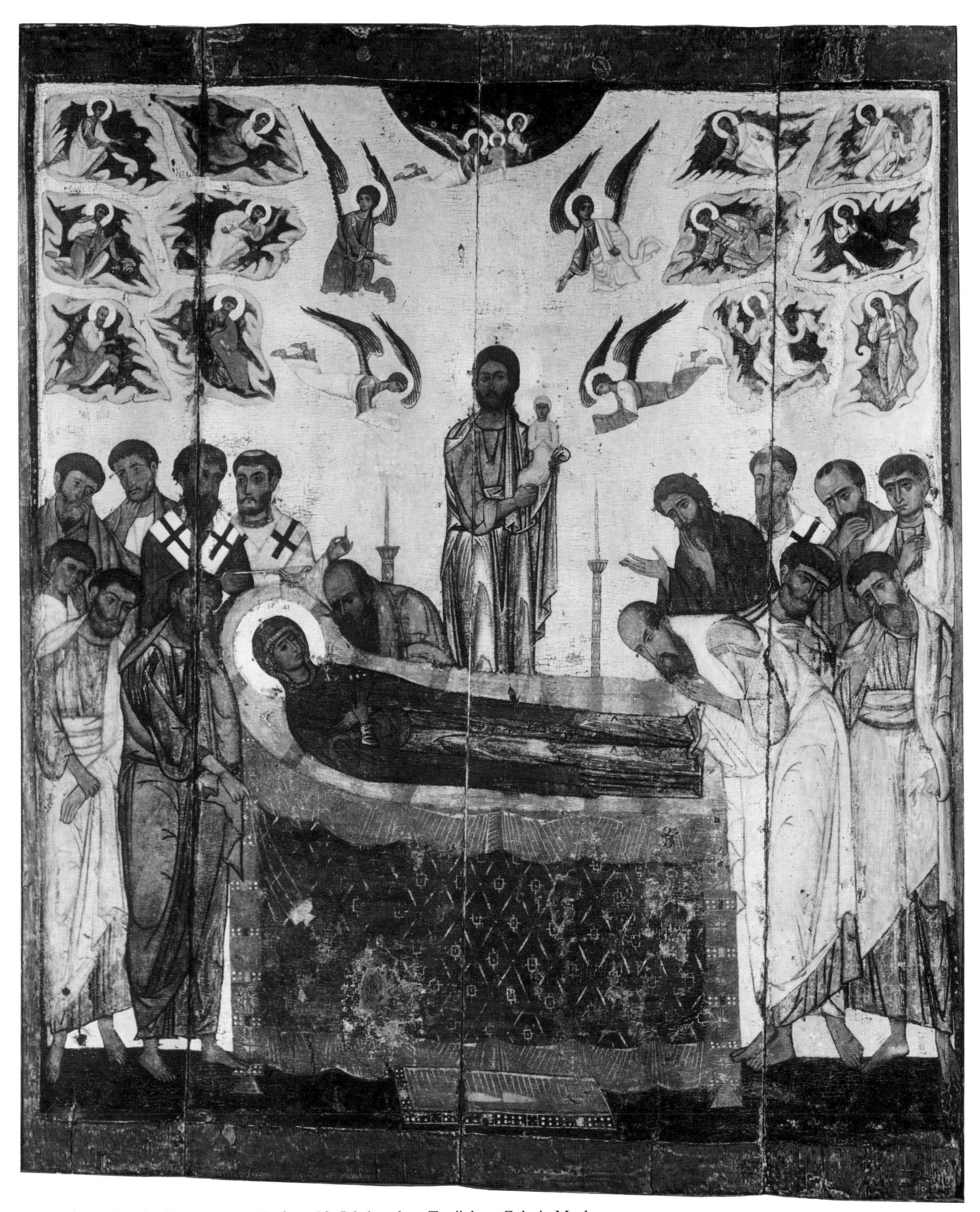

Das Entschlafen der Gottesmutter, Anfang 13. Jahrhundert, Tret'jakov-Galerie Moskau

Die Erscheinung des Erzengels Michael vor Josuah, Ende 12. oder Anfang 13. Jahrhundert, Mariä-Entschlafen-Kathedrale des Moskauer Kreml

Hl. Georg, 2. Hälfte 11. oder Anfang 12. Jahrhundert, Mariä-Entschlafen-Kathedrale des Moskauer Kreml

Gottesmutter mit Kind, Ende 12. Jahrhundert, Mariä-Entschlafen-Kathedrale des Moskauer Kreml

Bisher habe ich Kiev noch nicht erwähnt, die Mutter der russischen Städte, das bedeutendste künstlerische Zentrum, auf dessen Boden herausragende Werke der Monumentalmalerei des 10.–12. Jahrhunderts erhalten geblieben sind: Fragmente des Freskenschmucks der Zehntkirche (Desjatinnaja cerkov'), die Mosaiken und Fresken der Sophienkathedrale und des St.-Michael-Klosters »mit den goldenen Dächern«, die Fresken der Kirill-Kirche und der Erlöserkirche von Berestovo. Die Geschichte Kievs ist jedoch angefüllt von solchen zerstörerischen Kataklysmen wie dem Mongoleneinfall und der Zerstörung des Jahres 1240 und von langanhaltenden Zeiten der Verödung wie vom 13. bis zum 16. Jahrhundert. Daher ist unmittelbar in Kiev nicht eine einzige Ikone, die älter als das 16. Jahrhundert wäre, erhalten geblieben. Und doch ist gerade hier die nationale russische Schule der Malerei entstanden. Die literarischen Quellen bezeugen dies eindeutig.

Das im 12. Jahrhundert verfaßte Väterbuch des Kiever Höhlenklosters, dessen Inhalt reich an Mitteilungen über das tägliche Leben der Mönche des Höhlenklosters ist, berichtet unter anderem über den Ikonenmaler Alimpij: Dieser lebte »in den Tagen des rechtgläubigen Fürsten Vsevolod Jaroslavič, unter dem ehrwürdigen Abt Nikon«, also zwischen 1078 und 1093 (Regierungszeit des Großfürsten Vsevolod in Kiev) oder zwischen 1077 und 1087 (Zeit des Abtes Nikon, des Mitbruders der Klostergründer Antonij und Feodosij). Dem Malermönch Alimpij ist ein eigenes Kapitel, das vierunddreißigste, des Väterbuchs gewidmet, aus dem hervorgeht, daß er griechischen Malern, die aus Konstantinopel zur Ausführung der Mosaiken der Mariä-Entschlafen-Kirche des Höhlenklosters gerufen worden waren, anvertraut wurde, um die Ikonenmalerei zu erlernen.[6] Und »er hatte sich die Kunst der Ikonenmalerei vortrefflich angeeignet und war in diesem Handwerk sehr geschickt.« Alimpij verfertigte zudem aus Gold und Silber getriebene Ikonenbeschläge und war in der Erneuerung alter Ikonen tätig. Bereits als Laie und dann als Mönch arbeitete er ständig an den Ikonen und ließ sich von seiner geliebten Tätigkeit nur abhalten, um an den Gottesdiensten teilzunehmen, so daß er schließlich der bekannteste aller Kiever Künstler wurde (die ebenfalls mehrfach in der Erzählung des Väterbuchs über Alimpij Erwähnung finden). Um der Tätigkeit des Alimpij sichtbare Konturen zu verleihen, nenne ich die sieben großen Ikonen (fünf Deesisdarstellungen und zwei Ortsikonen), die er auf das kunstvollste für einen anonymen Kiever »Christusfreund« schuf, der eine neue Kirche im Podol' erbaut hatte, sowie eine weitere Ortsikone, die ein anderer »Christusfreund« bei ihm bestellt hatte; jedoch war diese nicht von Alimpij, der an einer tödlichen Krankheit darniederlag, gemalt, sondern von einem Engel.

Ein weiteres Zeugnis über einen russischen Künstler stammt nicht mehr aus Kiev, sondern aus Novgorod; es wird ein Jahrhundert später datiert. In den Jahren 1973–1977 entdeckte eine archäologische Expedition der Moskauer Universität in Groß-Novgorod den Hof eines Künstlers

6 Vgl. Kievo-Pečerskij Paterik, in: Pamjatniki literatury Drevnej Rusi. XII vek, Moskau 1980, S. 586–599. Deutsche Übersetzung: Das Väterbuch des Kiewer Höhlenklosters, hrsg. von D. Freydank, G. Sturm, Jutta Harney, Leipzig 1988, S. 256–267 (Das folgende Zitat s. S. 261).

vom Ende des 12. Jahrhunderts. Die archäologische Wissenschaft kennt diese herausragende Entdeckung kaum. Wurde doch hier nicht nur eine genau datierte Werkstatt mit Arbeitsinstrumenten gefunden, sondern auch die auf Birkenrinden geschriebene Korrespondenz des Künstlers mit seinen Auftraggebern. Alle diese Gegenstände – abgesehen von den üblichen Funden, die das alltägliche Leben des Bewohners der Werkstatt kennzeichnen – sind mit seiner Tätigkeit als Maler verbunden. Es handelt sich um kleine Holztafeln für Ikonen, Farben, Keramikschälchen zum Reiben der Farben, Gold-, Silber- und Bronzefolien, Schwefel, Quecksilber und Pechkohle, Tiegel, Reste von pavoloka und von mit Ornamenten verzierten Metallbeschlägen für die Ikonen sowie schließlich eine Reihe von Birkenrindenurkunden, deren Inhalt unmittelbar von der Arbeit des Ikonenmalers spricht.[7] Einzelne dieser Briefe sind an den Künstler gerichtet, der die Aufträge der örtlichen Novgoroder Priester ausführte. »Male mir zwei sechsflüglige Engel auf zwei Ikonen oberhalb der Deesis«, so lesen wir in einem der Briefe. »Sei hier am St.-Petersfest mit drei Ikonen«, schreibt ein anderer Auftraggeber dem Künstler. In einem weiteren Brief ist von einer zuvor angefertigten Komposition die Rede, auf der zu Seiten Christi die heiligen Gregorios, Theodosios, Zacharias und Anna dargestellt waren, die Namenspatrone von Familienmitgliedern des Auftraggebers. Kurz gesagt, in der Werkstatt lebte tatsächlich ein Ikonenmaler, und es bestand eine Künstlerwerkstatt.
Über die Volkszugehörigkeit des ersten Künstlers Alimpij gibt es keinen Zweifel. Er war Russe. Schwieriger ist die Beantwortung dieser Frage bezüglich des Besitzers der Novgoroder Werkstatt, dessen Name aus den erwähnten Birkenrindenurkunden hervorgeht; sie sind »k Olis'evi ko Gricinu«, an Olisej (oder genauer an Elisej, Elissaios) Grečin adressiert. Ist Grečin der zweite (weltliche) Name des Künstlers zu seinem christlichen Namen Elisej? Oder verweist der Beiname auf die griechische Herkunft des Meisters? Der Name Grečin kommt nur in den schriftlichen Novgoroder Quellen vor, und zwar nur am Ende des 12. und gegen Anfang des 13. Jahrhunderts, von 1193 bis 1229, wobei in einem Fall, unter dem Jahre 1226, ein gewisser Priester Savva, »mit weltlichem Namen Grьcin« (a mirь sy Grьcinь) genannt wird. Zieht man in Betracht, daß alle Urkunden an den Besitzer der Werkstatt in russischer Sprache geschrieben wurden und daß keine Tatsache zugunsten der griechischen Herkunft des Meisters spricht, so bin ich geneigt, Elisej Grečin für einen Novgoroder Künstler mit einem Doppelnamen, einem christlichen und einem weltlichen, zu halten.
Die Ausgrabungen in der Werkstatt des Elisej Grečin haben der Wissenschaft von der russischen darstellenden Kunst unschätzbare Zeugnisse geliefert. Der Fund von Bruchstücken metallener Ikonenbeschläge bedeutet, daß die Künstlerwerkstatt auf Malerei und Juwelierarbeiten spezialisiert war. Da die Werkstatt bei einem verheerenden Brand im Jahre 1209 vernichtet wurde, gelang es den Archäologen, eine Anzahl von Gegenständen zu sammeln, deren Wiedergewinnung aus der Ruine, aus verbrannten Balken, Erde und Asche der Besitzer des ehemaligen Hofes für

7 B. A. Kolčin, A. S. Chorošev, V. L. Janin: Usad'ba novgorodskogo chudožnika XII v., Moskau 1981; vgl. meine Besprechung in: Sovetskaja archeologija, 1984, Nr. 2, S. 263–267. – Vgl. außerdem V. L. Janin: Otkrytie masterskoj chudožnika XII v. v Novgorode, in: Vestnik Akademii nauk SSSR, 1980, Nr. 1, S. 112–121; ders.: V masterskoj srednevekovogo chudožnika Oliseja Grečina, in: Nauka i čelovečestvo 1981, Moskau 1981, S. 37–53.

überflüssig gehalten hatte. Nur deshalb fand man hier, was man sonst nirgendwo in einer anderen mittelalterlichen Stadt gefunden hatte: Auf einer festen Unterlage aus Birkenrinde in einem Winkel des Schuppens auf dem Hof der Werkstatt wurde ein Vorrat an Ocker festgestellt, einer der am häufigsten verwendeten Farben in der Malerei. Nur als Probe sammelte die archäologische Expedition etwa zehn Eimer, also mehrere Dutzend Kilogramm Ocker. Solche Vorräte gehören natürlich nicht so sehr zur Ikonenmalerei als zur Monumentalmalerei, bei der der Materialverbrauch unvergleichbar größer ist als beim Malen von Ikonen. So sprachen die Leiter der Ausgrabungen sich nicht ohne Grund für die Möglichkeit einer Mitwirkung des Elisej Grečin an den Fresken der Erlöserkirche an der Neredica aus, deren Fresken gerade in die Zeit der Blüte der Künstlerwerkstatt, auf das Jahr 1199, datiert werden. Die Ikonentafeln unterschiedlicher Gestalt für kleinformatige Ikonen und die Briefe der Auftraggeber mit der Erwähnung von Deesisdarstellungen, das heißt größerer Ikonen, ergänzen das Bild durch lebendige Einzelheiten. Aber die wohl bemerkenswerteste Besonderheit des Novgoroder archäologischen Materials besteht darin, daß es durchaus die literarischen Zeugnisse über den russischen Ikonenmaler der vormongolischen Periode im Väterbuch des Kiever Höhlenklosters bestätigt.

Materialbeschaffenheit

Hinsichtlich der Materialverwendung weisen die alten russischen Ikonen eine Reihe gemeinsamer Kennzeichen auf. Sie sind alle auf Lindenholzbrettern, auf einem starken Levkas-Grund, mit Eitemperafarbe und gewöhnlich unter Verwendung von Leinen, das das Reißen von Grund und Holz an den Verbindungsstellen der einzelnen Teile des Bretts verhindern sollte, gemalt. Mit demselben Ziel, die horizontale Fläche der Bildtafel möglichst vor der Deformierung durch Temperatur- und Feuchtigkeitsschwankungen zu schützen, verwendeten die Meister verschiedene Formen von šponki, Holzriegel unterschiedlichen Querschnitts, die mit hölzernen oder schmiedeeisernen Nägeln auf dem oberen oder unteren Rand oder auf der Rückseite der Ikone befestigt wurden. Die Anzahl und unterschiedliche Gestalt der šponki und ihre Anbringung waren durch die Größe des Brettes vorgegeben: Für Ikonen kleinen Formats, die weniger der Krümmung des Holzes unterworfen waren und die in einzelnen Fällen sogar auf einer Bildtafel aus einem Brett gemalt wurden, genügten zwei šponki an den Rändern (so die Ikone des Engels mit den goldenen Haaren). Große Ikonen bedurften einer Kombination von šponki an den Rändern und auf der Rückseite. Dabei wurden die horizontalen šponki auf der Rückseite des Brettes mit zwei kreuzförmig angeordneten šponki verbunden (Mariä Verkündigung »von Ustjug«). In Einzelfällen wurde auch ein ergänzendes System eingefügter platter Zapfen verwendet (Peter-und-Paul-Ikone aus Novgorod). Sehr kleine Ikonen, die aus einer einzigen Tafel bestanden, haben gewöhnlich keine šponki (Erscheinung des Erzengels Michael vor Josuah). Abweichungen von diesen allgemeinen Regeln sind selten. So ist zum Beispiel die Ikone des »Engels mit den goldenen Haaren«

aus dem 12. Jahrhundert ohne Stofflage gemalt, ebenso die horizontale Deesis mit Christus Emmanuel. Die Stofflage fehlt auch auf der Rückseite der Ikone des »nicht von Menschenhand gemalten Erlösers«, auf der etwas später als die Hauptdarstellung, jedoch ebenfalls im 12. Jahrhundert, die Verehrung des Kreuzes durch die Engel dargestellt ist.

Im Unterschied zu den griechischen und südslavischen Ikonen, deren Maler eine Vorliebe für komplizierte Bildtafelformen hatten (bekannt sind Ikonen mit oberem Halbrund, mit herausragenden Zacken sowie Triptychen und Diptychen), besitzen fast alle alten russischen Ikonen eine streng rechteckige Form. Nur eine Ikone, von der allerdings nur die Tafel, nicht aber die Malerei erhalten blieb, weist eine ungewöhnliche Gestalt auf; sie ist rund. Es ist dies die aus der Geschichte Novgorods bekannte wundertätige Ikone des hl. Nikolaus des Wundertäters aus der Nikolo-Dvoriščenskij-Kathedrale auf der Handelsseite der Stadt, von deren ursprünglicher Malerei nur winzige Fragmentteilchen erhalten geblieben sind. Bretter kleiner Ikonen mit einem oberen Halbrund wurden ebenfalls bei den Ausgrabungen in der erwähnten Malerwerkstatt des 12. Jahrhunderts in Novgorod entdeckt. Ich denke, daß die komplizierten Formen der kleinen Ikonen, die deutlich nicht für kirchliche Zwecke, sondern für persönliche, häusliche Bedürfnisse, wahrscheinlich für die »schönen Ecken« oder für Reiseproskynetarien bestimmt waren, in der Rus' verwandte Metallbildnisse wiederholen, während in Byzanz die unendlich vielfältigen Formen der Buchmalerei, die für viele Jahrhunderte die Entwicklung der Malkunst insgesamt bestimmte, auf die Ikonenmalerei einwirkten. Wie dem auch sei, die erhaltenen russischen vormongolischen Ikonen verfügen über ungewöhnlich einfache, reine und daher in gewissem Sinne besonders eindrückliche Formen, und selbst die Ikone des hl. Nikolaus des Wundertäters aus der Nikolo-Dvoriščenskij-Kathedrale mit seinen Idealzügen widerspricht der allgemeinen Charakteristik der genannten Ikonen nicht.

Die allgemeine geometrische Struktur der vormongolischen Ikonen wird durch die ebenso deutlich herausgearbeitete Eintiefung der Bildtafel betont, in der sich die eigentliche Darstellung der Ikone befindet. Die Schrägung der Vertiefung bewahrt selbst beim Auftragen des Malgrundes deutliche Linien und verstärkt ebendadurch die ihm parallelen äußeren Umrisse der Ikone. Gleichzeitig wird die eigentliche Darstellung fixiert, die gleichsam in eine flache, aber hinreichende Nische eingestellt wird.

Einige alte Ikonen haben ihren ursprünglichen dekorativen Schmuck bewahrt. Die Menschen des 11. und 12. Jahrhunderts liebten es, sie mit silbernen und goldenen Beschlägen, mit Edelsteinen, Perlen, mit kunstvoll gearbeiteten Stoffen oder sogar mit Vorhängen (pelená, griech. ποδαία) zu verzieren, die die eigentliche Darstellung wiederholten. Eine Ikone, der »nicht von Menschenhand gemalte Erlöser« aus der Mariä-Entschlafen-Kathedrale des Moskauer Kreml in der Tret'jakov-Galerie, besaß einstmals farbige Steine, die in den Malgrund eingelegt waren und die folglich mit der Maloberfläche der Ikone verschmolzen. Dies ergab wahrscheinlich einen ganz besonderen Effekt. Das reliefartige Funkeln der Steine, die aus der ebenen Fläche der Ikone hervortraten, und die farbenreiche, einem Gewebe ähnliche Malerei bildeten einen Gegensatz und wurden doch gleichzeitig als eine Einheit wahrgenommen. Im Nimbus des Erlösers sind Vertiefungen von elf großen und kleinen Steinen sichtbar. Da die Spuren der Steine die Zeichnung der Kreuzarme im Nimbus überschneiden, ist anzunehmen, daß die Steine in das bereits vollendete Werk eingelegt wurden, möglicherweise auch zu einem späteren Zeitpunkt. Doch ändert dies

Abb. S.87

Mandylion, Mitte oder 2. Hälfte 12. Jahrhundert, Tret'jakov-Galerie Moskau

Die Verehrung des Kreuzes (Rückseite der Ikone mit der Darstellung des Mandylion), Ende 12. Jahrhundert, Tret'jakov-Galerie Moskau

kaum unsere Vermutung über den wahrscheinlichen Ursprung solcher Verzierungen, die dem Wunsch entsprechen, den gemalten Stein durch den realen Gegenstand der Dekoration zu ersetzen. Die Maler, die bereits griechische Mosaiken gesehen hatten, zum Beispiel die Darstellung der Eucharistie in der Sophienkathedrale oder in der Kirche des Michaelklosters »mit den goldenen Dächern« in Kiev, verstanden die Bedeutung großer farbiger Einlagen für den allgemeinen Eindruck dieses oder jenes Werks.[8] Wenn ich mich nicht irre, so existiert nur eine alte byzantinische Ikone mit erhaltengebliebenen Edelsteineinsätzen, die Gottesmutterikone aus der Komposition der Verkündigung an Maria in der Kirche des Hl. Kliment in Ohrid, die in das Ende des 11. oder den Anfang des 12. Jahrhunderts datiert wird.[9]

Nicht alle, aber viele alte Ikonen waren mit metallenen Einfassungen »beschlagen«, wenn nicht sogleich, so doch bald, einige Jahrzehnte nach der Vollendung des Werks. Solche wertvollen Einfassungen sind keine zufällige Zutat sondern Zeichen der besonderen Verehrung bestimmter Ikonen wegen ihres Alters oder ihrer Wundertätigkeit. Die zwei ältesten Ikonen, die der hl. Petrus und Paulus und die der Gottesmutter Hodegetria aus der Novgoroder Sophienkathedrale, haben ihre silbernen Beschläge bis heute bewahrt. In den alten Verzeichnissen der Sophienkathedrale wurden beide Ikonen »von Korsun'« genannt, ein Hinweis auf Korsun' (Chersonesos) auf der Krim, wo nach der Überlieferung Vladimir getauft worden war und von woher die ersten Ikonen nach Rußland gelangten. Doch können die Ikonen der hll. Petrus und Paulus und der Hodegetria keineswegs bis auf eine so weit zurückliegende Epoche zurückgehen. Das Beiwort »aus Korsun'« bedeutet in diesem Fall ihr besonderes Alter im Vergleich mit anderen Ikonen. Die beiden oben genannten Ikonen aus Ohrid (Verkündigung an Maria) sind mit getriebenen Silberbeschlägen versehen, die stilistisch und im Schema der Anordnung der Figurendarstellung denen der Sophienkathedrale nahe stehen. Da eine dieser Ikonen auf dem Beschlag eine Stifterinschrift aus dem Anfang des 12. Jahrhunderts aufweist, müssen folglich auch die Beschläge der Ikonen der Novgoroder Sophienkathedrale in dieselbe Zeit datiert werden.

8 Živopis' Drevnej Rusi XI – načala XIII veka. Mozaiki. Freski. Ikony. (Al'bom), hrsg. von N. B. Sal'ko, Leningrad 1982, Abb. 10, 13, 56, 57, 68, 69.

9 G. Babić: Ikone, Zagreb 1980, Abb. 3.

Verwendung

Grundsätzlich kann man annehmen, daß sich in den russischen Kirchen vom 11. bis zum Anfang des 13. Jahrhunderts vor dem Altarraum statt der heutigen hohen Ikonostasen niedrige Altarschranken befanden, ähnlich den byzantinischen, die entweder als ganze erhalten geblieben sind oder sich mit einem hohen Maß an Wahrscheinlichkeit rekonstruieren lassen. Eine derartige Altarschranke bestand aus Säulen oder kleinen Pfosten, die auf den Steinplatten einer Brüstung auflagen und oben einen ebenfalls steinernen Architrav stützten, der seinerseits in seinem Mittelteil mit einer Darstellung der Deesis versehen war. Offenbar waren die zwei Ikonen des 12. Jahrhunderts mit Darstellungen der Deesis aus der Mariä-Entschlafen-Kathedrale des Moskauer Kreml gerade dafür bestimmt, in einer uns unbekannten Kirche auf dem Architrav über der heiligen Tür aufgestellt zu werden, die den Naos mit der Altarnische verband. Ein mittelbares Zeugnis unserer Annahme ist der Ort, an dem eine der Ikonen im 17. Jahrhundert aufgestellt war: über der nördlichen in den Altarraum führenden Tür der Altarschranke der Mariä-Entschlafen-Kathedrale.

Abb. S. 90

Doch bereits in ältester Zeit, im 11. Jahrhundert, gab es in Ikonostasen auch einen ausgebildeten Deesisrang (čin) aus fünf oder mehr Einzelikonen, die zu einer Komposition vereint wurden. Das Väterbuch des Kiever Höhlenklosters berichtet von einem »Christusfreund« aus dem Podol', der Alimpij Gold, Silber und Ikonentafeln gab, damit jener für eine neuerrichtete Kirche »große Ikonen: fünf Deesis-Darstellungen und zwei Ortsikonen«, male; Alimpij malte »sehr kunstvoll« Darstellungen Christi, der Gottesmutter und von Heiligen.[10] Projiziert man die späteren Deesis-Ränge in das 11. Jahrhundert, so muß man annehmen, daß dies Darstellungen des Erlösers, der Gottesmutter und von zwei Engeln waren oder – was weniger wahrscheinlich ist – daß es sich um zwei Bischöfe handelte. Eine Ikone des 12. Jahrhunderts aus dem Russischen Museum mit der Halbfigur des Erzengels Gabriel (der »Engel mit den goldenen Haaren«) war zweifellos Bestandteil eines derartigen Deesisranges aus einzelnen Ikonen vom Architrav einer Altarschranke.

Abb. S. 93

Mit der Deesis entstand auch der Brauch, in der Kirche eine »Ortsikone« aufzustellen. Bemerkenswert ist eine Episode aus dem Väterbuch des Kiever Höhlenklosters, nach der die griechischen Meister, die aus Konstantinopel nach Kiev reisen wollten, um die Mariä-Entschlafen-Kathedrale des Höhlenklosters mit Mosaiken und Fresken zu schmücken, in der Kirche der Gottesmutter im Blachernenviertel verweilt hätten. Diese habe ihnen als Segen eine Ikone mit ihrer eigenen Darstellung mit den Worten gegeben: »Diese sei die Ortsikone.«[11] Diese Hauptikone wird später mehrmals unter anderen Umständen erwähnt.

Als die erwähnten griechischen Künstler nun in Kiev ihre Arbeit in der Kathedrale beendet hatten, geschah nach den Worten der Verfasser des Väterbuches ein Wunder: Von Mund zu Mund flog vom Bildnis des Christus Pantokrator in der Kuppel und dem der Gottesmutter in der Konche der Apsis eine weiße Taube, der heilige Geist, hin und her. »Nachdem sie aber hinabgeflogen

10 Kievo-Pečerskij Paterik, in: Pamjatniki literatury Drevnej Rusi. XII vek, Moskau 1980, S. 592–595; Das Väterbuch des Kiewer Höhlenklosters, hrsg. von D. Freydank und G. Sturm, Leipzig 1988, S. 263 f.

11 Kievo-Pečerskij Paterik, S. 420/421; Väterbuch, S. 37.

Engel-Deesis, 2. Hälfte 12. Jahrhundert, Tret'jakov-Galerie Moskau

Deesis, 2. Hälfte 12. Jahrhundert, Tret'jakov-Galerie Moskau

war, setzte sie sich hinter die wunderbare Ortsikone (naměstnaja) der Gottesmutter (die über der Mitteltür der Bilderwand angebracht war). Die unten Stehenden wollten die Taube ergreifen und stellten eine Leiter auf, doch fand sie sich weder hinter der Ikone noch hinter dem Vorhang [. . .], und alle standen und blickten auf die Ikone [. . .].«[12]

Die im Text des Väterbuchs erwähnte »Ortsikone« war eine Darstellung des Entschlafens Mariens. Später wurde das Wort »naměstnaja« zum Adjektiv »městnaja« verkürzt, und in dieser Form wird es zur Bezeichnung der Hauptikone einer Kirche verwendet, die üblicherweise zu Ehren jenes Heiligen oder Festes gemalt ist, dem die Kirche geweiht ist. Die Ortsikonen wurden in einer Reihe mit der Altarschranke angebracht, entweder seitlich davon oder in den Öffnungen zwischen den kleinen Pfosten der Schranke. Die Erzählung des Väterbuchs des Kiever Höhlenklosters über die Ortsikone des Entschlafens Mariens scheint damit nicht recht übereinzustimmen. Die Ikone stand in der Kirche unten und gleichzeitig doch ziemlich hoch, da man zum Fangen der Taube hinter der Ikone eine Leiter aufstellen mußte. Wir wissen jedoch, daß das Entschlafen Mariens in der Kathedrale des Kiever Höhlenklosters auf einer Tafel von horizontalem Format gemalt war und daß es an einem nicht ganz gewöhnlichen Ort, über der heiligen Tür, die in den Altarraum führte, angebracht war. In anderen Fällen befand die Ortsikone sich rechts von der Königstür, und um der Symmetrie willen malte man eine weitere Ikone, meistens ein Bildnis Christi, das links vom Eingang zum Altarraum aufgestellt wurde. Wahrscheinlich malte Alimpij gerade zwei solche Ortsikonen im Auftrag des »Christusfreundes« aus dem Podol'. Ein anderer »Christusfreund« beauftragte Alimpij, eine Ortsikone zu malen, und der Künstler versicherte dem Auftraggeber, daß »deine Ikone an ihrem Festtag an ihrer Stelle stehen wird«.[13]

Besonders verehrte Ikonen befanden sich manchmal nicht auf einer Ebene mit der Altarschranke, sondern vor ihr, um die Möglichkeit zu geben, sich ihnen zu nähern und sie zu küssen, da der Zutritt der Gläubigen zur Solea und damit unmittelbar zur Altarschranke eingeschränkt oder verboten war. Ähnlich den Bildnissen späterer Zeit, die bis heute zahlreich sind, wurden solche Ikonen in Schreinen aufgestellt, die man mit goldenen und silbernen Rähmchen, mit Emails, mit Edelsteinen, Schnitzwerk, Tüchern und zur Sommerzeit mit Blumen und Laub schmückte.

Daß frei auf oder vor der Solea stehende Ikonen in der vormongolischen Zeit gewöhnliches Zubehör der Kirchen waren, kann man aufgrund eines weiteren Bildtypus vermuten. Ich meine die tragbaren doppelseitigen Ikonen, die wahrscheinlich in Einzelfällen vor der Altarschranke aufgestellt wurden. Ihr gewöhnlicher Platz war jedoch im Altarraum hinter dem Altar, weswegen sie auch Bildnisse »hinter dem Altar« (zaprestol'nye) genannt wurden. Das klassische Beispiel einer tragbaren Ikone ist die »Gottesmutter des Zeichens« aus dem 12. Jahrhundert im Museum von Novgorod, auf deren Rückseite der Apostel Petrus und die Märtyrerin Natalia dargestellt sind. Nach der Überlieferung wurde diese Ikone in der Novgoroder Kirche der Verklärung des Erlösers aufbewahrt (derselben, die später Theophanes der Grieche ausmalte). Erstmals wurde sie während der Belagerung Novgorods im Jahre 1169 durch das Suzdaler Heer des Andrej Bogo-

Abb. S. 92 u. 130

12 Kievo-Pečerskij Paterik, S. 588/589; Väterbuch, S. 259.

13 Kievo-Pečerskij Paterik, S. 596/597; Väterbuch, S. 265.

Gottesmutter des Zeichens, Mitte 12. Jahrhundert (vor 1169), Museum Novgorod

Der Engel mit den Goldenen Haaren, 2. Hälfte 12. Jahrhundert, Russisches Museum Leningrad

ljubskij auf die Stadtmauern hinausgetragen. Dies ist die einzige Tragikone mit unversehrt erhalten gebliebenem Handgriff. Sie ist auf Ikonen des 15. und 16. Jahrhunderts wiedergegeben, die die Schlacht der Novgoroder mit den Suzdalern darstellen. Die alten Darstellungen unterscheiden sich in nichts von der heutigen Gestalt der Ikone.[14] Eine tragbare Ikone war auch die berühmte Gottesmutter von Vladimir, deren Handgriff zu einer uns unbekannten Zeit abgesägt wurde.
Über den Ort mancher Ikonen in den Innenräumen der vormongolischen Kirchen kann man nur Mutmaßungen aufgrund indirekter Merkmale einzelner Werke anstellen. So wird zum Beispiel angenommen, daß die in der Tret'jakov-Galerie aufbewahrte Ikone des ganzfigurigen hl. Georg, die aus dem Novgoroder Jur'ev-Kloster überführt wurde, eigens für die Georgs-Kathedrale des Klosters gemalt worden sei und daß sie an einer der Kuppelsäulen der Kirche befestigt war, da sie ein ungewöhnlich ausgeprägtes Längsformat aufweist und da ihre Breite genau der Breite der Säule entspricht.[15] Es gab auch eigene Grabbilder, wie wir von der späteren Ikone mit der Darstellung der Erscheinung der Gottesmutter vor dem Metropoliten Maksim aus der Mariä-Entschlafen-Kathedrale in Vladimir wissen. Und schließlich waren einige kleinere erhaltene Ikonen der vormongolischen Zeit wahrscheinlich keine Bildnisse für kirchliche Zwecke, sondern für den häuslichen Gebrauch, hergestellt für Gebetsecken oder für private Oratorien. Solcherart sind die Ikonen der »Gottesmutter der Rührung« (Umilenie) und der Erscheinung des Erzengels Michael vor Josuah des 12. Jahrhunderts aus der Mariä-Entschlafen-Kathedrale des Moskauer Kreml sowie die der Größe und der in ihr zum Ausdruck kommenden Gefühlslage nach für ein Zimmer bestimmte kleine Ikone des Erlösers aus der Mariä-Entschlafen-Kathedrale in Jaroslavl', die jetzt im Kunstmuseum von Jaroslavl' aufbewahrt wird.

Abb. S. 77

Abb. S. 80 u. 82

Abb. S. 95

Stil und vermutliche Entstehungszentren

Alle frühen russischen Ikonen zeichnen sich durch eine bemerkenswerte Beherrschtheit des Stils aus, was die Ganzheitlichkeit der künstlerischen Kultur der vormongolischen Zeit bezeugt. Wie in den Denkmälern der Baukunst und teilweise auch in denen der Literatur überwiegen in ihnen die monumentalen Formen, die auf die feierlichen Gottesdienste in den Kathedralen berechnet sind. Ein bedeutender Teil dieser Ikonen sind Kompositionen mit einer oder zwei Figuren, die dicht in das Bildfeld eingeschrieben sind. Aber auch in einigen vielfigurigen Szenen, wie zum Beispiel der Ikone des Entschlafens Marias aus dem Novgoroder Zehntkloster, ist die gleiche eindringliche Darstellungsweise gegenwärtig. Es überwiegt eine statische Behandlung des Sujets,

Abb. S. 79

14 Vgl. V. N. Lazarev: Russkaja ikonopis'. Ot istokov do načala XVI veka, Abb. 51.
15 V. N. Lazarev: Rannie novgorodskie ikony, in: V. N. Lazarev: Russkaja srednevekovaja živopis'. Stat'i i issledovanija, Moskau 1980, S. 112.

Erlöser, 2. Viertel 13. Jahrhundert, Kunstmuseum Jaroslavl'

doch infolge eines durchdachten Verhältnisses der Figuren und dank der geistlichen Gesammeltheit entbehrt sie der leblosen Erstarrtheit, die der Mehrzahl der Ikonen zueigen ist. Die übertrieben großen, weit geöffneten Augen, die Spiegel der Seele, sind ganz erfüllt von derart ausdrucksvoller, ja geradezu hypnotischer Macht, daß der Betrachter sich nicht ohne Mühe von ihnen zu befreien vermag.

Um die stilbildenden Faktoren der Kunst der vormongolischen Periode besser verstehen zu können, erscheint es dienlich, an die Malerei des 17. Jahrhunderts zu denken, mit der man – aus Trägheit – die Geschichte der altrussischen Kunst üblicherweise enden läßt. Das Flimmern der Figuren, das künstliche Gestikulieren, der Strom von Einzelheiten des täglichen Lebens und die allgemeine Auflösung der Form, die der Ikonenmalerei des 17. Jahrhunderts eigentümlich ist, stehen in völligem Gegensatz zur Malerei des 11. bis 12. Jahrhunderts. Die aristokratischen Auftraggeber erwarteten (und ihre Forderung wurde beachtet), daß der Künstler in den Bildern übertriebenes Gestikulieren, ungerechtfertigt schnelle Bewegungen, bohrende Blicke, naturalistische Einzelheiten, die dem Geschmack nicht entsprachen, und andere Abweichungen vermied. Doch wäre es nicht richtig, den monumentalen Stil der frühen russischen Ikonen als Folge einer absichtlichen Zurückführung überlieferter Verfahren der Ikonenmalerei auf das Wesentliche, als Verzicht auf eine vollwertige künstlerische Form um einer statuarischen Erhabenheit der Figur eines Heiligen willen zu verstehen. Die ältesten Ikonen setzen gerade durch die bemerkenswert mannigfaltige Gestaltung der malerischen Fläche in Erstaunen. Es genügt, sich der ältesten Ikonen zu erinnern, um sich von der frappanten Schönheit ihrer Farben zu überzeugen, von der makellosen Zeichnung und von der sich in Abhängigkeit von diesem oder jenem Teil des Ganzen wandelnden Faktur der Malerei. Die Peter-und-Paul-Ikone aus der Novgoroder Sophienkathedrale, die an Größe einem monumentalen Wandbild wie etwa dem Fresko der hll. Konstantin und Helena im Narthex des Erzbischofs Martirij der nämlichen Kathedrale nahesteht, schließt, so scheint es, jede Ausarbeitung von Einzelheiten aus. Doch dem ist nicht so, die ausgezeichnet erhaltenen Einzelheiten der Drapierungen zeigen eine meisterhafte Ornamentik, die in der Qualität nur mit den besten Beispielen von Ornamenten in Handschriften vergleichbar ist. Ebenso, mit liebevoller Darstellung der Details, sind die Goldverzierungen auf dem Umhang des hl. Georg auf der Ikone im Kreml ausgeführt, die goldenen Haarsträhnen des Engels aus dem Russischen Museum, die Flügel des Erzengels Gabriel in der Verkündigung an Maria »von Ustjug« in der Tret'jakov-Galerie. Auch in zahlreichen anderen Ikonen wird die Fähigkeit zur Synthese des Besonderen und des Allgemeinen deutlich, ihnen eignet in gleichem Maße die vornehme Würde und die das Auge erfreuende Tendenz zum Dekorativen in der Form.

Abb. S. 75

Abb. S. 81 u. 103

Abb. S. 93

Abb. S. 12

Es scheint zunächst natürlich anzunehmen, daß die Denkmäler der Ikonenmalerei im »Lande der Städte«, wie die Kiever Rus' genannt wurde, in verschiedenen Kunstzentren geschaffen wurden und daß die erhaltenen Werke anhand historisch-topographischer Merkmale klassifiziert werden könnten. Doch gibt es wahrscheinlich leider keine schwierigere Aufgabe als die Einteilung der ältesten russischen Ikonen nach Schulen. Denn starke zentripetale Kräfte, die im 11. und teilweise im 12. Jahrhundert auf das staatliche Leben der Rus' einwirkten, bewegten die Künstler zur Aneignung gemeinsamer Geschmacksrichtungen und gemeinsamer technischer Verfahren. Andererseits wissen wir, daß sich bereits im 11. Jahrhundert deutlich drei hauptsächliche staatliche Gebilde herausbildeten: Kiev und das Kiever Land, Novgorod mit seinen ausgedehnten

Gottesmutter mit Kind und Propheten auf den Rändern, 1. Drittel 13. Jahrhundert, Russisches Museum Leningrad

Besitztümern im Norden und die Suzdaler Rus', deren führende Stadt jedoch nicht Suzdal', sondern zwei andere Städte, Rostov und Vladimir, waren. Natürlich wird die Aufgabe der Klassifizierung der Ikonen durch die augenscheinliche Tatsache erschwert, daß Kiever Meister sowohl in Novgorod als auch in Rostov und in Vladimir arbeiten konnten, da die Kiever fürstliche und kirchliche Macht sich auch auf diese Städte erstreckte. Ebenso schickte man aus Kiev, wie wir bereits aus dem Väterbuch des Kiever Höhlenklosters wissen, Ikonen der dortigen Produktion häufig in die Bischofszentren sowohl des Nordwestens wie des Nordostens. Außerdem spricht eine Reihe von Gründen für die Annahme, daß einzelne Ikonen Novgoroder oder nordöstlicher Herkunft (also aus Rostov und Vladimir) tatsächlich nicht in Novgorod oder Rostov, sondern in der Provinz gemalt wurden, so etwa die Peter-und-Paul-Ikone und die Ikone der Gottesmutter mit dem Kind und mit Heiligen auf den Rändern aus Belozersk, einem Ort, der neben Kiev und Novgorod eine der ältesten russischen Städte war und der seit dem Jahr 862 bezeugt ist. Daher scheint mir, daß wir in der Bestimmung des Entstehungsorts einer ganzen Reihe früher russischer Ikonen niemals völlige Sicherheit werden erreichen können.

Abb. S. 97

Die historische Bedeutung der ältesten russischen Ikonen

Die Bedeutung der ältesten russischen Ikonen besteht vor allem darin, daß mit ihnen die tatsächliche Geschichte der russischen Tafelmalerei begann. Es ist bezeichnend, daß wir, wenn wir die Gesamtheit der nachfolgenden russischen Ikonenmalerei überschauen, in den frühen Ikonen die qualitätvollsten Werke, gleichsam einen goldenen Schatz des künstlerischen Erbes der Alten Rus', finden. Denkmäler, die den vormongolischen Ikonen an künstlerischer Bedeutung gleichkommen, gibt es in späterer Zeit nur wenige. Es sind dies die Ikonen Theophanes' des Griechen, Andrej Rublevs und die des Dionisij sowie vielleicht einzelne Werke des 17. Jahrhunderts, die in den Zarenwerkstätten des Moskauer Kreml geschaffen wurden. Der hohe Wert der ältesten russischen Ikonen im Vergleich zu den Denkmälern des 13. bis 17. Jahrhunderts, von denen es viele Zehntausende gibt, ist umso beredter, als die Ikone von den drei Gattungen der altrussischen Malerei – der Monumentalmalerei, der Tafelmalerei und der Buchmalerei – zweifelsohne die hauptsächliche Kunstgattung war. Kein anderer mittelalterlicher Staat Osteuropas, Byzanz und die südslavischen Länder auf dem Balkan eingeschlossen, hat ein so eindringliches und bisher durch die Wissenschaft kaum berührtes Massiv an vielgestaltigen Ikonen hinterlassen. Wenn man sich dieses gewaltige Erbe in Form einer Pyramide vorstellt, so gleichen die frühen Ikonen in ihr den unbeweglichen Blöcken eines Fundaments, auf dem das gesamte übrige Gebäude ruht. Die frühen Ikonen sind das wahre Fundament der gesamten russischen Ikonenmalerei.

Die Geschichte der russischen Ikonenmalerei von ihren Anfängen an war wiederholt Gegenstand eigener Untersuchungen, doch erfuhr sie durchaus keine einheitliche Beurteilung. Vor mehr als hundert Jahren entwickelte E. E. Golubinskij, einer der spätesten Vertreter der sogenannten skeptischen Schule, die auf die Arbeiten von M. T. Kačenovskij zurückging, eine entmutigende Vorstellung von der Entstehung dieser Malerei. Nach seiner Überzeugung entsproß sie einem Unkrautfeld, folglich konnte sie kaum etwas für die Kunst im allgemeinen geben; Vorbilder der russischen Ikonen seien qualitätlose Ikonen aus Konstantinopel gewesen, die dort keinen Absatz gefunden hätten, desgleichen solche Ikonen, die eigens für Rußland bestimmt gewesen seien; sie seien »so schnell und so billig« hergestellt worden, »wie man gegenwärtig in Mstera und in Choluj [Zentren handwerksmäßiger Ikonenmalerei des 19. Jahrhunderts] arbeitet.«[16] Die Zeit hat die Behauptungen E. E. Golubinskijs nicht bestätigt. Wenn man berücksichtigt, daß die Peter-und-Paul-Ikone aus der Novgoroder Sophienkathedrale von einem griechischen Künstler gemalt wurde, der in Rußland arbeitete, und wenn man an die »Gottesmutter von Vladimir« denkt, die aus Konstantinopel überführt wurde, so ist es augenscheinlich, daß sich in den russischen Kirchen der vormongolischen Zeit zahlreiche Ikonen befanden, die von den besten byzantinischen Meistern geschaffen worden waren. Gerade anhand derartiger Beispiele lernten die russischen Ikonenmaler ihre Kunst, und eben dadurch bildeten sie bereits in der frühesten Zeit eine Tradition, deren Früchte in den folgenden Jahrhunderten reiften. Hätte es nicht eine derart feste Grundlage gegeben, dann hätte es vielleicht auch die gesamte russische Ikonenmalerei des Mittelalters als ein besonderes künstlerisches Phänomen in der Weltgeschichte der Kunst nicht gegeben.

Die Forscher, die sich für die Frage nach der Entstehung der russischen Kunst interessieren, stehen vor einer wichtigen grundsätzlichen Frage: Ist diese Kunst eine byzantinische Kunst auf russischem Boden mit natürlichen lokalen Nuancen? Oder geht es um eine russische Kunst mit ebenso natürlichen Korrekturen anhand griechischer Originale? Häufig wird die erstere der beiden Antworten gegeben, was zu einer Verschiebung der Akzente führt, und man behandelt das Thema der Verbreitung griechischer Vorlagen in Rußland. Jedoch scheint es – mit ein, zwei Ausnahmen – fast unmöglich, sich die russischen vormongolischen Ikonen in einer griechischen Kirche derselben Zeit vorzustellen. Denn sie entbehren der Manieriertheit, der asketischen Trockenheit und der Abstraktheit der byzantinischen Malerei und gewinnen dadurch an Lebendigkeit. Die letztere scheint auch in der Verstärkung des Monumentalen und in der Vielfalt der geistigen und geistlichen Zustände auf, die häufig in lyrischen Tönen eingefärbt sind. Die jugendliche Kraft des hl. Georg in der Ikone aus dem Moskauer Kreml erweckt ein ihr entsprechendes Gefühl des Entzückens durch den Heiligen. Und wenn der Heilige seine Waffen vorweist, so ruft dies im Betrachter den Gedanken an die Notwendigkeit, für die heimatliche Erde einzustehen, wach. Die großen samtenen Augen des Engels »mit den goldenen Haaren« und die sanfte Neigung seines Hauptes verkörpern den Gedanken an die überirdische Schönheit, wie sie sich der Mensch des 12. Jahrhunderts wahrscheinlich vorstellte. Die Darstellung Christi, der Gottesmutter und Johannes' des Täufers in der Deesis-Ikone der Tret'jakov-Galerie erinnert über-

Abb. S. 81 u. 103

Abb. S. 93

Abb. S. 90

16 E. E. Golubinskij: Istorija russkoj cerkvi I.2, Moskau [2]1904, S. 224.

haupt nicht an die strengen Gestalten auf byzantinischen Ikonen: Sie sind von dem Gedanken an den Menschen umweht, wodurch die Möglichkeit der Hinwendung zu ihm im zutiefst persönlichen, nicht im liturgischen, öffentlichen Gebet des Gläubigen erwächst. Praktisch alle vormongolischen Ikonen russischer Herkunft unterscheiden sich in diesen oder anderen Zügen von den byzantinischen.

Am Ende meines Überblicks über die alten russischen Ikonen enthalte ich mich bewußt einer Charakterisierung der Werke, die in dem Zeitraum von der Mitte des 13. bis zum Beginn des 14. Jahrhunderts geschaffen wurden. In ihnen überwiegen bereits die Besonderheiten lokaler Stile mit den Merkmalen der Vergröberung der frühen Vorbilder. Die aristokratischen Züge, die den Denkmälern des 11. und des 12. Jahrhunderts eigen sind, verschwinden allmählich, das Kolorit verliert seine frühere Gesuchtheit, es überwiegen kräftige, bunte Farben, die Formen werden gröber, die Maße der Ikonen verkleinern sich merklich. Der monumentale Stil verschwindet, da alle Bezüge, die einstmals die Ikone mit der Wandmalerei verbanden, zerreißen. Der Mongoleneinfall zerstörte die sozialökonomische Grundlage, auf der die Kunst der Kiever Rus' erblüht war. Er verlangsamte die Entwicklung der Kultur in Rostov, in Jaroslavl', in Vladimir. Von der Katastrophe, die die Rus' heimsuchte, blieb vielleicht allein Novgorod verschont. In der Folgezeit sollte dann insbesondere Novgorod, aber auch neue Städte und Fürstentümer wie Tver' und Moskau das weitere Leben der Kunst in weiten Gebieten des nordwestlichen und nordöstlichen Rußlands bestimmen.

Übersetzung aus dem Russischen: Rainer Stichel

BESCHREIBUNG DER ÄLTESTEN RUSSISCHEN IKONEN

In diese Liste wurden alle erhaltenen russischen Ikonen des 11. bis frühen 13. Jahrhunderts aufgenommen. Ikonen, deren alte Malerei verlorenging, deren ursprünglicher Malgrund aber unversehrt erhalten blieb, werden im Haupttext erwähnt. Alle Denkmäler befinden sich in den Museen der Russischen Föderation. Neben den wichtigsten Angaben zu den Ikonen nenne ich nur die grundlegende Literatur, an letzter Stelle Bildbände, deren Text nicht von großem Wert ist, die aber gute Farbabbildungen enthalten. Eine vollständige Bibliographie der Denkmäler ist in der Regel in den von mir erwähnten Aufsätzen, Katalogen und Monographien zu finden.

Abgekürzt zitierte Literatur:

Anisimov: Domongol'skij period drevnerusskoj živopisi – A. I. Anisimov: Domongol'skij period drevnerusskoj živopisi, in: Voprosy restavracii II, Moskau 1928

Antonova/Mneva: Katalog – V. I. Antonova/N. E. Mneva: Katalog drevnerusskoj živopisi (v sobranii Gosudarstvennoj Tret'jakovskoj galerei) I., Moskau 1963

Korina: Živopis' domongol'skoj Rusi – Živopis' domongol'skoj Rusi (Katalog vystavki v Gosudarstvennoj Tret'jakovskoj galeree). Zusammengestellt von O. A. Korina, Moskau 1974

Lazarev: Rannie novgorodskie ikony – V. N. Lazarev: Rannie novgorodskie ikony, in: V. N. Lazarev: Russkaja srednevekovaja živopis'. Stat'i i issledovanija, Moskau 1970 (Überarbeitete Aufsätze, die zuerst 1944 erschienen waren).

Lazarev: Russkaja ikonopis' – V. N. Lazarev: Russkaja ikonopis'. Ot istokov do načala XVI veka, Moskau 1983

Sal'ko: Živopis' Drevnej Rusi – Živopis' Drevnej Rusi. XI – načala XIII veka. Mosaiki. Freski. Ikony. (Bildband). Zusammengestellt von N. B. Sal'ko, Leningrad 1982

Abb. S. 75

1. Apostel Petrus und Paulus

Die in der Mitte des 11. Jahrhunderts gemalte Ikone stammt aus der Sophienkathedrale in Novgorod und wird heute im Novgoroder Museum aufbewahrt. Dort befindet sich auch der Silberbeschlag, der spätestens zu Beginn des 12. Jahrhunderts hergestellt wurde. Der Beschlag weist griechische und russische Inschriften auf. Abgesehen von den Gesichtern und Händen der Apostel, die schon früh zerstört und im 15. Jahrhundert neu gemalt wurden, ist die ursprüngliche Malerei erhalten. Die sorgfältige und genaue Malweise und die feine Ornamentik in den Details bilden keinen Widerspruch zu der Monumentalität des Gesamtbildes. 1561 brachte Ivan IV. diese Ikone (mit zwei anderen) nach Moskau, aber sie kehrte 1572 nach Novgorod zurück. Nach mehrfacher Reinigung und zweimaliger Restaurierung wird sie in Kürze erneut restauriert werden, und man nimmt an, daß dabei früher unbekannte Fragmente der alten Malerei aufgedeckt werden. Die ungewöhnliche Größe der Ikone (236 x 147 cm) verweist auf ihre Entstehung in Novgorod, wo sie jedoch womöglich von einem Kiever oder sogar griechischen Künstler gemalt wurde.

Literatur:

N. E. Mneva, V. V. Filatov: Ikona Petra i Pavla novgorodskogo Sofijskogo sobora, in: Iz istorii russkogo i zapadnoevropejskogo iskusstva. Materialy i issledovanija. (Aufsatzband) zum 40jährigen wissenschaftlichen Jubiläum von V. N. Lazarev, Moskau 1960, S. 81–102; Korina: Živopis' domongol'skoj Rusi. Kat.-Nr. 1; Sal'ko: Živopis' Drevnej Rusi, Abb. 156; Lazarev: Russkaja ikonopis', S. 33, 163, Abb. 1; E. A. Gordienko, A. N. Trifonova: Katalog serebrjanych okladov Novgorodskogo muzeja-zapovednika, in: Muzej 6, Moskau 1986, S. 209–215.

2. Heiliger Georg

Abb. S. 81 u. 103

Die in der 2. Hälfte des 11. oder Anfang des 12. Jahrhunderts gemalte Ikone wurde in der Mariä-Entschlafen-Kathedrale im Moskauer Kreml gefunden, wo sie sich auch heute noch befindet. Die Herkunft der 174 x 122 cm großen Ikone ist unbekannt. In einigen Arbeiten wird sowohl eine Entstehung in Novgorod wie auch in Kiev erwogen. Enge stilistische Parallelen finden sich in der Wandmalerei der Kiever Sophienkathedrale, vor allem in den Gesichtern der Engel, deren Darstellungen die Kuppeln der oberen Galerien schmücken. Sie ist vorzüglich erhalten, ungeachtet einiger kleinerer Schäden in der Malschicht. Die edle Gestalt des Kriegers ist in der Blüte jugendlicher Schönheit und Kraft dargestellt; auf ihrer Rückseite (die man als die ursprüngliche Vorderseite betrachten muß) befindet sich ein Bild der Gottesmutter mit dem Christuskind, jedoch wurde diese Malerei im 14. Jahrhundert übermalt, so daß derzeit keine Aussagen über die ursprüngliche Darstellung möglich sind.

Literatur:

V. N. Lazarev: Novyj pamjatnik stankovoj živopisi XII veka i obraz Georgija-voina v vizantijskom i drevnerusskom iskusstve, in: V. N. Lazarev: Russkaja srednevekovaja živopis'. Stat'i i issledovanija, Moskau 1970, S. 55 ff.; N. A. Demina: Otraženie poetičeskoj obraznosti v drevnerusskoj živopisi (na primere ikony »Georgij-voin« XI–XII vekov), in: Drevnerusskoe iskusstvo. Chudožestvennaja kul'tura domongol'skoj Rusi, Moskau 1972, S. 7–24; Korina: Živopis' domongol'skoj Rusi. Kat.-Nr. 10; S. I. Maslenicyn: K atribucii izobraženija Georgija na dvustoronnej ikone iz Uspenskogo sobora Moskovskogo Kremlja, in: Srednevekovaja Rus' (Aufsatz-Band) zum Andenken an N. N. Voronin, Moskau 1976, S. 231–239 (nicht überzeugende Vergleiche und unrichtige Datierung in den Anfang des 13. Jahrhunderts); T. V. Tolstaja: Uspenskij sobor Moskovskogo Kremlja, Moskau 1979, S. 36, 44, Abb. 66–68 (s. auch Abb. 69–71, auf denen das heutige Aussehen der Vorderseite der Ikone gezeigt wird); L. A. Muzeus, B. B. Luk'janov, A. I. Jakovleva: Drevnejšaja domongol'skaja ikona iz Muzeev Moskovskogo Kremlja, in: Chudožestvennoe nasledie, Chranenie, issledovanie, restavracija 7 (37), Moskau

Hl. Georg, 2. Hälfte 11. oder Anfang 12. Jahrhundert, Mariä-Entschlafen-Kathedrale des Moskauer Kreml

1981, S. 90–106; Sal'ko: Živopis' Drevnej Rusi, Abb. 216–218; Lazarev: Russkaja ikonopis', S. 34, 164, Nr. 3; E. J. Ostašenko: Ikona »Sv. Georgij« iz Uspenskogo sobora i ee mesto v russkoj živopisi domongol'skogo perioda, in: Uspenskij sobor Moskovskogo Kremlja. Materialy i issledovanija, Moskau 1985, S. 141–160.

In diesen beiden genannten Ikonen erschöpft sich einstweilen das, was man mit einiger Wahrscheinlichkeit als das Erbe Kievs auf dem Gebiet der Tafelmalerei bezeichnen kann. Bedeutend mehr wissen wir über die Novgoroder Ikonen. Sie bilden eine einheitliche Gruppe von zehn Ikonen.

3. Stehender heiliger Georg

Abb. S. 77

Die im 2. Viertel des 12. Jahrhunderts (um 1130) gemalte Ikone stammt aus der Georgskathedrale des gleichnamigen Klosters in der Umgebung von Novgorod. Die ursprüngliche Malerei ist unter den vielen Ausbesserungen aus verschiedenen Zeiten, auch des 19. Jahrhunderts, nur schwer zu erkennen. Das Gesicht wurde im 14. Jahrhundert übermalt. Die Ikone ist fast gleich groß wie die Petrus-und-Paulus-Ikone (230 x 142 cm). Sie wurde zweifellos in Novgorod von einem russischen Meister gemalt, worauf eine gewisse Schwerfälligkeit der Figur hinweist, welche den ursprünglichen Umriß bewahrt hat. Die russische Herkunft des Werkes wird besonders deutlich, wenn man sie mit einer byzantinischen Darstellung des heiligen Demetrios von Thessaloniki vergleicht, nämlich mit dem Mosaik aus dem Kiever Erzengel Michael-Kloster, das sich jetzt ebenfalls in der Tret'jakov-Galerie befindet. Es ist anzunehmen, daß die Ikone im 12. Jahrhundert einen der Pfeiler der Georgskathedrale schmückte, da ihre Breite der Pfeilerbreite entspricht.

Literatur:
Antonova/Mneva: Kat.-Nr. 1; V. N. Lazarev: Novyj pamjatnik stankovoj živopisi XII veka i obraz Georgija-voina v vizantijskom i drevnerusskom iskusstve, in: V. N. Lazarev: Russkaja srednevekovaja živopis'. Stat'i i issledovanija, Moskau 1970, S. 87–88; Korina: Živopis' domongol'skoj Rusi, Kat.-Nr. 16; E. S. Smirnova: Živopis' Velikogo Novgoroda. Seredina XIII – načalo XV veka, Moskau 1976, S. 175–178 (Kat.-Nr. 6); Sal'ko: Živopis' Drevnej Rusi, Abb. 213, 214; Lazarev: Russkaja živopis', S. 33, 163–164, Nr. 2.

4. Zweiseitige Ikone

Abb. S. 92 u. 130

mit der Darstellung der Gottesmutter des Zeichens auf der Vorderseite und dem Apostel Petrus und der Märtyrerin Natalia auf der Rückseite. Sie gehört zu den bekanntesten russischen Ikonen und befindet sich im Novgoroder Museum. Ihre Maße sind 59 x 52,5 cm. Früher war sie mit einem silbernen Beschlag mit byzantinisch-russischen Zellenschmelz-Emails des 12. Jahrhunderts geschmückt. Sie ist mit einem Griff versehen, da sie bei Kirchenprozessionen getragen wurde. Sie wurde in Novgorod gemalt und wird gewöhnlich vor 1169 datiert, weil sie der Überlieferung nach während der Belagerung Novgorods durch die Suzdaler Heere auf die Stadtmauer von Novgorod getragen wurde. Da Novgorod nicht von den Suzdalern eingenommen wurde, schrieb man der Ikone wunderwirkende Kräfte zu. Zu diesem Thema schufen Novgoroder Künstler im 15. Jahrhundert eine besondere »historische« Ikone, auf der zweimal die Ikone der Gottesmutter des Zeichens gezeigt wird. Die Novgoroder Herkunft der Ikone unterliegt keinem Zweifel: die gedrängte Komposition der Vorderseite, die untersetzten Gestalten der Heiligen auf der Rückseite wären wohl für andere Kunstzentren nicht typisch. Die Vorderseite ist schlecht erhalten, während die Rückseite in sehr viel besserem Zustand blieb. Eine erneute Reinigung der Ikone in den 1980er Jahren brachte zusätzliche Fragmente der alten Malerei ans Licht.

Literatur:
Anisimov: Domongol'skij period drevnerusskoj živopisi, S. 128, 133, Abb. auf S. 123; Korina: Živopis' domongol'skoj Rusi, Kat.-Nr. 8; Sal'ko: Živopis' Drevnej Rusi, Abb. 163–168; Lazarev: Russkaja ikonopis', S. 38, 166, Abb. 12.

Abb. S. 12

5. Verkündigung an Maria »von Ustjug«

Im 16. Jahrhundert wurde diese Ikone von Ivan IV. aus dem Novgoroder Georgskloster nach Moskau gebracht, wo sie sich lange Zeit in der Mariä-Entschlafen-Kathedrale im Moskauer Kreml befand. Zur Zeit wird sie in der Tret'jakov-Galerie aufbewahrt. In alten Quellen wird sie »Korsunskaja« genannt, da sie um das Jahr 1000 aus Chersonesos (Korsun') gebracht worden sein soll, wo der heilige Vladimir die Taufe empfangen hatte. Die Verkündigungsikone ist jedoch ein Werk der Novgoroder Kunst der 2. Hälfte des 12. Jahrhunderts. Sie ist stilistisch verwandt mit zwei weiteren Ikonen derselben Zeit (dem »Engel mit den Goldenen Haaren« und dem »Mandylion«). Die Komposition der Ikone ist bewußt statisch, da die Betonung auf dem mystisch-theologischen Gehalt der Szene liegt: oben ist der »Alte der Tage« dargestellt, und im Schoß der Gottesmutter sieht man das Christuskind, auf welches Maria hinweist. Die schweren Falten der Gewänder, die geschlossenen Umrisse und die Frontalität der Gestalten verleihen der Ikone eine eindrucksvolle Monumentalität. Auch die kolossalen Ausmaße der Ikone (238 x 168 cm) unterstreichen diesen Eindruck. Die »Verkündigung« ist die größte russische Ikone vor Beginn des 15. Jahrhunderts.

Literatur:
Anisimov: Domongol'skij period drevnerusskoj živopisi, S. 119–122, Abb. auf S. 106–108; Antonova/Mneva, Kat.-Nr. 4; V. N. Lazarev: Rannie novgorodskie ikony, S. 105, 108 u. 109; Korina: Živopis' domongol'skoj Rusi. Kat.-Nr. 4; T. V. Tolstaja: Uspenskij sobor Moskovskogo Kremlja, Moskau 1979, S. 44, Abb. 63; Sal'ko: Živopis' Drevnej Rusi, Abb. 182–185; Lazarev: Russkaja ikonopis', S. 34–35, 164, Abb. 4.

6. Der Engel mit den Goldenen Haaren

Abb. S. 93

Die in der 2. Hälfte des 12. Jahrhunderts gemalte Ikone wurde im Glockenturm Ivans des Großen im Moskauer Kreml gefunden, danach befand sie sich im Rumjancev-Museum in Moskau, und gegenwärtig wird sie im Russischen Museum in Leningrad aufbewahrt. Ihre Größe beträgt 48,8 x 38,8 cm. Ihre stilistische Verwandtschaft mit der Verkündigungsikone bezeugt ihre Herkunft aus Novgorod. Sie stammt aus einer vielfigurigen Deesis aus einzelnen kleinen Ikonen, welche ihren Platz auf dem Architrav einer Altarschranke hatte. Das jugendliche Gesicht, die etwas rundlichen Wangen und die großen schwermütigen Augen des Engels sowie die mit feinen goldenen Linien gezeichneten Locken weisen denselben Stil auf, den wir auch bei der Gestalt des Erzengels Gabriel in der Verkündigungsikone beobachten können, nur daß hier eine besondere Eleganz in Konzeption und Ausführung zum Ausdruck kommt.

Literatur:
Anisimov: Domongol'skij period drevnerusskoj živopisi, S. 122, 123, Abb. auf S. 113; Lazarev: Rannie novgorodskie ikony, S. 109, 112; Korina: Živopis' domongol'skoj Rusi, Kat.-Nr. 3; Živopis' drevnego Novgoroda i ego zemel' XII–XVII stoletij. Ausstellungskatalog, verfaßt von V. K. Laurina, G. D. Petrova, E. S. Smirnova, Leningrad 1974, Nr. 1, Abb. 1; Sal'ko: Živopis' Drevnej Rusi, Abb. 186; Lazarev: Russkaja ikonopis', S. 35, 165, Abb. 6.

7. Zweiseitige Ikone

Abb. S. 87

mit der Darstellung des Mandylion auf der Vorderseite und der Verehrung des Kreuzes durch zwei Engel auf der Rückseite. Die Ikone stammt aus der Mariä-Entschlafen-Kathedrale des Moskauer Kreml und befindet sich heute in der Tret'jakov-Galerie. Sie mißt 77 x 71 cm. In einer meiner Arbeiten habe ich die Vermutung geäußert, daß die Ikone »Mandylion« in der Mitte oder in der 2. Hälfte des 12. Jahrhunderts für die gleichnamige Kirche unweit des Novgoroder Kreml gemalt worden sei. Unverkennbar ist die stilistische Nähe des »Mandylion« zu den beiden zuvor genannten Ikonen. Besonders auffällig ist die kalligraphisch feine Modellierung der einzelnen Haarlocken mit Gold. Ganz anders ist hingegen die Komposition auf der Rückseite gemalt, nämlich mit kräftigen, pastosen und ziemlich bunten Farben. Die Inschriften sprechen ebenfalls für das 12. Jahrhundert, aber es ist unverkennbar, daß die Rückseite von einem anderen Meister gemalt wurde, in dessen Malweise schon Zeichen eines rein lokalen Novgoroder Stils zu erkennen sind, der einige Jahrzehnte später die Oberhand über die früheren graecophilen Tendenzen gewinnen sollte. Ich nehme an, daß die »Verehrung des Kreuzes« später als die Hauptdarstellung entstanden ist und zwar gegen Ende des 12. Jahrhunderts, als die neue Erlöserkirche anstelle der baufällig gewordenen oder niedergebrannten alten Kirche erbaut wurde.

Literatur:
Anisimov: Domongol'skij period drevnerusskoj živopisi, S. 125–128, Abb. auf S. 114–118; Laza-

rev: Rannie novgorodskie ikony, S. 103–105; Antonova/Mneva: Kat.-Nr. 7 (Die Zuschreibung »Nordostrußland« ist unrichtig); G. I. Vzdornov: Lobkovskij Prolog i drugie pamjatniki pis'mennosti i živopisi Velikogo Novgoroda, in: Drevnerusskoe iskusstvo. Chudožestvennaja kul'tura domongol'skoj Rusi, Moskau 1972, S. 265–268; Korina: Živopis' domongol'skoj Rusi, Kat.-Nr. 23; T. V. Tolstaja: Uspenskij sobor Moskovskogo Kremlja, Moskau 1979, S. 36, 44, 46, Abb. 64, 65; Sal'ko: Živopis' Drevnej Rusi, Abb. 188–191; Lazarev: Russkaja ikonopis', S. 35–36, 164, Nr. 5.

Abb. S. 82 8. Gottesmutter mit Kind

Die 55 x 42,5 cm große Ikone wurde gegen Ende des 12. Jahrhunderts gemalt. Sie stammt aus der Mariä-Entschlafen-Kathedrale im Moskauer Kreml; mehr ist über ihre Herkunft nicht bekannt. Sie wurde erst in den sechziger Jahren dieses Jahrhunderts entdeckt und bisher wenig erforscht. Es wird allgemein angenommen, daß sie aus Novgorod stammt, doch sind auch andere Zuschreibungen nicht von der Hand zu weisen. Wie V. N. Lazarev nachgewiesen hat, bestehen ikonographische und stilistische Ähnlichkeiten mit der Ikone »Gottesmutter Damasskaja« in der griechisch-katholischen Kirche in Valetta (Malta).

Literatur:
O. V. Zonova: Pamjatnik russkoj živopisi XII v., in: Iskusstvo 8/1967, S. 66–69; Diess.: »Bogomater' Umilenie« XII veka iz Uspenskogo sobora Moskovskogo Kremlja, in: Drevnerusskoe iskusstvo. Chudožestvennaja kul'tura domongol'skoj Rusi, Moskau 1972, S. 270–282; Živopis' drevnego Novgoroda i ego zemel' XII–XVII stoletij. Ausstellungskatalog, verfaßt von V. K. Laurina, G. D. Petrova, E. S. Smirnova, Leningrad 1974, Nr. 2; Korina: Živopis' domongol'skoj Rusi, Kat.-Nr. 14; T. V. Tolstaja: Uspenskij sobor Moskovskogo Kremlja, Moskau 1979, S. 36, 46, Abb. 72; A. I. Jakovleva: Tri ikony domongol'skoj epochi iz sobranija Muzeev Kremlja, in: Chudožestvennoe nasledie. Chranenie, issledovanie, restavracija 6 (36), Moskau 1980, S. 33–35; Sal'ko: Živopis' Drevnej Rusi, Abb. 192–194; Lazarev: Russkaja ikonopis', S. 37, 165, Abb. 6.

Abb. S. 79 9. Entschlafen der Gottesmutter

Anfang 13. Jahrhundert. Früher befand sich die Ikone im Zehnt-Kloster (Desjatinnyj monastyr') in Novgorod, heute wird sie in der Tret'jakov-Galerie aufbewahrt. Die großen Ausmaße der Ikone (155 x 128 cm) entsprechen der komplizierten ikonographischen Variante des Sujets. Obwohl ungefähr dreißig Figuren dargestellt sind, blieb der monumentale Charakter der Komposition gewahrt. Die Gestalten der stehenden und fliegenden Apostel, die ihre Gefühle nur sehr zurückhaltend äußern, sind symmetrisch angeordnet, und die streng vertikale, unbewegliche Gestalt Christi im Zentrum vereinigt beide Gruppen der Apostel und Engel in einem kompositorischen Ganzen. Wie O. S. Popova bemerkte, stellt der Stil dieser Ikone ein russisches Pendant zu den Fresken des Klosters Studenica in Serbien dar, welche 1208 oder 1209 geschaffen wurden. Dem trägt die Datierung der Ikone »Entschlafen der Gottesmutter« in die ersten Jahre des 13. Jahrhunderts Rechnung.

Literatur:
Lazarev: Rannie novgorodskie ikony, S. 114; Antonova/Mneva, Kat.-Nr. 11; Korina: Živopis' domongol'skoj Rusi, Kat.-Nr. 26; Sal'ko: Živopis' Drevnej Rusi, Abb. 175–181; Lazarev: Russkaja ikonopis', S. 36, 165, Abb. 7; O. S. Popova: Dve russkie ikony rannego XIII v., in: Drevnerusskoe iskusstvo. Chudožestvennaja kul'tura X – pervoj poloviny XIII v., Moskau 1988, S. 231–242 (zuvor in serbischer Übersetzung publiziert in der Zeitschrift »Zograf« 14, Belgrad 1983, S. 31–38).

10. Heiliger Nikolaus der Wundertäter

Abb. S. 77

mit ausgewählten Heiligen auf den Rändern. Die Ikone stammt aus dem Neuen Jungfrauenkloster in Moskau und befindet sich heute in der Tret'jakov-Galerie. Der Überlieferung zufolge wurde sie im 16. Jahrhundert von Ivan IV. aus Novgorod nach Moskau gebracht. Die Entstehungszeit ist zu Beginn des 13. Jahrhunderts. Die Malschicht der 145 x 94 cm großen Ikone wurde bei früheren Reinigungen stark beschädigt, so daß die Darstellung jetzt flach wirkt. Das Gesicht des Heiligen ist von hohem Intellekt und angestrengtem Nachdenken geprägt. Die Geistigkeit der zentralen Darstellung kontrastiert zu den kleinen Figuren auf den Rändern, unter denen sich Boris und Gleb befinden. Die Auswahl der Heiligen wurde offenbar durch die Namenspatrone der Auftraggeber bestimmt, anders wäre eine sonst so selten gemalte Heilige wie die heilige Photina auf dieser Ikone kaum zu erklären.

Literatur:
Anisimov: Domongol'skij period drevnerusskoj živopisi, S. 133–135, Abb. auf S. 129–132; Antonova/Mneva, Kat.-Nr. 9; Lazarev: Rannie novgorodskie ikony, S. 113–114; Korina: Živopis' domongol'skoj Rusi, Kat.-Nr. 21; Sal'ko: Živopis' Drevnej Rusi, Abb. 206–208; Lazarev: Russkaja ikonopis', S. 37, 165, Abb. 9.

11. Die Apostel Petrus und Paulus

Abb. S. 109

Die im 1. Drittel des 13. Jahrhunderts gemalte Ikone stammt aus Belozersk und befindet sich heute im Russischen Museum in Leningrad. Ihre Größe beträgt 139,5 x 90 cm. Ihr Erhaltungszustand ist nicht besonders gut. Sie ist eine weniger gelungene Wiederholung einer fast identischen, jedoch älteren Ikone aus Novgorod. Die Art der Malerei ist charakteristisch für ein provinzielles Kunstzentrum in der vormongolischen Epoche.

Apostel Petrus und Paulus, 1. Drittel 13. Jahrhundert, Russisches Museum Leningrad

Literatur:
Korina: Živopis' domongol'skoj Rusi, Kat.-Nr. 2; Živopis' drevnego Novgoroda i ego zemel' XII–XVII stoletij. Ausstellungskatalog, verfaßt von V. K. Laurina, G. D. Petrova, E. S. Smirnova, Leningrad 1974, Nr. 4; Sal'ko: Živopis' Drevnej Rusi, Abb. 157, 158, 160; Lazarev: Russkaja ikonopis', S. 37–38, Abb. 10.

12. Gottesmutter mit Kind

Abb. S. 97

und Propheten auf den Rändern. Diese Ikone aus dem 1. Drittel des 13. Jahrhunderts stammt aus der Kathedralkirche von Belozersk und befindet sich jetzt im Russischen Museum in Leningrad. Das 155 x 106,5 cm große, monumentale Werk besitzt stark ausgeprägte Züge des russischen Stils, vor allem was die Randbilder betrifft. Vorherrschend sind weiße, dunkel- und taubenblaue Farben sowie Silber, was eine kühle Farbskala ergibt, wie man sie in der Natur des russischen Nordens antrifft. Dasselbe helle Kolorit fällt auch bei der Ikone »Petrus und Paulus« auf. Belozersk wurde im 9. Jahrhundert gegründet und von den Rostover Erzbischöfen und Fürsten beherrscht. Deshalb gibt es keine überzeugenden Argumente, die für eine Herkunft des Stils dieser Ikone gerade aus Novgorod sprechen würden. Vielleicht haben wir es mit einer örtlichen Kopie einer verehrten Muttergottesikone aus dem Rostov-Suzdaler Gebiet zu tun. Dasselbe gilt auch für die zuvor erwähnte Ikone der Apostel Petrus und Paulus.

Literatur:
Korina: Živopis' domongol'skoj Rusi, Kat.-Nr. 13; Živopis' drevnego Novgoroda i ego zemel' XII–XVII stoletij, Ausstellungskatalog, verfaßt von V. K. Laurina, G. D. Petrova, E. S. Smirnova, Leningrad 1974, Nr. 5; Sal'ko: Živopis' Drevnej Rusi, Abb. 195–198; Lazarev: Russkaja ikonopis', S. 37–38, 166, Abb. 11.

Hiermit beschließe ich den Überblick über die Ikonen aus Novgorod und gehe zu den Werken über, die im dritten großen Kunstzentrum des vormongolischen Rußland geschaffen wurden: in Vladimir und den benachbarten Städten Rostov und Jaroslavl'.

13. Gottesmutter von Bogoljubovo

Abb. S. 111

Die älteste Ikone aus Vladimir ist die große Ikone der Gottesmutter von Bogoljubovo, die um 1158 von Fürst Andrej in Auftrag gegeben worden war, nachdem ihm im Traum die Gottesmutter erschienen war und für sein Leben und den Schutz seiner Hauptstadt gebetet hatte. Anfangs wurde sie in der Kathedralkirche in der befestigten Burg Andrejs unweit von Vladimir, in Bogoljubovo, aufgestellt. Nach der Revolution wurde sie nach Vladimir gebracht, und heute befindet sie sich im Museum von Suzdal. Ihre Größe beträgt 185 x 105 cm. Die Gottesmutter ist ganzfigu-

Gottesmutter von Bogoljubovo, Mitte 12. Jahrhundert, Museum Suzdal

Gottesmutter von Bogoljubovo, Detail

rig dargestellt mit einer geöffneten Schriftrolle in ihren Händen, deren Text nicht erhalten ist. Maria wendet sich an Christus, der in der rechten oberen Ecke in Halbfigur gemalt ist. Der Erhaltungszustand der Ikone ist schlecht. Sie wurde dreimal einer Restaurierung unterzogen, wobei die nicht erhaltenen Teile der Darstellung retuschiert wurden. Es ist jedoch zu erkennen, daß das Antlitz der Gottesmutter äußerst fein gemalt und der geistige Gehalt des Bildes vorzüglich ausgedrückt war. Unverkennbar ist die Ähnlichkeit dieser Ikone mit der Ikone der Gottesmutter von Vladimir, die sich zu jener Zeit in der Mariä-Entschlafen-Kathedrale in Vladimir befand.

Literatur:
N. P. Kondakov: Ikonografija Bogomateri, Bd. II, Petrograd 1915, S. 298–301; V. N. Lazarev: Živopis' Vladimiro-Suzdal'skoj Rusi, in: Istorija russkogo iskusstva I (Hg.: Akademie der Wissenschaften der UdSSR), Moskau 1953, S. 444, 446, Abb. auf S. 445 und 447; Korina: Živopis' domongol'skoj Rusi, Kat.-Nr. 5; M. Romanova: Unikal'noe proizvedenie živopisi domongol'skoj Rusi, in: Iskusstvo 3/1978, S. 64–67 (veröffentlicht in dem durch die Restaurierung beschädigten Zustand); Lazarev: Russkaja ikonopis', S. 40.

14. Engel-Deesis *Abb. S. 90*

mit der Darstellung Christi Emmanuel und zwei Erzengeln. Die in der 2. Hälfte des 12. Jahrhunderts entstandene Ikone stammt aus der Mariä-Entschlafen-Kathedrale des Moskauer Kreml und befindet sich heute in der Tret'jakov-Galerie. Ihre Größe beträgt 72 x 129 cm. Sie ist eine von zwei erhaltenen alten Ikonen in einem langen Querformat nach Art griechischer Templonikonen. Solche Ikonen schmückten gewöhnlich den Architrav von Altarschranken und befanden sich über den Königstüren, die in den Altarraum führten. Vergleicht man den Typ der Erzengel mit dem Engelskopf, der sich im Russischen Museum befindet, wird klar, daß bei der Malweise der Figuren auf der Ikone aus Vladimir eine lineare Behandlung der Formen vorherrscht und der Assist (die Goldornamentik) auf den Gewändern merklich breiter ausgeführt ist.

Literatur:
V. N. Lazarev: Dva novych pamjatnika russkoj stankovoj živopisi XII–XIII vekov. (K istorii ikonostasa), in: V. N. Lazarev: Russkaja srednevekovaja živopis'. Stat'i i issledovanija, Moskau 1970, S. 129–139 (überarbeitete Fassung eines bereits 1946 veröffentlichten Aufsatzes); Antonova/Mneva, Kat.-Nr. 6; Korina: Živopis' domongol'skoj Rusi, Kat.-Nr. 17; Lazarev: Russkaja ikonopis', S. 41, 167, Abb. 18; L. I. Lifšič: »Angel'skij čin s Emmanuilom« i nekotorye čerty chudožestvennoj kul'tury Vladimiro-Suzdal'skoj Rusi, in: Drevnerusskoe iskusstvo. Chudožestvennaja kul'tura X – pervoj poloviny XIII v., Moskau 1988, S. 211–230.

Abb. S. 90 15. Deesis

Darstellung Christi, der Gottesmutter und Johannes des Vorläufers aus der 2. Hälfte des 12. Jahrhunderts. Wie die vorhergehende Ikone stammt sie aus der Mariä-Entschlafen-Kathedrale im Moskauer Kreml und befindet sich heute in der Tret'jakov-Galerie. Die Entstehungszeit der 61 x 146 cm großen Ikone würde ich, entgegen der allgemein akzeptierten Datierung in den Beginn des 13. Jahrhunderts, der Entstehungszeit der ersten Deesis annähern wollen. Die lasierenden Farbschichten sind durch eine zu starke Reinigung verlorengegangen. Besser als die anderen Köpfe ist jener der Gottesmutter erhalten, voll edler Zurückhaltung und innerer Schönheit.

Literatur:
V. N. Lazarev: Dva novych pamjatnika russkoj stankovoj živopisi XII–XIII vekov. (K istorii ikonostasa), in: V. N. Lazarev: Russkaja srednevekovaja živopis'. Stat'i i issledovanija, Moskau 1970, S. 129–139 (überarbeitete Fassung eines bereits 1946 veröffentlichten Aufsatzes); Antonova/Mneva, Kat.-Nr. 8; Korina: Živopis' domongol'skoj Rusi, Kat.-Nr. 18; Lazarev: Russkaja ikonopis', S. 41, 167, Abb. 19; O. S. Popova: Dve russkie ikony rannego XIII v., in: Drevnerusskoe iskusstvo. Chudožestvennaja kul'tura X – pervoj poloviny XIII v., Moskau 1988, S. 231–243 (früher in serbischer Übersetzung veröffentlicht in der Zeitschrift »Zograf« 14, Belgrad 1983, S. 31–38).

Abb. S. 114 16. Heiliger Demetrios von Thessaloniki

Die Ikone aus dem Ende des 12. oder Anfang des 13. Jahrhunderts stammt aus der Mariä-Entschlafen-Kathedrale der Stadt Dmitrov bei Moskau. Ursprünglich war sie die Patronatsikone der schon seit langem aufgehobenen Demetrios-Kirche in derselben Stadt. Jetzt befindet sie sich in der Tret'jakov-Galerie. Ihre Größe beträgt 156 x 108 cm. Dmitrov wurde in der Mitte des 12. Jahrhunderts gegründet, aber es ist kaum anzunehmen, daß dort ständig professionelle Maler arbeiteten. Höchstwahrscheinlich ist die Ikone in Vladimir gemalt worden. Ihr Erhaltungszustand ist gut. Wenn wir das heitere Gesicht des heiligen Georg auf der Ikone des 11. Jahrhunderts mit dem Gesicht des heiligen Demetrios vergleichen, wird deutlich, in welche Richtung sich die russische Kunst des 12. Jahrhunderts entwickelte: in den Zügen des heiligen Demetrios liegt etwas Orientalisches, hier wurden in weit höherem Maße rein künstlerische Effekte benutzt, wie man sie z. B. in der Darstellung Christi bemerkt, der den Heiligen von einem Himmelssegment aus segnet.

Literatur:
Anisimov: Domongol'skij period drevnerusskoj živopisi, S. 136, Abb. auf S. 138 und 139; Antonova/Mneva, Kat.-Nr. 10; G. V. Popov: Iz istorii drevnejšego pamjatnika goroda Dmitrova, in: Drevnerusskoe iskusstvo. Chudožestvennaja kul'tura domongol'skoj Rusi, Moskau 1972, S. 198–216; Korina: Živopis' domongol'skoj Rusi, Kat.-Nr. 20; Sal'ko: Živopis' Drevnej Rusi, Abb. 169–172; Lazarev: Russkaja živopis', S. 41, 167, Abb. 20.

Hl. Demetrios von Thessaloniki, Ende 12. oder Anfang 13. Jahrhundert, Tret'jakov-Galerie Moskau

Abb. S. 80 17. Die Erscheinung des Erzengels Michael vor Josuah

Die am Ende des 12. oder zu Beginn des 13. Jahrhunderts gemalte Ikone stammt aus der Mariä-Entschlafen-Kathedrale des Moskauer Kreml, wo sie sich noch befindet. Ihre Größe beträgt 50 x 35,8 cm. Professor V. N. Lazarev plädierte für eine Entstehung der Ikone in Moskau, aber in so früher Zeit hatte Moskau noch keine nennenswerte Bedeutung; sie war nur eine kleine Grenzstadt. Die Ikone wurde meines Erachtens in Vladimir gemalt, von wo sie später mit anderen historischen Reliquien und Kunstschätzen nach Moskau gelangte. Sie entstand zweifellos im Auftrag eines unbekannten Fürsten, was ihre bescheidene Größe erklärt.
Literatur:
Anisimov: Domongol'skij period drevnerusskoj živopisi, S. 135–136 u. 141, Abb. auf S. 137; Korina: Živopis' domongol'skoj Rusi, Kat.-Nr. 27; T. V. Tolstaja: Uspenskij sobor Moskovskogo Kremlja, Moskau 1979, S. 46, Abb. 75; A. I. Jakovleva: Tri ikony domongol'skoj epochi iz sobranija Muzeev Kremlja, in: Chudožestvennoe nasledie. Chranenie, issledovanie, restavracija 6/36, Moskau 1980, S. 36–38; Sal'ko: Živopis' Drevnej Rusi, Abb. 215; Lazarev: Russkaja ikonopis', S. 45–46, 169, Abb. 27.

Abb. S. 116 18. Gottesmutter orans oder Große Panagia

Die Ikone wurde in Jaroslavl' gefunden und befindet sich heute in der Tret'jakov-Galerie. Die 194 x 120 cm große Ikone wurde höchstwahrscheinlich zu Beginn des 13. Jahrhunderts gemalt, obwohl der ikonographische Typus und der reiche Goldschmuck an Darstellungen des 11.–12. Jahrhunderts in den Apsiskalotten Kiever Kirchen erinnern, wie z. B. an die Gottesmutter orans in der Kiever Sophienkathedrale. Aus diesem Grund wird die Ikone von einzelnen Forschern ins 11. Jahrhundert datiert und dem Kiever Maler Alimpij zugeschrieben. Ich habe schon erwähnt, daß eine seiner Ikonen im 12. Jahrhundert von Kiev nach Rostov geschickt wurde. Aber die stilistischen Besonderheiten der Gottesmutter orans aus Jaroslavl' widersprechen einer solchen Zuschreibung. Die Augen sind weniger detailliert ausgearbeitet als bei den früheren Ikonen und erinnern an die Gesichter des heiligen Demetrios und an den Erlöser auf einer der horizontalen Deesis-Ikonen. Die gleiche Nasenform verstärkt diesen Eindruck. Ich glaube, daß diese Ikone ein nicht erhaltenes feierliches Bild des 11. oder beginnenden 12. Jahrhunderts wiederholt, und in diesem Sinne kann die Gottesmutter orans unter bestimmten Bedingungen als Replik einer Ikone Alimpijs gelten.

Literatur:
Anisimov: Domongol'skij period drevnerusskoj živopisi, S. 164 u. 171, Abb. auf S. 158–160 u. 165; Antonova/Mneva, Kat.-Nr. 3; Korina: Živopis' domongol'skoj Rusi, Kat.-Nr. 6; S. I. Maslenicyn: Jaroslavskaja ikonopis', Moskau 1973, S. 7, Taf. 1–5; V. Pucko: Bogomater' Velikaja Panagija, in: Zbornik radova Vizantološkog instituta 18, Belgrad 1978, S. 247–256; Sal'ko: Živopis' Drevnej Rusi, Abb. 161, 163; Lazarev: Russkaja ikonopis', S. 42–43, 167–168, Abb. 21.

Gottesmutter orans oder Große Panagia, Anfang 13. Jahrhundert, Tret'jakov-Galerie Moskau

Der Erlöser mit dem Goldenen Haar, Anfang 13. Jahrhundert, Mariä-Entschlafen-Kathedrale des Moskauer Kreml

19. Der Erlöser mit dem Goldenen Haar *Abb. S. 117*

Die im frühen 13. Jahrhundert gemalte Ikone stammt aus der Mariä-Entschlafen-Kathedrale im Moskauer Kreml, wo sie sich auch heute noch befindet. Sie mißt 58,5 x 42 cm. Trotz des schlechten Erhaltungszustandes fällt auf, daß es sich um eine ganz andere Interpretation des Christusbildes handelt als auf der Ikone mit der Darstellung des Mandylion aus Novgorod. Obwohl die Ikone relativ klein ist, wird Christus als Pantokrator dargestellt. Das leicht erhobene Haupt drückt Kraft, Festigkeit und Macht aus. Die Bildfläche ist ganz mit den verschiedenartigsten Verzierungen gefüllt. Vier symmetrisch angeordnete Medaillons zwischen den Kreuzbalken des Nimbus, Edelsteine an den Kreuzenden, Borten auf den Gewändern, Ornamente auf dem Himation, der Gebetstext auf dem Rand, der auf seine Art als Muster verstanden werden kann, all dies ist schon sehr weit entfernt von den ruhigen Kompositionen der Mitte und der 2. Hälfte des 12. Jahrhunderts. Eine Entstehung der Ikone in Rostov ist nicht auszuschließen.

Literatur:
Anisimov: Domongol'skij period drevnerusskoj živopisi, S. 141–143; Abb. auf S. 140; Korina: Živopis' domongol'skoj Rusi, Kat.-Nr. 24; T. V. Tolstaja: Uspenskij sobor Moskovskogo Kremlja, Moskau 1979, S. 36, 46, Abb. 74; Sal'ko: Živopis' Drevnej Rusi, Abb. 187; Lazarev: Russkaja ikonopis', S. 43, 168, Abb. 22; A. I. Jakovleva: Ikona »Spas Zlatye vlasy« iz Uspenskogo sobora Moskovskogo Kremlja, in: Drevnerusskoe iskusstvo. Chudožestvennaja kul'tura X – pervoj poloviny XIII v., Moskau 1988, S. 199–210.

20. Erlöser *Abb. S. 95*

Die Ikone stammt aus der Mariä-Entschlafen-Kathedrale in Jaroslavl'. Das kleine Bild (45 x 37 cm) ist der Legende zufolge mit den Namen der Jaroslavler Fürsten Vasilij und Konstantin verbunden, die in Jaroslavl' in der 2. Hälfte des 13. Jahrhunderts die Herrschaft innehatten, nachdem die Rus' schon von den ersten Wellen der Mongoleninvasion überflutet worden war. Das von Milde und Innigkeit geprägte Bild des Heilands auf der Jaroslavler Ikone steht in krassem Gegensatz zu der Ikone des Erlösers mit dem Goldenen Haar aus dem Moskauer Kreml. Es ist nicht ausgeschlossen, daß der Jaroslavler Erlöser in Rostov oder Jaroslavl' gemalt wurde.

Literatur:
G. Vzdornov: O Živopisi Severo-Vostočnoj Rusi XII–XV vekov, in: Iskusstvo 10/1969, S. 58; S. I. Maslenicyn: Jaroslavskaja ikonopis', Moskau 1973, S. 9–10, Taf. 6; Korina: Živopis' domongol'skoj Rusi, Kat.-Nr. 25; Lazarev: Russkaja ikonopis', S. 43–44, 168, Abb. 23.

Übersetzung aus dem Russischen: Eva Haustein-Bartsch

Tania Velmans

DIE IKONEN VON NOVGOROD. BRUCH UND KONTINUITÄT IN BEZIEHUNG ZUR BYZANTINISCHEN ÄSTHETIK UND IKONOGRAPHIE (12.–15. JAHRHUNDERT)

Wenn man die Entwicklung der mittelalterlichen Ikonenmalerei in Rußland verfolgt, wird sehr schnell deutlich, daß die wichtigen Neuerungen zuerst in der Region von Novgorod zutage treten. Ganz besondere Bedingungen ermöglichen die Entwicklung eines eigenen Stils in der 2. Hälfte des 13. Jahrhunderts. Dieser Stil steht manchmal im Dienst neuer Themen und neuer ikonographischer Formulierungen, die gegenüber den in Byzanz bekannten leicht verändert wurden. Außerdem ist zu erwähnen, daß sich die in Frage stehenden Neuerungen nur in der Ikonenmalerei bemerkbar machen. Die Wandmalereien bleiben – im ganzen gesehen – der byzantinischen Tradition treu.

Die ersten Anzeichen für die kommenden Neuerungen sind schon im 12. Jahrhundert auszumachen. So ist die sehr beachtliche Größe einiger beweglicher Bilder – wie die der Ikone des stehenden Heiligen Georg von 1130–1150 aus der Tret'jakov-Galerie, die 2,30 x 1,42 m mißt[1], in Byzanz ungewöhnlich. Man weiß, daß diese Ikone für die Kirche des Jur'ev-Klosters in Novgorod gemalt wurde, die 1140 geweiht wurde. Offensichtlich schmückte sie einen der zwei östlichen Pfeiler, deren zweiter wahrscheinlich von der berühmten Ikone der sogenannten »Verkündigung von Ustjug« (1130–1150) eingenommen wurde, die sich ebenfalls in der Tret'jakov-Galerie befindet und 2,29 x 1,44 m mißt.[2]

Abb. S. 77

Abb. S. 12

Wie schon V. N. Lazarev bemerkt hatte, entsprechen die genannten Ikonen tatsächlich nahezu der Breite der Pfeiler der Kirche des Jur'ev-Klosters, aber wenn sie für diesen Ort hergestellt worden sind – und ihre Größe spricht dafür – muß man sich fragen, warum für diesen Standort Ikonen vorgesehen waren und die Pfeiler nicht mit Wandmalereien geschmückt wurden, wie dies in Byzanz üblich war. Die Antwort liegt in einer für die russische Architektur typischen Besonderheit: die alten russischen Kirchen waren oft – und hauptsächlich im Norden – aus Holz erbaut, das weder Freskomalerei noch Mosaik zuließ, und die Gewohnheit, die Kultgebäude mit Ikonen auszuschmücken, blieb auch noch einige Zeit erhalten, nachdem man begonnen hatte, mehr Kirchen aus Stein zu errichten. Ausgrabungen in Novgorod mit Funden von großen Holzsäulen haben gezeigt, daß die Holzbauweise dort von besonderer Bedeutung war.[3] Unter anderem ist der Verlust

1 V. N. Lazarev: Novgorodskaja ikonopis' – Novgorodian Icon-Painting, Moskau 1969, Abb. 3.

2 Ibid., S. 7, Abb. 6. Bekannt ist die eigentümliche Ikonographie dieser Ikone mit dem Alten der Tage in einem Himmelssegment am oberen Rand und dem nackten Kind vor der Brust Mariens, das im gleichen Farbton gemalt ist wie das Maphorion, um den Augenblick der Inkarnation darzustellen. Dieses ikonographische Schema wurde sehr selten und erst in später Zeit wiederaufgenommen.

3 Vgl. B. Kolčin, V. Janin, S. Jamščikov: Drevnij Novgorod. Prikladnoe iskusstvo i archeologija, Moskau 1985, S. 13.

Verkündigung an Maria mit hl. Theodoros, 2. Hälfte 14. Jahrhundert, Museum Novgorod

von Kirchen zu beklagen, die aus Eichenholz erbaut waren wie die Sophienkirche, die 989 errichtet worden war und nach schriftlichen Quellen im 11. Jahrhundert abbrannte.[4] So kann man sagen, daß diese sehr großen Ikonen zu dem ganzen russischen Gebiet und besonders zu Novgorod gehören.

Abb. S. 93
Ein charakteristisches Merkmal zeichnet die Ikone des Erzengels mit den Goldenen Haaren (1130–1200) im Russischen Museum in Leningrad[5] aus. Dieser halbfigurige Erzengel, der ursprünglich aus einer Ikonostase stammt, unterscheidet sich von den byzantinischen Vorbildern allein durch den Ausdruck tiefer Trauer. Zwischen dem 13. und dem 15. Jahrhundert finden wir diese Stimmung auf manchen russischen Ikonen wieder, auch wenn sie nicht mit einem Thema *Abb. S. 90* aus der Passion Christi verbunden sind[6], wie z. B. die beiden Erzengel auf der Ikone der Deesis aus dem 12. Jahrhundert, heute in der Tret'jakov-Galerie[7], die Gottesmutter und der heilige *Abb. S. 90* Johannes (12. Jahrhundert) auf einer anderen Deesisikone desselben Museums[8] oder der Erzen- *Abb. S. 120* gel auf der Ikone der Verkündigung aus dem 14. Jahrhundert, die aus der Boris-und-Gleb-Kirche (von Plotniki) in Novgorod stammt.[9] Diese Ikone wurde bekanntlich an vielen Stellen übermalt und restauriert, aber das uns interessierende Detail ist original.[10] Es handelt sich um das von tiefer Traurigkeit gezeichnete Gesicht des Erzengels Gabriel, der Maria die Frohe Botschaft bringt und sich darüber trotz der feierlichen Stimmung, die dabei üblich ist, eher freuen müßte. Man kann mit gutem Grund annehmen, daß diese stille Traurigkeit vor allem aus dem Gebiet von Moskau und Vladimir stammt. Manche Engel des Jüngsten Gerichts in der Kirche des Heiligen Demetrios (um 1195) in Vladimir haben schon im 12. Jahrhundert diese traurig versonnenen Gesichter.[11] In Byzanz finden wir solche Engel kaum, v. a. nicht auf Ikonen, und auch im 14. Jahrhundert bleibt man bei dem klassisch ausgewogenen Gesichtsausdruck, wie ihn z. B. die Ikone des Erzengels Michael im Byzantinischen Museum in Athen zeigt.[12] In den oben erwähnten russischen Beispielen kommt wahrscheinlich ein Zug der mittelalterlichen Mentalität des russischen Volkes und dessen Neigung zu Dramatik und tiefem emotionalen Erleben zutage.

Die russischen Heiligen Boris und Gleb sind stets wie einheimische Fürsten gekleidet. Ihre Ikone von 1335, die sich heute im Historischen Museum in Moskau befindet und aus der Kapelle des Zverin-Klosters in Novgorod stammt[13], zeigt die zwei Heiligen in »šapka« und Nationaltracht, wobei ihr Schwert besonders hervorgehoben wurde, da es als Sinnbild für Rußland und als fürstliches Herrschaftssymbol gilt.[14] Diese typisch russische Art, das Schwert zu tragen, wird manch- *Abb. S. 81 + 103* mal auch auf den heiligen Georg übertragen, wie man auf einer Ikone des 12. Jahrhunderts sehen

4 Ibid., S. 13.
5 Lazarev, S. 11, Abb. 10.
6 In diesem Falle wäre eine solche Gemütstimmung seit dem 12. Jahrhundert nichts Außergewöhnliches. Siehe Tania Velmans: Les valeurs affectives dans la peinture murale byzantine au XIIIe siècle et la manière de les representer, in: L'Art Byzantin du XIIIe siècle. Symposium de Sopo'cani, Belgrad 1967, S. 47–58; id.: La peinture murale byzantine à la fin du Moyen Âge, Paris 1977, Kap. IV.
7 V. I. Antonova/N. E. Mneva: Katalog drevnerusskoj živopisi Bd. I, Moskau 1963, Abb. 23–25.
8 Ibid., Abb. 12–14.
9 V. K. Laurina/W. A. Puschkarjow: Nowgoroder Ikonen des 12. bis 17. Jahrhunderts, Leningrad 1981, 1983, Abb. 43–44.
10 Ibid., S. 288.
11 Vgl. V. N. Lazarev: Old Russian Murals and Mosaics, London 1966, Abb. 63, 64; Velmans: La peinture murale, Abb. 184.
12 K. Weitzmann, M. Chatzidakis, K. Miatev, S. Radojčić: Frühe Ikonen, Wien und München 1965, Abb. 65.
13 Laurina/Puschkarjow, Abb. 37, 38, S. 291.
14 Vgl. Lazarev: Novgorodskaja ikonopis', S. 8.

kann, auf der der Heilige in Halbfigur erscheint[15], oder auch auf der Ikone des heiligen Johannes Klimakos (13. Jahrhundert), wo Georg wieder mit einem großen Schwert dargestellt ist, das er gerade vor sich hält.[16] Dadurch wird betont, daß der heilige Georg als Schutzpatron Rußlands zu verstehen ist, der dem Herrscher besonders nahesteht. V. N. Lazarev vermutet, daß der Stifter der Ikone des heiligen Georg in Halbfigur der jüngere Sohn von Andrej Bogoljubskij war. In diesem Zusammenhang möchte ich daran erinnern, daß im 11. Jahrhundert in Kiev das Streben des Fürsten Jaroslav nach Souveränität gegenüber Byzanz durch eine Münze mit dem Bildnis des heiligen Georg und der Inschrift »Gott helfe deinem Diener Georg, dem Archonten«[17] zum Ausdruck gebracht wurde. Dieser griechische Titel, der nur vom byzantinischen Kaiser verliehen werden konnte, bezeichnete einen souveränen Herrscher.

Abb. S. 22

Die Beliebtheit Georgs war übrigens im Norden noch sehr viel größer als in den anderen Regionen, und die Ikonenmalerei spiegelt diese besondere Verehrung wieder. Der dem Heiligen gewidmete Kult ist durch dessen polyvalente Bedeutung zu erklären. Georg war mit so zahlreichen Funktionen beauftragt, daß man immer Anlaß hatte, sich im Gebet an ihn zu wenden. Er war nicht nur der Sieger über das Böse, der Beschützer der Heere, der Fürsten und der Felder, sondern auch der neuangesiedelten Kolonisatoren des Nordens, die gegen eine dem Menschen feindliche Natur kämpften. Nicht zuletzt war Georg ein Symbol der Tapferkeit und männlicher Tugenden. All dies wird auch von der Volkspoesie bezeugt.[18] Außerdem ist die Legende des Heiligen reich an märchenhaften Episoden, und diese waren im Norden anscheinend besonders beliebt. Nirgendwo sieht man im 14. Jahrhundert so zahlreiche Ikonen des Drachenwunders[19] wie in der Gegend um Novgorod. Besonders früh ist diese Darstellung hier in der Wandmalerei erschienen, wie das Beispiel aus Staraja Ladoga aus dem 12. Jahrhundert zeigt.[20]

Die am meisten verehrten Heiligen in Novgorod waren entweder Russen oder jene Heiligen, bei denen man eine Verbindung mit den Naturgewalten annahm. Die Parallelen zwischen Heiligen und heidnischen Gottheiten, die auf vielen Novgoroder Ikonen auffallen, sind wohlbekannt.[21] Es

15 Ibid., Abb. 4. Die Ikone wurde um 1170 gemalt.

16 Ibid., Abb. 15.

17 V. N. Lazarev: Novyj pamjatnik stankovoj živopisi XII v. i obraz Georgija-voina v vizantijskom i drevnerusskom iskusstve, in: Vizantijskij Vremennik, Bd.VI /1953, S. 209.

18 Vgl. Lazarev: Novgorodskaja ikonopis', S. 22.

19 Das Drachenwunder ist zwar nicht ein lokales Thema, aber es ist lokal geprägt. Diese Ikonen werden charakterisiert durch das stark stilisierte Pferd mit langen dünnen Beinen und einem elegant geschwungenen Hals, das meistens schräg auf der Bildfläche steht, und durch die dominierende Farbkombination von Weiß und Rot (z. B. die Ikone des späten 14. Jahrhunderts im Russischen Museum in Leningrad, s. Lazarev: Novgorodskaja ikonopis', Abb. 24). Der meistens geflügelte Drache mit Schlangenkopf, den man auch auf der obengenannten Ikone sieht, erinnert an volkstümliche Schnitzereien, die nicht mit einer religiösen Thematik verbunden waren und in Novgorod ausgegraben wurden (s. Kolčin u. a., Abb. 159).

20 V. N. Lazarev: Freski Staroj Ladogi, Moskau 1960, Abb. 10.

21 Die wichtigsten Beziehungen zwischen christlichen Heiligen und heidnischen Gottheiten – abgesehen vom heiligen Georg, von dem schon weiter oben die Rede war – sind folgende: Der Prophet Elias herrschte über den Donner und den Regen und schützte vor Feuer; unter den Heiligen des Landlebens erscheinen der heilige Blasios (Vlasij) als Wächter über Ziegen, Kühe und Schafe und der heilige Spyridon, der ehemalige Hirte, als Beschützer der Herden und Garant für die Fruchtbarkeit des Bodens. Man glaubte auch, daß er mit dem Beginn der wieder länger werdenden Tage in Beziehung stand – sein Festtag wurde auf den 15. Dezember festgelegt, und sein Kult zeigt Einflüsse des Sonnenkults und des Festes des Erwachens der Natur in der heidnischen Epoche. Nennen wir noch die heiligen Floros und Lauros als Schutzpatrone für die Pferde, Paraskeva-Pjatnica und Anastasia als Patroninnen für Handel und Märkte, die in dieser Stadt der Kaufleute von so großer Bedeutung waren, und schließlich den heiligen Nikolaus, der den Reisenden und Unbemittelten zur Seite stand; er schützte außerdem vor Feuersbrunst, was in dieser an Wäldern und Holzbauten reichen Region besonders wichtig war. In der Denkweise des Volkes war Nikolaus auch eine Art Nachfolger des heidnischen Gottes Veles (s. Lazarev: Novgorodskaja ikonopis', S. 21–22).

muß jedoch hervorgehoben werden, daß die Beziehung zwischen heidnischer Tradition und christlicher Umgestaltung in Byzanz völlig anders geartet war. Obwohl auch hier manche heidnische Gottheit durch einen Heiligen ersetzt worden war, sind die Spuren dieser Substitution meistens schwer nachzuweisen. Ebenfalls viel weniger scharf betont wird die Funktion der Heiligen im alltäglichen Leben, und nur sehr selten bemerkt man den Zusammenhang zwischen dem heidnischen Gott und dem christlichen Heiligen direkt auf einem Bild, wie dies auf zahlreichen Ikonen aus Novgorod der Fall ist. Der starke Prozeß der Vergeistigung der Heiligen, der in Byzanz stattgefunden hatte, war nicht bis nach Novgorod vorgedrungen. Die Bemühungen der großen byzantinischen Theologen und Liturgiker, die dazu führten, daß Paganismus und Christentum möglichst streng getrennt wurden, waren dem mehr volkstümlich gesinnten Novgorod zum Teil fremd geblieben.

Abb. S. 124

Ein besonders interessantes Beispiel bietet die Ikone des heiligen Georg als Drachentöter aus dem 15. Jahrhundert in der Tret'jakov-Galerie[22], wo die Darstellung der Sonne den gesamten Schild des Heiligen einnimmt. Dieses Detail illustriert ziemlich klar die aus schriftlichen Quellen bekannte Tatsache, daß Georg den heidnischen Sonnengott der Slaven wie auch den Fruchtbarkeitsgott Jaril ersetzt hatte[22a] und somit auch als Wächter über die Felder betrachtet wurde. Auf der weiter oben erwähnten Ikone bemerkt man ebenfalls im Schmuck der Satteldecken und Zügel lokale Motive. Auch die stark nach hinten gebeugte Haltung des Heiligen ist in Byzanz nicht zu finden.

Das Festhalten an heidnischen Göttern überlebte in Novgorod lange die offizielle Christianisierung im Jahre 989.[23] Daraus resultierte eine Art Doppelglaube, der so hartnäckig war, daß die Literatur der Epoche bis zum 14. Jahrhundert heftige Predigten gegen die heidnischen Anschauungen beinhaltet, die als gefährlich für das Christentum galten.[24] Man hat übrigens auch archäologische Zeugnisse bei den kürzlich in Novgorod unternommenen Ausgrabungen entdeckt, die diese Tatsachen belegen. So zeigt z. B. eine bestimmte Anzahl von Amuletten eine heilige Person auf der einen Seite und ein Gorgonenhaupt oder eine Medusa auf der anderen. Dies ist sogar der Fall bei einigen Amuletten aus dem 14. Jahrhundert, die z. B. den Erzengel Michael auf der einen Seite und eine Medusa auf der anderen tragen[25] oder die Gottesmutter mit Kind auf der Vorderseite und ein Schlangenknäuel auf der Rückseite.[26] Alle diese heidnischen Darstellungen beschwören das Böse und haben eine apotropäische Bedeutung. Von besonderer Wichtigkeit ist dabei die Tatsache, daß man die Notwendigkeit empfand, sich von zwei Seiten her zu versichern: von der christlichen und von der heidnischen Seite.

Auch völlig neuartige Kompositionen erscheinen in Novgorod und werden von der Novgoroder

Abb. S. 125

Schule übernommen. Das »Wunder der Gottesmutter des Zeichens«, auch »Schlacht der Novgo-

22 Nach V. N. Lazarev stammt die Ikone aus der 1. Hälfte des 15. Jahrhunderts (s. Abb. 42), was auch uns richtig erscheint. In dem Buch von Laurina-Puschkarjow, S. 135 wird sie in das 16. Jahrhundert datiert. Jedoch ist diese Meinungsverschiedenheit hinsichtlich der Datierung für das uns interessierende Detail und die Beziehung Georg – Sonnengott unerheblich.

22a s. Lazarev: Novyj pamjatnik, S. 208.

23 Kolčin, u. a. S. 13.

24 Vgl. ibid., S. 13.

25 Ibid., Abb. 48 a, b; dieselben Darstellungen erscheinen auch auf einem Amulett des 12. Jahrhunderts. – Abb. 46 a, b.

26 Ibid., Abb. 47 a, b.

Der Drachenkampf des hl. Georg, 1. Hälfte 15. Jahrhundert, Tret'jakov-Galerie Moskau

Das Wunder der Gottesmutter des Zeichens (oder Die Schlacht der Novgoroder gegen die Suzdaler), 1460–1470, Museum Novgorod

roder gegen die Suzdaler« genannt, ist ein Thema, das erst im 15. Jahrhundert verbreitet wird, obwohl das geschilderte Ereignis auf das Jahr 1169 zurückweist, als das von den Suzdalern belagerte Novgorod seinen endgültigen Sieg dem Eingreifen der wundertätigen Ikone der Gottesmutter des Zeichens verdankte.

Die gut erhaltene Ikone wurde um 1460–1470 gemalt und befindet sich heute im Museum für Geschichte und Architektur in Novgorod.[27] Dieser Ikonentyp, die darauf wiedergegebene Erzählung und die dazugehörigen Inschriften sind bekannt[28], ihre Eigentümlichkeit in bezug auf byzantinischen Brauch und Theologie ist dabei jedoch fast nicht hervorgehoben worden. Der offizielle Name dieser Komposition verweist natürlich auf eine Glorifikation der Gottesmutter des Zeichens, aber diese wundertätige Ikone, die mehrmals dargestellt ist, nimmt nur einen sehr geringen Raum ein. Das Hauptgeschehen, das auf der Ikone geschildert wird, ist ein kriegerisches Unternehmen: eine Schlacht und ein Sieg, zu dem außer der Ikone der Gottesmutter auch die heiligen Boris und Gleb, Georg und Demetrios beigetragen haben. Die Bildfläche ist in drei horizontale Register unterteilt. Im ersten wird die feierliche Überführung der Ikone der Gottesmutter des Zeichens von der Erlöserkirche in der Illina-Straße zur Sophienkathedrale des Novgoroder Kreml dargestellt. Sogar der Fluß Volchov, über dessen Brücke die Prozession geht, ist durch eine Inschrift präzisiert. Die zweite Zone schildert die Begegnung und Verhandlung der Heerführer beider Seiten, die belagerte Stadt und die feindlichen Soldaten. Die dritte zeigt die Schlacht selbst und den Sieg der Novgoroder unter der Führung der oben genannten Heiligen.

Es gibt bekanntlich keine byzantinische Ikone, die eine Schlacht darstellt. Der Grund ergibt sich von selbst. Die Ikone soll die Gebete der Gläubigen entgegennehmen, und es ist schwierig, vor einem Schlachtenbild zu beten, auch wenn man dort mehrmals die Darstellung einer ganz kleinen Marienikone sieht. Zum ersten Mal wird hier ein geschichtliches Ereignis (wenngleich mit dem Eingreifen eines wundertätigen Bildes und einiger Heiliger verbunden) auf einer Ikone geschildert. Mit Suzdal war natürlich Moskau gemeint. Die Inschriften mit genauen Ortsangaben bringen in diese seltsame Komposition, die eine feindliche Handlung zum Inhalt hat, eine besondere, weltliche Konnotation. Außerdem handelt es sich hier um eine in drei Reihen wiedergegebene epische Erzählung, bei der die Hauptszenen der Geschichte in narrativer Art aufeinanderfolgen. Kompositionen in drei Reihen gibt es – allerdings in begrenzter Zahl – auch auf bestimmten Novgoroder Ikonen der heiligen Floros und Lauros.[29] In Byzanz wurde nur die Darstellung des Jüngsten Gerichts in mehreren Zonen wiedergegeben. Man billigte eine solche Komposition wohl oder übel, weil sich das Thema des Jüngsten Gerichts nicht anders vorstellen ließ, als daß es mehrere Episoden umfaßte, die durch ihren Ort auf der Malfläche hierarchisch geordnet wurden. Eigentlich sollte eine Ikone jedoch nicht in einer Abfolge zeitlicher Sequenzen »gelesen«, sondern auf den ersten Blick wie eine himmlische Vision erfaßt werden.

»Die Novgoroder im Gebet« ist ein anderes einzigartiges Thema. In Byzanz erscheinen wohl im 14. Jahrhundert einige Stifter im Gebet auf einer Ikone, aber sie nehmen nur einen bescheidenen

Abb. S. 127

27 Lazarev: Novgorodskaja ikonopis', Abb. 51.
28 Ibid., S. 36.
29 Z. B. die Ikone aus dem Russischen Museum in Leningrad (s. Lazarev: Novgorodskaja ikonopis', Abb. 44).

Die Novgoroder im Gebet, 1467, Museum Novgorod

Platz ein und befinden sich meist zu Füßen einer heiligen Gestalt oder auf dem Rahmen einer Ikone.[30] Es handelt sich in diesem Fall höchstens um einen oder zwei Stifter. Auf der Ikone »Die Novgoroder im Gebet«[31], die nach den Inschriften im Jahre 1467 von Antip Kuzmin bestellt wurde, ist die Bildfläche in zwei Zonen geteilt: oben ist eine Deesis dargestellt, die als die Deesis einer Ikonostase zu verstehen ist. Im unteren Teil erscheint die ganze Familie Kuzmins betend. Die Inschrift, die sich in der Mitte der Ikone befindet, nennt alle Mitglieder der Familie und auch »die Kinder«. V. N. Lazarev hat die Spuren dieser vornehmen Familie in einer Novgoroder Chronik aufgefunden, wo sie als Teilnehmer an dem Empfang zu Ehren Ivans III. genannt ist, der im Jahre 1476 stattfand. Bemerkenswert auf dieser Ikone ist die Idee, weltlichen Personen einen so großen Raum auf einer Ikone zuzugestehen. Die lokale Kleidung (hohe rote Stiefel und Kaftan), die Anwesenheit von Frau und Kindern, die von den Gestalten eingenommene Haltung, die wohl respektvoll, aber keineswegs demütig ist, all dies spricht für die Unabhängigkeit und das Selbstbewußtsein der Novgoroder, die eine Umformung der byzantinischen Tradition und ihrer Regeln auf eigene Art ermöglichten.

Das Thema der Ikone der fürbittenden Gottesmutter, in Rußland »Pokrov bogomateri« genannt, wurde nicht in Novgorod kreiert, aber es erlebte dort einen beachtlichen Erfolg.[32] Wie man weiß, geht das Thema auf eine konstantinopolitanische Legende zurück, die erzählt, wie die Gottesmutter dem seligen Andreas dem Gottesnarren und seinem Schüler Epiphanias in der Blachernen-Kirche um das Jahr 936 erschien. Die Vorstellung von der Gottesmutter mit ihrem wundertätigen Schleier entsprach vollkommen dem Mythos von der alten heidnischen slavischen Gottheit Deva Zaria.[33] Das dem griechischen Kirchenkalender unbekannte Pokrov-Fest wurde in Vladimir-Suzdal schon im 12. Jahrhundert eingeführt, und die ersten Bilder erschienen im 13. Jahrhundert (Türen von Suzdal, Kathedrale des heiligen Georg in Jur'ev Pol'skij). Im 14. Jahrhundert verbreitete sich die Pokrov-Ikone in Rußland und wurde zur fürbittenden Gottesmutter, wie uns ein Gebet lehrt, das an sie in einem an ein Missale angefügten Psalter (Patr. 431, Mitte des 14. Jahrhunderts) gerichtet ist.

Abb. S. 130

Auf den ersten Blick mag das Bedürfnis nach einem neuen Bild der Fürbitte erstaunen, da die Deesis nicht nur bekannt, sondern im Begriff war, für Rußland eine ganz besondere Bedeutung zu erlangen in Zusammenhang mit der Ikonostase, deren Entwicklung in die Höhe zwar schon vorher begonnen hatte, die aber auf jeden Fall seit dem 15. Jahrhundert[34] voll ausgebildet war. Die Deesisreihe der neuen russischen Ikonostasen war auch besonders hoch (oft ca. zwei Meter), mit langgestreckten, ganzfigurigen Gestalten, und sie ist sowohl im räumlichen als auch im semanti-

30 Z. B. die Ikone des Pantokrator in der Eremitage in Leningrad, wo der Stifter Johannes auf dem Rahmen dargestellt ist (s. Alice Bank: Vizantijskoe iskusstvo v sobranijach sovetskogo sojuza, Leningrad-Moskau 1967, Nr. 265 f.) oder die Ikone der Gottesmutter Hodegetria, die in der Tret'jakov-Galerie aufbewahrt wird; dort erscheinen die Stifter Konstantinos Akropolites und seine Gattin Maria Komnena Turnikin ganz unten auf dem Rahmen (ibid., Nr. 244–246; Velmans: La peinture murale byzantine, Abb. 73).

31 Lazarev: Novgorodskaja ikonopis', Abb. 49, 50.

32 Als Beispiel mag die Ikone des 14./15. Jahrhunderts aus der Tret'jakov-Galerie dienen (Lazarev, Abb. 37).

33 Siehe ibid., S. 28.

34 Mehrere Beispiele bei D. Lichatchov: Novgorod icons, 12.–17. century, Leningrad 1980, Abb. 83–86, 97, 98, 107–110, 135–137, 139, 140, 143.

schen Sinn des Wortes das Zentrum dieser Bilderwand. Das heißt, daß die Fürbitte zu dieser Zeit in russischen Kirchen im Vergleich zu byzantinischen schon sehr betont war. Interessant ist außerdem, daß die Komposition der Gottesmutter Pokrov wie eine Ikonostase aufgebaut ist, mit Königstüren, mit Säulen, die eine vertikale Einteilung schaffen, mit übereinandergestellten Figuren wie Ikonen auf einer Bilderwand, das Ganze gekrönt von einer Art Architrav, der aus nebeneinanderstehenden Kirchen gebildet wird. In der Mitte, sehr groß und majestätisch, erscheint die Gottesmutter als Orantin. Dies ist von großer Bedeutung und läßt vielleicht den Anlaß für die Schaffung des Bildes erkennen. Gewiß ist Christus über der Gottesmutter abgebildet, aber viel kleiner und halbfigurig. Im Gegensatz zu Maria erkennt man ihn nicht auf den ersten Blick. Das Bedürfnis, aus der Gottesmutter die große barmherzige und liebevolle Fürsprecherin zu machen, entspricht dem Empfinden, von dem der Kult der heiligen Jungfrau in Rußland geprägt ist. Wird sie nicht in volkstümlichen Gedichten und Gebeten oft »Mütterchen« genannt? Indessen bleibt die Deesis ein viel strengeres Bild, in dem die Rolle der Gottesmutter eher zweitrangig ist, weil sie in derselben Haltung und in derselben Stellung erscheint wie Johannes der Täufer und beide Christus untergeordnet sind. So genügte die Deesis allein dem gläubigen Volk nicht, das von einer tiefen Marienfrömmigkeit erfüllt war, und die Gottesmutter Pokrov entsprach einem realen Bedürfnis, das man nicht anders zum Ausdruck bringen konnte.

Das Thema der Fürbitte ist im allgemeinen sehr betont im gesamten russischen Bereich und zwar nicht nur durch den hohen Čin (die durch Nebenpersonen erweiterte Deesis) der Ikonostase oder durch den Pokrov Bogomateri, sondern auch durch das Übergreifen des Themas auf davon unabhängige ikonographische Gehalte, wie man es z. B. auf einer Ikone der heiligen Floros und Lauros des 15. Jahrhunderts (heute in der Tret'jakov-Galerie) sieht.[35] Wie gewöhnlich sind diese in Novgorod sehr beliebten Heiligen mit einer bestimmten Zahl von Pferden dargestellt, aber sie erscheinen auch als Fürsprecher zu beiden Seiten des Erzengels Michael. Eine ähnliche ikonographische Formulierung wird auf der Ikone dieser Heiligen aus dem 15. Jahrhundert benutzt, die sich jetzt im Russischen Museum in Leningrad befindet.[36] Der gesteigerte Wert, den man anscheinend dem Thema der Fürbitte beimißt, erlaubt es, auf eine innere Unruhe, die sich auf die Problematik des Todes bezieht, und auf eine wachsende Angst vor dem Jüngsten Gericht zu schließen. In Byzanz kommt zur Zeit der Palaiologen eine ähnliche Stimmung zum Ausdruck, die sich jedoch auf andere Weise äußert:[37] man schildert den Tod des Gerechten oder den »Kelch des Todes«[38], anders gesagt, das Ende des irdischen Lebens auf den ersten Seiten der Psalter. Außerdem werden die »entblößten Gebeine« in Miniaturen dargestellt[39], der Tod eines Fürsten[40]

35 Lazarev: Novgorodskaja ikonopis', Abb. 64.
36 Ibid., Abb. 44.
37 Velmans: La peinture murale, S. 89–97.
38 Vgl. Rainer Stichel: Studien zum Verhältnis von Text und Bild spät- und nachbyzantinischer Vergänglichkeitsdarstellungen, Wien-Köln-Graz 1971, S. 17 f., Abb. 1–3.
39 Ibid., S. 83 f., Abb. 4.
40 Z. B. in der bulgarischen Übersetzung der Chronik des K. Manasses, 14. Jahrhundert (s. Iv. Dujčev: Miniaturite na Manasievata Letopis, Sofia 1962, fol. 2 v; T.sVelmans: La chronique illustrée de Constantin Manasses, in: Cahiers Archéologiques 34, S. 161–192, bes. S. 170 f., Abb. 13; dazu die vollständige Bibliographie).

Mariä Schutz und Fürbitte (Pokrov Bogomateri), 14./15. Jahrhundert, Tret'jakov-Galerie Moskau

Apostel Petrus und Märtyrerin Natalia, vor 1169, Museum Novgorod

oder einer Königin[41], die Translation von königlichen Gebeinen von einem Ort zum anderen[42], alles neue Sujets, die recht ausgedehnte Flächen einnehmen. Endlich erscheinen auch Grabbildnisse in der Wandmalerei (in bedeutender Zahl z. B. in der Kahrie Djami[43]), in der Holz-[44] und Steinplastik[45] und auf Stickereien[46]; in Serbien und Makedonien sind Bilder mit der Bestattung eines Bischofs in der Wandmalerei des 14. Jahrhunderts besonders häufig.[47]

Manche anderen neuen oder in Byzanz selten dargestellten Bildinhalte wie die Paternitas oder »Otečestvo« sieht man auf einer Novgoroder Ikone vom Ende des 14. Jahrhunderts voll ausgebildet. Sie zeigt den Alten der Tage mit Christus auf dem Schoß und weiter unten die Taube des Heiligen Geistes. Die Betonung des Dogmas der Trinität geschieht mit der offensichtlichen Absicht, die damals in Novgorod beginnende Häresie der Strigol'niki zu bekämpfen.[48] Dieser Umstand erklärt einen gewissen Widerspruch in den Inschriften der Ikone. Oben steht nämlich »der Vater, der Sohn, der heilige Geist« als Hinweis auf die Trinität. Aber Gottvater war nach byzantinisch-orthodoxer Auffassung nicht darstellbar. So fügt der Maler zu beiden Seiten des Kopfes des »Vaters« die Initialen von Jesus Christus hinzu, welche die Figur als Alten der Tage definieren. Die gleichen Initialen stehen aber auch kurioserweise bei der Taube des Heiligen Geistes und deuten auf die Konsubstantialität der drei Personen der Trinität. Himmlische Mächte umgeben den Thron, der auch von zwei Styliten flankiert ist.[49] Unten rechts steht ein Apostel alleine, offensichtlich der Namenspatron des Stifters, denn er stört die Symmetrie der Komposition.

Die Darstellungen von Namenspatronen auf Ikonen sind in Novgorod viel häufiger als in Byzanz und erscheinen manchmal in seltsamer Weise, ohne den geringsten Bezug zum Inhalt der Ikone. *Abb. S. 120* So sieht man auf der Verkündigungsikone aus der Boris- und Gleb-Kirche (14. Jahrhundert), von der hier schon die Rede war[50], zwischen dem Erzengel und Maria eine kleine Figur des heiligen Theodoros stehen. Es gibt auch keinen theologischen Grund zur gemeinsamen Darstellung der *Abb. S. 130* heiligen Peter und Natalia[51], die auf der Rückseite der mit der Geschichte Novgorods eng ver-

41 Z. B. den Tod der Königin Anna Dandolo in Sopočani (s. Velmans, La peinture murale, S. 93 mit ausführlicher Bibliographie, Anm. 318, 319).

42 Z. B. jene des Königs Stefan Nemanja (als Heiliger Symeon genannt) in der Gottesmutterkirche von Studenica (s. zuletzt S. Čirkovič, V. Korač, G. Babič: Studenica Monastery, Belgrad 1986). Andere Beispiele und Bibliographie bei Velmans: La peinture murale, S. 76, Abb. 40, 42.

43 Vgl. P. A. Underwood: The Kariye Djami, New York 1966, Bd. III, Abb. S. 540–543; dieselben und weitere Grabbildnisse bei Velmans: La peinture murale, S. 89–96.

44 Vgl. A. Grabar: Le theme du »gisant« dans l'art byzantin, in: Cahiers Archéologiques 29, S. 143–156, Abb. 6–11.

45 Ibid., Abb. 15.

46 Ibid., Abb. 16.

47 Vgl. V. Djuri'c: Istorijske komposicije u srpskom slikarstvu srednjega veka i njichove kniževne paralele, in: Zbornik radova Vizantološkog Instituta (S. A. N.) Bd. X, Belgrad 1967, S. 131 f.; Velmans: La peinture murale, S. 93 f., Abb. 80.

48 Diese Häresie, die sich erst im 15. Jahrhundert verbreitete, betrachtete Christus als einen einfachen Menschen und die Trinität als ein widersinniges Dogma. Außerdem wurde die Kirche als Institution bekämpft und ein hochmoralisches Leben gepredigt (Lazarev: Novgorodskaja Ikonopis', S. 24, Abb. 31).

49 Diese Darstellung der Styliten zu beiden Seiten der Trinität ist wahrscheinlich von einem von Theophanes dem Griechen gemalten Fresko in der Kirche des Heilands der Verklärung (Spas Preobraženskij) beeinflußt. Auf diesem Fresko ist zwar die Trinität des Alten Testaments dargestellt, aber sie ist ebenfalls von zwei Styliten flankiert (s. ibid., S. 25).

50 Siehe Anm. 10.

51 Lazarev: Novgorodskaja ikonopis', S. 13. Während des Kolloquiums wurde in der Diskussion die Meinung ausgesprochen, daß die Inschrift »Natalja« nicht die ursprüngliche sei und es sich um Maria handle. Bis jetzt gibt es jedoch keine Beweise für diese These, und den am Kolloquium teilnehmenden sowjetischen Restauratoren war davon nichts bekannt. Jedenfalls wäre eine Darstellung Mariens hier ziemlich erstaunlich, da sie ja schon auf der Vorderseite der Ikone abgebildet ist.

bundenen Ikone der Gottesmutter des Zeichens (im Museum von Novgorod) gemalt sind. Auch hier ist zu vermuten, daß sie Namenspatrone der Stifter sind.
Im 14. und 15. Jahrhundert vermehren sich nicht nur die russischen Heiligen sondern auch die Ikonen, auf denen sie dargestellt sind, meist ganzfigurig und zu viert oder sechst in einer Reihe stehend. Auf einer Ikone des 14. Jahrhunderts, die sich heute im Russischen Museum in Leningrad befindet, stehen in einer Reihe nebeneinander Varlaam von Chutyn', Johannes der Barmherzige, Paraskeva-Pjatnica und Anastasia.[52] Die ersten beiden sind russische Heilige, Paraskeva (oder griech.: Paraskevi) wurde im byzantinischen Bereich verschieden gewertet. In Zypern wurde sie mit der Passion Christi und dem Karfreitag in enge Verbindung gebracht, und dies wirkt sich auch im Bild aus[53]; in Bulgarien und Makedonien wird sie am Freitag verehrt; in Novgorod wurde sie als die Beschützerin des Handels und der Märkte angesehen[54], vielleicht deshalb, weil der große Markt am Freitag stattfand. Manche Autoren glauben auch an eine Beziehung zwischen Paraskeva-Pjatnica und einer heidnischen Göttin, aber die Frage ist nicht genügend geklärt. Das Wort »Pjatnica«, das dem Namen der Heiligen in Rußland hinzugefügt wurde, erinnert jedenfalls an den fünften Wochentag – Freitag –, und Kaufleute hatten ihr auch auf dem Markt von Novgorod im Jahre 1156 eine Kirche erbaut. Anastasia war natürlich traditionell und in allen orthodoxen Ländern mit der Auferstehung und demzufolge mit dem Sonntag verbunden, ein Umstand, der dazu beiträgt, daß beide Heiligen oft zusammen dargestellt werden.
Den für Novgoroder Ikonen typischen ikonographischen Merkmalen könnte man noch ein zwar sekundäres, aber doch auffallendes hinzufügen. Die Ikonen mit dem Bildnis eines Heiligen, auf deren Rand die wichtigsten Episoden aus seinem Leben erscheinen, weisen auf einen Ikonentyp, für den Byzanz das Vorbild geliefert hat. Jedoch ist der Rand in Novgorod deutlich breiter und erlaubt daher, den hagiographischen Szenen erheblich mehr Bedeutung beizumessen. Solche Vita-Ikonen sind vor allem bei besonders verehrten Heiligen wie Georg und Nikolaus zu finden. So gesteht die Ikone des heiligen Georg mit 14 Szenen aus seinem Leben (die aus dem Anfang des 14. Jahrhunderts stammt und sich heute im Historischen Museum in Moskau befindet)[55] einen bemerkenswerten Raum diesen Szenen zu; ebenso die Ikone des heiligen Nikolaus aus dem Anfang des 14. Jahrhunderts[56] und viele andere.
Betrachten wir nun die grundlegenden Merkmale dieses Stils. In der 2. Hälfte des 13. Jahrhunderts tritt der neue Stil von Novgorod in Erscheinung, und die Ikone des thronenden Christus aus dieser Zeit, heute in der Tret'jakov-Galerie[57], ist neben anderen ein Zeugnis der neuen Bildsprache, ihrer Entfernung von den byzantinischen Vorbildern und ihrer engen Bindungen an die Traditionen der lokalen Volkskunst.

Abb. S. 133

52 Ibid., Abb. 29.
53 Sie ist meistens mit einem Medaillon auf der Brust dargestellt, in dem Christus im Typus der Pietà erscheint. Unter anderen Beispielen kann man die heilige Paraskevi aus der Kirche des Heiligen Ioannes Lampadistēs in Kalopanagiotēs nennen (eigene Dokumentation).
54 Vgl. Lazarev: Novgorodskaja ikonopis', S. 24.
55 Laurina/Puschkarjow, Abb. 33, S. 291.
56 Im Russischen Museum in Leningrad (ibid., Abb. 29).
57 Ibid., Abb. 21.

Thronender Christus, 2. Hälfte 13. Jahrhundert, Tret'jakov-Galerie Moskau

Man ist zuerst überrascht von den lebhaften Farben, die im allgemeinen außer dem Weiß und dem Braun ungemischt verwendet werden. Das Vorherrschen von Zinnoberrot und Cremeweiß gibt den Werken eine sehr intensive, festliche Note. Durch die nebeneinandergesetzten kontrastierenden Farbflächen erhält man eine außergewöhnliche Leuchtkraft, deren Wirkung an Email erinnert. Feuriges Rot und gebrochenes Weiß wurden nicht nur häufig für den Hintergrund verwendet, sondern bestimmen als Hauptkontrast fast bei jeder Ikone die Farbpalette. Auch in den höfischen Werkstätten Konstantinopels wurden natürlich Glanz und Lichteffekte gesucht, aber hier ist meistens der Goldgrund – das absolute, nicht nuancierbare und mit keiner Naturerscheinung vergleichbare göttliche Licht – bestimmend. Kobaltblau, Purpur und Rosé wirken mit dem Gold besonders strahlend.

Anders gesagt: die angestrebte Wirkung und die der Novgoroder Ikone zugrundeliegenden ästhetischen Vorstellungen sind dieselben in Konstantinopel und in Novgorod und streben ein sehr präzises Ziel an: durch die leuchtende Pracht des Bildes die innere Schönheit der dargestellten Personen und die strahlende Reinheit der himmlischen Welt zum Ausdruck zu bringen. In jeder dieser Hauptstädte wurde die Sensibilität der Künstler durch ihre Umgebung und ihr Milieu beeinflußt.

In den großen Kirchen und Palästen von Konstantinopel war das Gold allgegenwärtig, sei es durch den Hintergrund der Mosaiken, sei es durch das Tafelgeschirr und die liturgischen Geräte. Ein beispielloser Luxus wurde vom Hof und von all jenen, die zu ihm Zutritt hatten, zur Schau gestellt. Bekanntlich kennzeichnete ein äußerstes Raffinement den Geschmack und das Empfinden dieser frommen und von der Idee des Absoluten ergriffenen Gesellschaft, die sich zugleich die klassische Schönheit und die Magie des Orients zu eigen gemacht hatte.

In Novgorod, der Stadt der Seefahrer und wohlhabenden Kaufleute, war der Reichtum gemäßigter und auch neuer. Es herrschte dort ein anderer Geschmack und ein anderes Empfinden. Weit im Norden gelegen, mußte das Fürstentum sehr langen Wintern trotzen, in denen das milchige Weiß des Schnees mit der Dunkelheit langer Nächte abwechselte. Am meisten mangelte es an Sonne und der ganzen farbigen Fröhlichkeit, wie sie die Natur hervorbringt. Gerade davon möchte man aber gern auf tiefe und ästhetische Art sprechen. Übrigens offenbart sich auch heute in den Ländern des hohen Nordens immer noch das Bedürfnis, den Mangel an Licht und Farben u. a. durch die mit fröhlichen und lebhaften Farben bemalten Fassaden der Wohnhäuser zu kompensieren.

Die Maler von Novgorod reagierten auf dieselbe Weise, indem sie für die Ikone eine Farbskala verwandten, die zweifellos schon in der Volkskunst existierte und ihren psycho-ästhetischen Bedürfnissen entsprach. Man kam auf diese Weise zu einer Palette, die sich von der byzantinischen unterscheidet, aber sich in vollkommener Harmonie mit den fundamentalen Forderungen der konstantinopolitanischen Ästhetik befindet.

Auf den Ikonen von Novgorod sind die Figuren monumental und kraftvoll. Man erkennt leicht, daß dort trotz des ästhetischen Ideals des östlichen Christentums die physische Kraft und eine starke Konstitution geschätzt wurden, da sie allein imstande waren, in einer feindlichen Natur zu überleben. Meist sind die heiligen Gestalten frontal und hieratisch dargestellt, ihre Haltung hat die Hoheit des Ritus, ihre Gesten sind feierlich, und die Bewegung – soweit sie existiert – ist immer statisch.

In Byzanz ging man im 13./14. Jahrhundert über dieses Entwicklungsstadium hinaus und begann, sich im Zusammenhang mit dem neuen Humanismus – immer noch sehr vorsichtig, jedoch nichtsdestoweniger gut erkennbar – der Wirklichkeit anzunähern.[58] Den Ikonen von Novgorod aus derselben Zeit fehlt das Volumen vollkommen, die Figuren sind flach und entmaterialisiert. Dieser im höchsten Grade graphische Stil macht sich die Linie sogar für die Lichthöhungen zu eigen. Dies kann man überall beobachten, aber auf der Ikone des heiligen Nikolaus in Halbfigur (Mitte des 13. Jahrhunderts) aus dem Russischen Museum in Leningrad[59] ist dieses Merkmal besser als anderswo zu erkennen. Mit Ausnahme der Gesichter sind alle Formen, auch der Hintergrund, in eine Ebene ohne Tiefe gesetzt und ähneln Collagen[60], die diese Wirkung in der Epoche von Matisse in einem anderen Geist hervorriefen. In den Kompositionen wie auch in den individuellen Porträts dominieren die Geraden deutlich über die Kurven.

Abb. S. 136

Trotz dieser Tendenzen zum Graphismus und der Negation von Körperlichkeit sind diese Figuren typisch für ihre Epoche. So ist ihr Linearismus weniger betont als jener, den man in der Epoche der Komnenen in Staraja Ladoga und in Neredica beobachtet. Die Gesichter sind rundlich, die Nasen oft relativ fleischig und die Lippen ziemlich groß und weich[61] – Züge, die sie der Palaiologenmalerei verdanken, die aber hier auf eigenständige Weise integriert sind. Manchmal erscheint der typisch russische oder slavische Typus parallel dazu wie auf dem Detail auf dem Rahmen der Ikone des heiligen Nikolaus von 1294, das den heiligen Boris darstellt.

Die weiter oben erwähnten Unterschiede in der Mentalität und der ästhetischen Auffassung in Byzanz und Novgorod kommen besonders deutlich auf einer Novgoroder Ikone zum Vorschein, auf die mich freundlicherweise Herr Kurt Eberhard aufmerksam machte, der am Kolloquium als Kunstfreund teilnahm. Es handelt sich um die doppelseitige Ikone aus dem Zverin-Kloster mit der Gottesmutter des Zeichens und der Märtyrerin Ul'jana.[62] Alle Kataloge geben diesen Namen der Heiligen an und datieren beide Seiten der Ikone in die erste Hälfte des 13. Jahrhunderts[63] oder in das 12. Jahrhundert.[64]

Abb. S. 136

Obwohl dies unsere Untersuchung nur am Rande betrifft, möchte ich doch feststellen, daß auf der Seite mit der Darstellung der Märtyrerin nicht »Ul'jana« sondern »die Märtyrerin in Christo Agnes« zu lesen ist. Die Inschrift zu beiden Seiten des Hauptes der Heiligen ist zwar teilweise beschädigt und gekürzt, aber doch ziemlich klar zu identifizieren. Sie lautet: MUČENICA

58 Dieser Humanismus ist z. B. bei der aus Konstantinopel stammenden Ikone von Poganovo (um 1395) zu beobachten, die sich heute im Museum der Aleksandăr Nevski-Kathedrale in Sofia befindet (s. Weitzmann u. a.: Frühe Ikonen, Abb. 102, 103). Die Gesichter der Gottesmutter und des heiligen Johannes sind mit viel anatomischen Kenntnissen, Raffinement, Emotionen und feiner Modellierung gemalt.

59 Lazarev: Novgorodskaja ikonopis', Abb. 14. Lichter und Schatten sind nebeneinander in zwei Linien aufgetragen. Dasselbe gilt für Bart und Haare.

60 Folgende Beispiele seien genannt: Das Drachenwunder des hl. Georg (14. Jahrhundert) im Russischen Museum in Leningrad; Der Prophet Elias (14. Jahrhundert) aus der Tret'jakov-Galerie (ibid., Abb. 17, 25) oder auch die Ikone des Heiligen Johannes Klimakos mit Georg und Blasios (13. Jahrhundert) im Russischen Museum in Leningrad (Lichačev, Abb. 16).

61 Z. B. das Gesicht des ganzfigurigen Heiligen Georg (12. Jahrhundert) in der Tret'jakov-Galerie oder die Gesichter auf der Ikone der Anastasis (13./14. Jahrhundert) im Museum von Novgorod oder auch jene auf der Ikone des Entschlafens der Gottesmutter (14. Jahrhundert) im selben Museum (Laurina/Puschkarjow, Abb. 4–5, 22–24, 48–51).

62 Zuletzt in: 1000 Jahre russische Kunst (1000-letie russkoj chudožestvennoj kul'tury), Ausstellungskatalog Moskau – Schleswig – Wiesbaden 1988/89, Abb. 64.

63 Ibid., S. 333 f. mit der vollständigen Bibliographie.

64 Laurina/Puschkarjow, S. 284; hier sind auch die Heiligen auf den Rändern beider Seiten der Ikone genannt.

links: Gottesmutter des Zeichens, 1. Hälfte 13. Jahrhundert, Slg. Pavel Korin, Moskau

rechts: Die hl. Agnes (Rückseite der Gottesmutter des Zeichens), 2. Hälfte 13. Jahrhundert, Slg. Pavel Korin, Moskau

Prophet Elias, 15. Jahrhundert, Tret'jakov-Galerie Moskau

CH(RISTO)VA AGNĘ. Was aber für unsere Fragestellung bei dieser Ikone besonders interessant erscheint, ist die stark ausgeprägte Stildifferenz zwischen den beiden Halbfiguren. Die Gottesmutter ist auf einem goldenen Hintergrund dargestellt. Ihr vornehmer Gesichtstypus, den eine schwache, aber gewollte Asymmetrie charakterisiert, entspricht genau dem byzantinischen. Die feine Modellierung des Gesichts und der Hände, für die keine graphischen Hilfsmittel mehr angewandt wurden, wie auch der ziemlich weiche und harmonische Faltenwurf sprechen für die erste Hälfte des 13. Jahrhunderts, aber auch für einen in Byzanz geschulten Maler, höchstwahrscheinlich einen Griechen. Auf der anderen Seite der Ikone ist das byzantinische Modell einer weiblichen Halbfigur in die Novgoroder Stilsprache übersetzt. Der Hintergrund ist hier feuerrot, der Gesichtstypus nicht mehr der einer Patrizierin sondern der eines einfachen Mädchens, die Modellierung etwas grob und die Gesichtszüge von dunklen Konturen eingefaßt, wobei ihre Symmetrie betont wird. Dabei wirkt der Hals besonders schematisch, und die Hände sind zu groß. Das Maphorion hebt sich von der Stirn kaum ab, wie dies bei der Gottesmutter der Fall ist, und die Falten sind stark vereinfacht, einem geometrischen Muster ähnlich, wodurch sie flach wirken. Diese Darstellung ist offensichtlich etwas später, vielleicht schon in der 2. Hälfte des 13. Jahrhunderts, von einem lokalen Meister in Novgorod hinzugefügt worden.

Wie in jeder Kunst mit volkstümlichem Einschlag bringt man gern das dekorative Element zur Entfaltung. So ist auf der Ikone des heiligen Nikolaus, die von Aleksa Petrov 1294 gemalt wurde[65], der Nimbus reich geschmückt, was in Byzanz nicht üblich war außer in der Goldschmiedekunst, einigen Kirchen in Euböa des 13./14. Jahrhunderts und auf Ikonen aus Zypern oder dem Heiligen Land, die zur Zeit der Kreuzzüge gemalt wurden und von abendländischen Traditionen beeinflußt sind. Derselbe Einfluß erscheint auch auf dem sehr rundlichen, frischen und freundlichen Gesicht Mariens, dem mit Kreuzen geschmückten Mantel und dem roten Gewand Christi, dem bartlosen, aber nicht jugendlichen Gesicht Christi. Diese westlichen Vorbildern entlehnten Details sind nicht allzu ungewöhnlich in einem Fürstentum mit regelmäßigen Handelsbeziehungen zum Abendland.

Einige der hier genannten Neuerungen haben wir schon mit historischen Tatsachen und Umständen in Verbindung gebracht, die sie ermöglicht hatten. Was die Gesamtheit dieses großen kreativen Aufbruchs betrifft, so erklärt er sich durch die geographische Lage, die Geschichte und Gesellschaft Novgorods zu jener Zeit.

Obwohl sie sehr weit im Norden liegt, ist die Stadt selbst alles andere als ein isolierter Ort. Genau durch diese Region verlief die große Nord-Süd-Route, die die Waräger von Skandinavien mit den Griechen von Konstantinopel verband. Umgeben von einem ganzen Netz von tiefen Seen und Flüssen, war Novgorod durch den Wasserweg mit vier Meeren verbunden: mit dem Schwarzen Meer, der Ostsee, dem Weißen Meer und dem Kaspischen Meer. Der Handel mit dem Norden, mit Konstantinopel, den Arabern und dem Abendland blühte, und die kulturellen Einflüsse aus

65 Im Museum für Geschichte und Architektur in Novgorod. Auf den beiden vertikalen Rändern der Ikone sind u. a. die heiligen Boris und Gleb dargestellt (s. Lazarev: Novgorodskaja ikonopis', Abb. 16).

diesen verschiedenen Richtungen drangen in Novgorod ein. So wurden z. B. bei Ausgrabungen ebenso Gegenstände abendländischer Herkunft gefunden[66] wie skythische Objekte, die aus Sibirien nach Novgorod gelangt waren. Diese vielfältigen Kontakte beeinflußten den Geschmack der Novgoroder, wodurch diese sich weniger den ästhetischen Bedingungen von Byzanz unterwarfen.

Parallel zu diesen vielfältigen Kontakten waren die Beziehungen des Fürstentums zu Konstantinopel immer außergewöhnlich eng. Aus den Chroniken erfahren wir, daß eine ganze Straße in Konstantinopel von Übersetzern und Kopisten aus Novgorod okkupiert wurde. Eine eindrucksvolle Zahl von byzantinischen Ikonen befand sich im 12. Jahrhundert in Novgorod, zum Teil dank der großen Sympathien des Bischofs Nifon für Byzanz. Außerdem besuchte im Jahre 1186 ein Mitglied der kaiserlichen Familie, Alexios Komnenos, die Stadt. Ende des 12. Jahrhunderts hielt sich Dobrinija Jadrejkovič, der spätere Erzbischof Antonij, lange in Konstantinopel auf. Dies sind nur einige Tatsachen neben anderen. Zwischen 1193 und 1229 war die graecophile Partei in Novgorod besonders stark und aktiv, was sicherlich der guten Ausbildung der Künstler durch eine Welle höchst qualitätvoller Vorbilder aus der byzantinischen Hauptstadt zugute kam. Indessen haben diese Beziehungen für die Wandmalerei eine viel bedeutendere Rolle gespielt als für die Ikonenmalerei. Selbstverständlich wissen wir, daß es oft dieselben Künstler waren, die die Kirchen ausschmückten und Ikonen malten, aber die Werke belegen, daß man sich für die Ikone unendlich viel größere Freiheit nahm.

Dieser Unterschied erklärt sich vor allem durch die Auftraggeber dieser zwei Werkkategorien. Die Wandmalerei wurde ausschließlich von großen Würdenträgern, kirchlichen und weltlichen, in Auftrag gegeben, deren graecophile Sympathien wir inzwischen kennen. Die weniger kostspieligen Ikonen waren das bevorzugte Objekt für Stiftungen aus der übrigen Bevölkerung. Diese bestand aus Bauern, Handwerkern und – wichtiger für die Charakteristik des sozialen Gefüges – aus zahlreichen Kaufleuten und Seefahrern. Die letzteren sind per definitionem wagemutig und unternehmungslustig. Was die Kaufleute betrifft, so werden sie durch ihre Aktivitäten genötigt zu reisen, sich zu informieren, und deshalb lassen sie sich nur schwer von Dogmatismus oder einer zu engen Ideologie beherrschen. Es ist übrigens kein Zufall, daß im 15. Jahrhundert zwei Häresien ihren Ausgang von Novgorod nahmen, die Strigol'niki und dann am Ende des 15. Jahrhunderts die Judaisierenden, die ein freies, humanistisches Denken anstrebten. Aber kehren wir zu den Kaufleuten zurück. Ihre Finanzkraft bedeutete auch Reichtum für die Stadt und über die ständischen Vereinigungen einen größeren Spielraum an Freiheit für die Bewohner. Bis zum 12. Jahrhundert bestanden die Malerwerkstätten nur am Hof oder in kirchlichen Institutionen. Später wurde die Nachfrage nach Ikonen so groß, daß ganze Straßen und Stadtviertel mit Malerateliers hervortraten. Die Künstler schlossen sich in Gilden zusammen, was ihnen ebenfalls eine relative Unabhängigkeit sicherte.

66 Siehe Kolčin u. a., Abb. 164. Diese Schnitzerei zeigt einen abendländischen Ritter zu Pferde.

Schließlich drangen im 13. Jahrhundert die Mongolen, die Rußland verwüsteten, nicht in das Fürstentum von Novgorod ein, aber sie umzingelten es. Dadurch wurde es gleichzeitig gerettet und isoliert. Diese zwei Umstände begünstigten die Entfaltung eines eigenen und für die Region charakteristischen Stils. Kiev, Konstantinopel, der Balkan waren weniger präsent und die Werke, die dort geschaffen wurden, schwer zugänglich. Dagegen war von dem, was man am Ort besaß, nichts verloren oder zerstört, weder die Malereien des »gelehrten« Stils noch die vorchristlichen Objekte noch die Bilder und Motive der Folklore. Die Künstler wurden folglich angeregt, auch aus ihren eigenen traditionellen Quellen zu schöpfen und ihre eigene Gefühlswelt auszudrücken. Auf diese Weise konnte sich diese so eigenständige Entwicklung und ihre Blüte verwirklichen, die man in den Ikonen aus dem Novgorod des 12. bis 15. Jahrhunderts beobachtet. Diese Bilder sind – wie wir gesehen haben – ziemlich verschieden von den gleichzeitigen byzantinischen Ikonen, aber sie unterscheiden sich gleichermaßen von der russischen und von der Novgoroder Wandmalerei, die offizieller war und sich mehr darum bemühte, Konstantinopel zu folgen. In diesen Ikonen herrscht der Ausdruck einer kraftvollen Bevölkerung vor, die unternehmungslustig und genügend unabhängig war, um nicht wörtlich den byzantinischen Kanons zu folgen. Für die lange Monate unter dem Schnee lebenden Auftraggeber und Künstler konnten die Träume von Glück nur die Farbe von Email und den Klang eines Horns haben. Die Schule von Novgorod ist entstanden aus diesen besonderen geistigen und sozialen Strukturen

Vasilij Chochlov: Samstag aller Heiligen, Palech 1813, Slg. Dr. Weber, Meckenheim

Ivan Bentchev

ZUM VERHÄLTNIS VON ORIGINAL, KOPIE UND REPLIK AM BEISPIEL DER GOTTESMUTTER VON VLADIMIR UND ANDERER RUSSISCHER IKONEN

Man schätzt, daß höchstens ein Prozent des gesamten, in Rußland einmal vorhandenen Ikonenbestandes bis heute erhalten geblieben ist. Alte Ikonen gibt es in sehr geringer Zahl. Dies bedeutet, daß die Kunstgeschichte mit einem kleinen, vom Zufall bestimmten Ikonenbestand operieren muß. Glücklicherweise ist die Situation in der ostkirchlichen Kunst in dieser Beziehung etwa mit der antiken griechischen Plastik und ihrer Rezeption durch die römische Kunst vergleichbar: überlieferte Kopien späterer Zeit geben eine Vorstellung vom verlorengegangenen Original. Zu nennen sind in diesem Zusammenhang zunächst die berühmten Gnadenbilder Christi, der Gottesmutter und des heiligen Nikolaus, aber auch Werke anderer Thematik, die aufgrund ihres besonderen geistigen und künstlerischen Stellenwertes zur Nachahmung herausgefordert haben. So nahm V. A. Plugin an, daß ein Maler wie Rublev nicht nur eine einzige Dreifaltigkeitsikone gemalt hat – die berühmte Troica, die heute in der Tret'jakov-Galerie aufbewahrt wird – sondern auch ikonographische Varianten geschaffen haben muß.[1] Seinerseits hat als erster A. Nekrasov, wie V. N. Lazarev formulierte, »nicht ohne Erfolg« versucht, die wichtigsten Elemente »einer Miniatur Theophanes des Griechen, die die Sophienkirche in Konstantinopel darstellte«, zu rekonstruieren. Dabei benutzte er bekannte Kopien von 1423 und 1424, die wiederum Kopien von Kopien sind.[2] Über diese Zeichnung des Theophanes hatte sein Zeitgenosse Epifanij Premudryj in seinem bekannten Brief geschrieben: »Von diesem Blatt hatten auch andere Moskauer Ikonenmaler großen Nutzen, weil es sich viele abzeichneten (»prepisat'«), miteinander wetteifernd und einen den anderen nachahmend.«[3]

Der Vorgang führt uns vor Augen, wie eine ikonographische Vorlage ihre rasche Verbreitung durch Kopisten fand. Natürlich stellt sich hier die Frage, inwieweit sich die Maler beim Kopieren an das Original gebunden fühlten. Sie hielten sich vor allem dann streng an ihr Vorbild, wenn ein *allgemein bekanntes und verehrtes* Gnadenbild kopiert werden mußte, zumal dies im Mittelalter aus wichtigem Anlaß und auch auf höchsten Befehl des Fürsten bzw. des Zaren geschah. Bevor Vasilij II. Vasilievič das Gnadenbild der Gottesmutter von Smolensk von Moskau nach Smolensk

1. V. A. Plugin: Utračennye proizvedenija Andreja Rubleva. Ikonografičeskij prototip Zat'mackoj Troicy. Vortrag auf der Tagung VNII Iskusstvoznanija, Moskau, am 20. 12. 1977; V. A. Plugin: Tema »Troicy« v tvorčestve Andreja Rubleva i ee otraženie v drevnerusskom iskusstve XV–XVII vv., in: Kulikovskaja bitva v istorii i kul'ture našej rodiny. Materialy jubilejnoj naučnoj konferencii, Moskau 1983. S. 151–177, Abb. 16–19.
2. Vgl. A. Nekrassov: Les frontispices architecturaux dans les manuscrits russes avant l'epoque de l'imprimerie, IV, Theophane le Grec et la coupole de Saint-Sophie, In: Recueil Uspenskij, II, Paris 1932, S. 270-276; V. N. Lazarev: Theophanes der Grieche, Dresden 1968, S. 70 f., Anm. 172).
3 Lazarev, S. 94. Vgl. Plugin,. S. 155, Anm. 33.

zurückschicken ließ, befahl er, »Maß von ihr zu nehmen« (= snjat' meru) und es »abzumalen« (naznamenovat' obraz).[4] Der Befehl des Fürsten, daß die Maler eine Kopie anzufertigen hatten, zielte auf einen ganz bestimmten Zweck: diese Kopie gelangte in das Jungfrauenkloster, das an der Stelle erbaut wurde, wo die alte Ikone der Gottesmutter von Smolensk von den Moskauern verabschiedet worden war. Dieses Ereignis fand 1524 statt und wird seit dieser Zeit mit einem Festtag und einer Kreuzprozession alljährlich am 28. Juli gefeiert.

Auch schöpferische Persönlichkeiten unter den Ikonenmalern müssen das Kopieren von nationalen Reliquien als Auszeichnung und Ehrensache empfunden haben, als Dienst am Gnadenbild selbst. Aus diesem Grund konnten sie sich keine allzu eigenwilligen Veränderungen beim Kopieren des Originals erlauben.

Seit dem 17. Jahrhundert tragen Gnadenbilder-Kopien sogar Inschriften, die sie als solche ausweisen: »Genaue Kopie der wundertätigen Ikone der Gottesmutter Vzyskanie pogibšich (Fürsprecherin der Verlorenen) in der Kirche der Geburt Christi in Palašach in Moskau« steht auf einer Ikone aus der Zeit um 1900, deren Foto sich in der Verlagsabteilung des Moskauer Patriarchats befindet.

Ähnlich beschriftet ist eine größere Zahl von Ikonen der 1. Hälfte des 19. Jahrhunderts, die auf dem Silber-Basma als maßgerechte Kopien der im 2. Weltkrieg verlorengegangenen Kiever Ikone der Entschlafung der Gottesmutter, die zu den ältesten und am meisten verehrten Gnadenbildern des Kiever Höhlenklosters gehörte,[5] bezeichnet sind.

Die verschollenen Gnadenbilder der Gottesmutter Andronikovskaja[6] und Filermskaja kennen wir heute nur, weil von ihnen im 19. Jahrhundert Kopien angefertigt wurden. Eine russische Kopie des 19. Jahrhunderts der Gottesmutter Filermskaja befindet sich in Assisi. Von ihr wurden im 20. Jahrhundert die Kopien für Rhodos und Sermoneta bei Rom angefertigt.[7]

4 Polnoe sobranie russkich letopisej (PSRL) Bd. XXV, S. 274: zitiert nach Plugin 1983, S. 155, Anm. 33: Plugin will unter »snjat' meru« nicht nur das Übernehmen des originalen Maßes durch den Kopisten sondern auch der Zeichnung und aller anderer Merkmale verstehen.

5 Das originale Gnadenbild befand sich in der Kathedrale des Entschlafens der Gottesmutter des Kiever Höhlenklosters über der Königstür. Man hat es versäumt, die Malerei zu untersuchen. Ihr goldener Oklad, von Moskauer Goldschmiedemeistern angefertigt, war mit 1.200 Brillanten geschmückt und wurde 1922, in der Zeit des großen Hungers im Povolžie-Gebiet, ins Ausland verkauft. Das Bild selbst kam zusammen mit der Ikone der Gottesmutter Igorevskaja im November 1942 ins Museum und wurde im alten Inventarbuch, das seit 1939 geführt wurde und bis heute erhalten ist, als Inv. Nr. Z-279 eingetragen. Es maß 27,7 x 39,2 cm, ein sehr charakteristisches Querformat. Beim Abzug der deutschen Truppen aus Kiev wurde es verschleppt und gilt heute als verschollen. [Freundliche Hinweise von Lidija Andreevna Pel'kina und Anna Vladimirovna Karpova, Kiever Museum für russische Kunst (Muzej Rosijs'kogo mistectva).]

6 Über die Gottesmutter Andronikovskaja, ein Lukas-Gnadenbild, das Andronikos Palaiologos dem Kloster Monembasia in Morea schenkte und das über Patras im Jahre 1839 nach St. Petersburg in die Kathedrale des Winterpalastes (bis 1868) kam und wahrscheinlich 1910 (?) in der Dreifaltigkeitskathedrale in St. Petersburg verbrannte, siehe: Jurij A. Pjatnickij: Odin iz putej proniknovenija pamjatnikov balkanskogo iskusstva v Rossiju. Vortrag am 14. 11. 1983 auf der Konferenz des Kunsthistorischen Instituts. Die Vorträge sind in Vorbereitung für den Druck in einem bulgarischen Sammelband. Für die Hinweise habe ich Jurij Pjatnickij, Leningrad, sehr zu danken.

7 Vgl. Ivan Bentchev: Handbuch der Muttergottesikonen Rußlands, Bonn 1985, S. 41, Abb. 26. Vielleicht handelt es sich bei der Ikone in Assisi um die Kopie, die der akademische Maler Semen Basin im Jahre 1850 angefertigt hat. Im historischen Archiv in Leningrad, s. Vypiska kanceljarii Ministerstva Imperatorskogo dvora, findet sich diese Angabe, die ich Jurij Pjatnickij verdanke.

»Dies ist die Darstellung und das Maß des wundertätigen Bildes der allerheiligsten Herrscherin, der Gottesgebärerin, genannt Freude aller Leidenden, die sich in der Zarenstadt Moskau in der Kirche des heiligen Varlaam des Wundertäters hinter dem Fluß Moskva an der Ordynka-Straße befindet. Gemalt wurde dieses Bild im Jahre 1806.« So lautet die Inschrift auf der Ikone Inv. Nr. 988, 84 x 69 x 2 cm, in der Eremitage in Leningrad.[8]

Ganz zu Anfang des 20. Jahrhunderts beschrieb Nikolaj Pokrovskij ein Ikonenthema, das unter dem Namen »Šestodnev«/»Nedelja« (Hexaemeron, »Die Woche«) oder »Subbota vsech svjatych« (Samstag aller Heiligen) bzw. »Christi Triumph« bekannt ist. Die Darstellung geht zurück auf Texte zahlreicher Theologen (u. a. Basileios d. Gr., Ioann Exarch), die das Thema der sechs Schöpfungstage interpretieren.[9]
Um 1800 wird die Ikonographie der »Woche« wahrscheinlich von dem Palecher Ikonenmaler Vasilij Ivanovič Chochlov abgewandelt und im Stil der Palecher Miniaturmalerei komplizierter und mit vielen zusätzlichen Heiligen und Szenen am Rand ausgestattet.[10] Eine Ikone der »Woche«, von Chochlov signiert und 1813 datiert (39 x 32 cm), wurde 1888 von Nikolaj Postnikov im Katalog seiner Sammlung publiziert.[11] Diese Ikone gelangte viel später in die Sammlung von Pavel Korin in Moskau und wurde von Valentina Antonova 1966 beschrieben und abgebildet.[12] Vor einigen Jahren fand ich in der Sammlung von Dr. Horst Weber in Meckenheim[13] eine eigenhändige Replik der Postnikov-Korin-»Woche«: Sie trägt am unteren Rand die selbe Signatur: »Napisasja sij s(vja)tyj obraz' ot mirotvorenija ZTKA ot voploščenija B(o)ga slova AOGO[14] goda. Pisal' ikonopisec' sela Palecha Vasil' Ioann' Chochlov' (= Gemalt wurde dieses heilige Bild im Jahre 7321 seit der Erschaffung der Welt und im Jahre 1813 seit der Verkörperung des Wortes Gottes (= Menschwerdung Christi). Gemalt hat der Ikonenmaler aus dem Dorf Palech Vasil Ioannov Chochlov). Die Ikone hat die Maße 35,7 x 30,7 x 2,5 cm. Die Breite des Kovčegrandes beträgt ca. 6 cm.

Abb. S. 140

8 Die Ikone kam 1941 aus dem Ethnographischen Museum der Völker der UdSSR (GME SSSR) in Leningrad. Die Inschrift lautet auf russisch: »Onoe izobraženie i mera čudotvornogo obraza presvjatyja vladyčicy b(ogorodi)cy, narycaemyja Všech skorbjaščich radoste, kotorai imeetsja v car'stvouščim grade Moskve v cerkve prepodobnogo Varlama čjudotvorca, čto za Moskvoju rekoju v Ordyn'skoj ulice. Pisan sej obraz 1806 godou.«

9 Zum Thema siehe: N. Pokrovskij: Izvestija otdelenija russkogo jazyka i slovestnosti imp. Akademii nauk, Bd. VI. kn. 2, 1901, S. 177–202. Vgl. Nikolaj Vasilievič Pokrovskij: Cerkovnyj archeologičeskij Muzej Duchovnoj Akademii, St. Petersburg 1909; Aleksandr Ivanovič Uspenskij: Opisanie ikon Moskovskogo obščestva ljubitelej prosveščenija, o. J.; Sijskij ikonopisnyj Podlinnik a. a. O. Die älteste russische Šestodnev-Ikone (in 6 Feldern werden die 6 Wochentage gezeigt) wird Anfang 16. Jahrhundert datiert: siehe Kat. Nr. 281 in: V. I. Antonova / N. E. Mneva: Katalog drevnerusskoj živopisi. Gosudarstvennaja Tret'jakovskaja gallereja, Moskau 1963, Bd. 1, S. 342 f.

10 Chochlov galt unter den russischen Ikonenkennern des 19. Jahrhunderts als berühmter Ikonenmaler. N. Leskov erwähnt ihn in seiner Erzählung »Der versiegelte Engel« und besaß selbst eine Chochlov zugeschriebene Ikone, heute im Russischen Museum, Leningrad: Hochzeit zu Kana, Inv. Nr. DRŽ B-364, 40,3 x 34,2 x 2,4 cm. Frau Šalina, Russisches Museum, schreibt ihm auch die Ikone der hl. Boris und Gleb zu, Inv. Nr. PM 6608, 31 x 25,5 cm. ebenda. Freundliche Mitteilung von T. Vilinbachova und A. Malceva.

11 Katalog christijanskich drevnostej sobrannych moskovskim kupcom Nikolaem Michajlovičem Postnikovym, Moskau 1888, S. 37, Kat. Nr. 984.

12 Katalog . . . Postnikov, S. 35, Kat. Nr. 653. V. Antonova: Drevnerusskoe iskusstvo v sobranii Pavla Korina, Moskau 1966, S. 135–137, Abb. 132f.

13 Die Ikone erwarb Dr. Weber im deutschen Kunsthandel vor einigen Jahren. Siehe meine Farbabbildung in: Norbert Kuchinke: Rußland unterm Kreuz, Bergisch Gladbach 1987, S. 145 (mit falschen Maßangaben).

14 Für die Zahl 13 müßte richtig »GI« statt »GO« stehen: Fehler Chochlovs.

Wir wissen heute nicht, wie oft Vasilij Chochlov »Die Woche« gemalt hat, jedoch dürfen diese zwei Ikonen wenn nicht als genaue Repliken, d. h. eigenhändige Wiederholungen des eigenen Werkes, so doch als sich ähnelnde Varianten bezeichnet werden.
Die Chochlovsche Ikonographie der »Woche« besteht aus einer kompositorisch sehr geschickten Zusammenstellung von drei Motiven, die spätestens seit dem 16. Jahrhundert in Rußland bekannt waren: 1. Samstag aller Heiligen (der sechste Tag der Woche, bzw. Triumph Christi/Alle Heiligen), 2. der neutestamentliche »Šestodnev« (die sechs Wochentage), 3. die sechs Schöpfungstage, d. h. die Erschaffung der Welt nach Genesis 1,3–31, die durch die sechsfache Wiederholung des mit ausgebreiteten Armen segnenden Gott-Vaters in sechs runden Medaillons wiedergegeben wird.
Auch auf der Ikone in der Sammlung Weber sind die sechs Medaillons mit den halbfigurigen Darstellungen Gott-Vaters oben in der Mitte plaziert, links und rechts eingefaßt von den sechs Szenen der neutestamentlichen Feiertage, die nach einem Festtags-Hexaemeron Kyrillos des Philosophen (827–869) den Wochentagen entsprechen: Sonntag = Auferstehung Christi, hier als Höllenfahrt; Montag = Synaxis der Engel; Dienstag = Enthauptung Johannes des Täufers; Mittwoch = Verkündigung an Maria; Donnerstag = Fußwaschung; Freitag = Kreuzigung Christi. Dazwischen, unterhalb der »Schöpfungstage« thront Gott-Vater in der Mandorla, umgeben von Engeln: »Und er ruhte am siebten Tag . . .« (Gen 1, 2). Unter ihm thront Christus, dem sich die Gottesmutter, Johannes der Täufer und viele Engel in Fürbitte zuwenden. Weiter unten folgt der Sündenfall mit Adam und Eva, links in mehreren Reihen »alle Märtyrer, Propheten und Priester«, rechts »alle Vorväter, Märtyrer und Märtyrerinnen« und eine große Schar von heiligen Bischöfen, Aposteln, Königen etc.
Die beiden signierten Ikonen haben einen breiten Kovčegrahmen, aufgeteilt in 18 Felder mit verschiedenen Heiligen und Szenen. Auf der Ikone in der Sammlung Weber stimmen alle Szenen und, bis auf fünf, alle Heiligen mit der Korin-Ikone überein: die vier Evangelisten in den Ecken, die drei Kirchenväter Gregorios, Basileios der Große und Johannes Chrysostomos und ein hl. Hieromärtyrer und Bischof (wohl der hl. Silvanos von Thessaloniki) auf dem oberen Rand. (Die Ikone in der Korin-Sammlung zeigt dort stattdessen den hl. Jakobus, Bruder des Herrn.) In der Mitte des oberen Randes ist der Melismos dargestellt: das nackte Jesuskind liegt als Lamm Gottes auf dem Altar auf dem Diskos. Zwei Engel sind zugegen. Im Hintergrund schweben zwei Cherubim und ein Seraphim. Auf dem linken und rechten Rand sind in vier Reihen ganzfigurige Heilige paarweise einander gegenübergestellt: die Metropoliten von Moskau Aleksij und Petr, Iona und Filipp; die Bischöfe von Rostov Leontij und Ignatij, Isaija und Jakov; Nikon vom Höhlenkloster und Ioannes Klimakos, Sergij von Radonež und Aleksandr von der Svira; Joannes von Damaskos und Zosima von Solovki, Savvatij von Solovki und Jakobus, der Bruder des Herrn. Nikon vom Höhlenkloster, Ioannes Klimakos, Sergij von Radonež und Aleksandr von der Svira stehen hier anstelle von Antonij und Feodosij vom Höhlenkloster, Makarios von Ägypten und Ioannikios d. Gr. auf der Korin-Ikone.
Auf dem unteren Rand folgen von links nach rechts in drei Feldern: die Narren in Christo Vasilij Blažennyj und Maksim von Moskau; die Szene »Ermordung des Carevič Dmitrij«; der hl. Ioann (Železnyj Kolpak?) und der Märtyrer Isidor von Jur'ev.
Eine sehr ähnliche, nicht signierte Ikone aus dem Besitz der Moskauer Tret'jakov-Galerie könnte

als dritte Replik Chochlovs bezeichnet werden.[15] Sie ist die qualitätvollste Ikone und ist am reichsten mit miniaturhaften Details ausgestattet, was an den ganzfigurigen Gestalten Gottvaters und an den differenziert gestalteten Landschaften abzulesen ist.
Vergleicht man diese drei Repliken miteinander, wird man feststellen müssen, daß der Palecher Meister Vasilij Chochlov im Rahmen der einmal gefundenen Ikonographie blieb, jedoch sowohl bei der Auswahl der Heiligen und ihrer Plazierung als auch bei der Sorgfalt, mit der er die Details ausführte, differenziert vorging. Im übrigen stellt sich in dieser späten Zeit die Frage nach Werkstatt-Repliken und Signaturen aus Gefälligkeit oder anderen Motiven.
Fünf weitere, nicht signierte Repliken der »Woche« aus der Werkstatt Chochlovs wußte mir Michail Krasilin aus Moskau zu nennen.[16] Im Kunsthandel im Westen befanden sich in den letzten Jahren einige Palech-Ikonen der »Woche«, die meistens eine vereinfachte Chochlov-Ikonographie zeigten, z. B. wird das kosmogonische Thema weggelassen, die stilistische Sorgfalt läßt viel zu wünschen übrig. Es liegt auf der Hand, daß andere Palecher Ikonenmaler[17] die Ikonographie Chochlovs aufgegriffen haben.

·

In russischen Kirchen begegnet man oft Repliken später Kopien der Gnadenbilder der Gottesmutter von Tolga und der Feodorovskaja. Sie tragen Inschriften, die sie als genaue Kopien ausweisen, und stammen von bestimmten Ikonenmalern, die um 1700 und zu Anfang des 18. Jahrhunderts Repliken in großer Zahl angefertigt haben. Auch diese Gruppe von Ikonen darf als Werkstatt-Repliken angesprochen werden, da sie sich ikonographisch und stilistisch sehr ähnlich sind.

Abb. S. 146 Zu nennen sind beispielhaft drei Ikonen der Gottesmutter von Tolga[18] in der Eremitage in Lenin-

15 Inv. Nr. 19898, 45 x 38 cm. Die nicht signierte Ikone wurde 1988 auf der Ausstellung »1000 Jahre russische Kunst« in Moskau, Schloß Gottorf und Wiesbaden gezeigt. Vgl. Ausstellungskatalog »1000 Jahre russische Kunst«, Hamburg 1988, S. 368 f., Abb. 191, S. 152. Die Tret'jakov-Galerie besitzt eine zweite Ikone dieses Themas. (Freundlicher Hinweis von Frau Galina Sidorenko, Moskau).

16 In der Dreifaltigkeitskirche auf dem Pjatnickoe-Friedhof, Moskau: 39 x 32 cm; im Rublev-Museum, Moskau: Inv. Nr. VP-572, 53,2 x 44,2 cm.; im Museum in Brest: Inv. Nr. KP-13998, 35,5 x 32,2 cm; im Museum für die Geschichte Moskaus: Inv. Nr. B/Ch, 52,8 x 43,8 cm; im Nationalmuseum in Stockholm, s. H. Kjellin: Ryska ikoner i svensk och norsk ägo, Stockholm 1956, Abb. 199; die fünfte Ikone befindet sich nach Krasilin im Archäologischen Kabinett der Geistlichen Akademie in Zagorsk.

17 Des weiteren sind mir folgende acht unsignierte Ikonen dieses Themas bekannt: Sotheby Parke Bernet, Zürich, Versteigerungskatalog 23. 11. 1978, Kat. Nr. 64, S. 35, Farbabb. (31,5 x 26 cm.); Ikonenkatalog Galerie Fuchsmann, 2, Düsseldorf 1981/1982, S. 30, Farbabb. S. 31 (nicht sehr qualitätvoll; Gott-Vater in Medaillons), S. 76, Farbabb.; Auktionskatalog Nattenheimer, Hamburg 30. 10. 1982, Kat. Nr. 140, S. 26, Farbabb. S. 140 (36 x 30 cm.); Auktionskatalog F. Dörling, Hamburg (116. Auktion), 2. 11. 1985, Kat. Nr. 116, S. 38, Farbabb. S. 39 und dieselbe Ikone wiederum im Auktionskatalog F. Dörling, Hamburg (121. Auktion), 25. 10. 1986, Kat. Nr. 136, S. 90, Farbabb. S. 91; Bernhard Bornheim: Ikonen, Battenberg Antiquitäten-Kataloge, München 1985, S. 246, Farbabb. S. 247 (sehr unglücklich »Erweiterte Sedmica« genannt); 1000 Jahre christliches Rußland, Ausstellungskatalog, Frankfurt a. M., Recklinghausen 1988, Kat. Nr. 136, S. 179, Farbabb. S. 144 (aus deutschem Privatbesitz); Eine ausgezeichnete weitere Ikone hat mir der Dortmunder Ikonengalerist Heinz Lehmann gezeigt. Diese kommt der Ikone aus der Tret'jakov-Galerie (vgl. Anm. 15) zeitlich und stilistisch sehr nahe. Wir kennen also z. Z. 17 Ikonen mit dieser Ikonographie.

18 Siehe zuletzt zu diesem Gnadenbild: Katalog »1000 Jahre russische Kunst«, Moskau, Schleswig und Wiesbaden 1988/89, Hamburg 1988, S. 332 f, Abb. 60.

links: Gottesmutter von Tolga, 1314, Museum in Jaroslavl'

rechts: Aleksij: Gottesmutter von Tolga, 1705, Eremitage Leningrad

Gottesmutter Skorbjaščaja, Italien 19. Jahrhundert (?) auf alter Tafel, Tret'jakov-Galerie Moskau

grad[19], die jeweils für eine heute unüberschaubare Quantität stehen: Inv. Nr. E/ri 544, signiert und datiert: Ikonenmaler Aleksij, 1705[20], Inv. Nr. E/ri 545[21] und Inv. Nr. 591[22].

Abb. S. 146

Auf der ersten Ikone liest man unter anderem: »Wahrhaftiges Abbild und Maß jenes wundertätigen Bildes der allerheiligsten Gottesgebärerin, genannt Tolgskija . . . (istinnoe podobie i mera s samago čudotvornago obraza Presvjatyja Bogorodicy narycaemyja Tolgskija . . .) »Podobiem i meroju s čudotvornago obraza Presvjatoj Bogorodicy Kazanskoj« (Nach Ähnlichkeit und Maß vom wundertätigen Bild der Allerheiligsten Gottesgebärerin von Kazan«), liest man auf dem Silberoklad der russischen Ikone in der Kathedrale zu Tbilisi noch heute.[23]

Kopie und Fälschung sind bekanntlich sehr oft miteinander verknüpft. Während die oben angeführten Beispiele keinen Zweifel daran lassen, daß es sich um Kopien handelt, existiert eine unüberschaubare Zahl von Ikonenkopien, die mit dem Vorsatz angefertigt wurden, als Original zu gelten. Vor einigen Monaten hatte ich die Gelegenheit, die berühmte griechische Ikone der trauernden Gottesmutter, russisch »Skorbjaščaja« in der Tret'jakov-Galerie, Inv. Nr. 28834 zu untersuchen.[24]

Abb. S. 146

Die 44 x 33 cm große Ikone gilt bei Antonova, Lazarev und Felicetti-Liebenfels als hervorragendes Werk der palaiologischen Malerei, d. h. als byzantinische Ikone des 14. Jahrhunderts. E. B. Gromova hat sie noch 1986 in das späte 13. Jahrhundert datiert und als Teil eines Diptychons bezeichnet.[25] Jedoch sogar mit bloßem Auge betrachtet, erschien mir besonders die Malweise des Inkarnats merkwürdig und vor allem das feine Craquelé künstlich erzeugt. Die anschließende Untersuchung unter dem Mikroskop bestätigte nur diese Vermutung. Bei dieser Ikone handelt es sich leider um eine typische Verfälschung: eine stark zerstörte alte Ikonentafel mit Resten der alten Grundierung in der oberen rechten Hälfte und kleinsten Resten der ursprünglichen Malerei (Blau mit weißen Höhungen) im Maphorion über der Stirn der Gottesmutter. Die ganze restliche Malerei, d. h. Gesicht, Hände und Gewand ist wohl in Italien im 19. Jahrhundert ausgeführt worden. Als Vorbild für den Maler haben eher Darstellungen der trauernden Maria auf mittelalterlichen italienischen Monumentalkruzifixen als byzantinische Ikonen gedient, wie ein Vergleich mit der trauernden Gottesmutter, gen. Panagia Thrēnodoussa, auf der linken Seite eines Diptychons (rechts ist der Schmerzensmann dargestellt) aus dem 14. Jahrhundert im Museum des Ver-

19 Eine Kopie der Gottesmutter von Tolga befindet sich heute in der Nikolaus-Kathedrale in Leningrad. Frau Aleksandra Semenovna Koscova, Kustodin in der Abteilung für russische Ikonen der Eremitage, habe ich für wertvolle Hinweise und dafür, daß sie mir die Ikonen in der Eremitage im Sommer 1988 gezeigt hat, herzlich zu danken.

20 62,7 x 48,8 x 3,5 cm. Die Inschrift am unteren Kovčegrand lautet: »Istinnoe podobie i mera samago čudotvornago obraza Presvjatyja B(ogorodi)cy narycaemyja Tolgskija ijaže bliz grada Jaroslavlja zgo poprišč. Javisja toj svjatyj čudotvornyj obraz Trifonu Archiepiskomu Rostovskomu i Jaroslavskomu v leto 1314 v godu m(e)s(ja)ca avgusta vo 3 den'. Pisal izograf Alexij v leto 1705 godou maja 13 d(e)n«.

21 62,5 x 48 x 2,5 cm. Bezeichnet als »istinnoe kopija«.

22 60,5 x 48 x 2,7 cm. Die Inschrift am unteren Kovčegrand lautet: »Spisan sej s(vja)tyj obraz s podlinnago obraza presvjatyja B(ogorodi)cy narycaemago Tol(g)skaja. O javlenii i prazdnovanii togo celebnogo obraza avgusta v 3 den. Javisja toj s(vja)tyj čjudotvornyj obraz Trifonu archiepiskomu Rostovskomu i Jaroslavskomu v leto 1314 godou.«

23 Vgl. hierzu bereits: Pr. M. Tkemaladze: Tifliskij sionskij kafedral'nyj sobor, Tiflis 1904, S. 42.

24 V. I. Antonova/ N. E. Mneva: Katalog drevnerusskoj živopisi. Gosudarstvennaja Tret'jakovskaja gallereja, Bd. I, Moskau 1963, S. 373, Abb. 255; Iskusstvo Vizantii v sobranijach SSSR, 3, Moskau 1977, S. 85, Abb. (Literaturangaben).

25 E. B. Gromova: Vizantijskaja ikona Bogomateri iz sobranija Gosudarstvennogo istoričeskogo muzeja, in: Muzej 6. Chudožestvennye sobranija SSSR, Moskau 1986, S. 76–83, Abb. auf S. 80.

Iamvlichos Romanos: Gottesmutter von Iviron (sog. Portaitissa), 1648, Mariä-Entschlafen-Kathedrale des Neujungfrauenklosters in Moskau

klärungs-Klosters (Megalo Meteoron) in Meteora zeigt.[26] Besonders die Formgebung der fein gegliederten Finger weist auf westliche Vorlagen hin. Für einen Ikonenmaler sind die Inkarnate viel zu dünn aufgetragen, auf eine dunkle Schicht aus Bitumen oder zuckerhaltigem Medium. Diese besonders präparierte Schicht erlaubte es dem Fälscher, durch Erhitzen der Malschicht das hier vorliegende künstliche Craquelé, einem regelmäßigen »Netz« ähnlich, zu erzeugen. Das Craquelé ist also nicht wie bei alter Tempera-Malerei auf Holz von unter her »gewachsen« sondern »schwimmt« auf der dunklen Schicht. Durch das Erhitzen haben sich Luftbläschen gebildet, die unter dem Mikroskop sichtbar sind und den künstlichen Alterungsprozeß als solchen entlarven. Zur Zeit wird diese Ikone in der Tret'jakov-Galerie von Restauratoren und Chemikern untersucht, und wir dürfen auf die abschließenden Ergebnisse der kompetenten Fachleute gespannt sein. Es wäre nützlich, wenn man die Vorlagen ermitteln könnte, die der Fälscher bei seiner Arbeit benutzt hat.[27] Gestattet sei in diesem Zusammenhang nur der Hinweis auf die trauernde Maria auf dem Kruzifix von Giunta Pisano, um 1235 datiert, in Santa Maria degli Angeli in Assisi. Die Weißhöhungen am Backenknochen sind in beiden Fällen durch breite, geschwungene Pinselstriche gestaltet, eine technische Besonderheit, die bei byzantinischen Ikonen nicht zu beobachten ist, vielmehr ein italienisches Plagiat sein könnte.

Während die Ikone aus der Tret'jakov-Galerie von einem russischen Sammler im italienischen Kunsthandel vor der Revolution erworben sein könnte, gelangten Kopien byzantinischer Gnadenbilder nach Rußland auf dem üblichen Wege. 1648 wurde im Kloster Iviron auf dem Berg Athos eine Kopie der Gottesmutter von Iviron angefertigt, die im selben Jahr von drei Mönchen als Geschenk für den Zaren Aleksej Michajlovič nach Rußland gebracht wurde. Der Igumenos, Archimandrit Pachomios, hatte seiner Gabe eine Bittschrift beigelegt, in der er um die Erlaubnis nachsuchte, im Russischen Reich für sein Kloster sammeln zu dürfen. Diese Bittschrift und ein fast gleichlautendes Schreiben an den Archimandriten des Neuen Erlöser-Klosters (Novospasskij monastyr') in Moskau, den zukünftigen Patriarchen Nikon, datiert vom 15. 6. 1648, sowie weitere Dokumente sind uns überliefert.[28] Der Igumenos des Iviron-Klosters berichtet dem Zaren auch dies: »Wir riefen alle Brüder zusammen und veranstalteten große Gebete und Gesänge in der Kirche, vom Abend bis zum Tagesanbruch. Das Wasser weihten wir mit den heiligen Reliquien und begossen die heilige wundertätige Ikone der allerheiligsten Gottesgebärerin, die alte Portaitissa (mit diesem Weihwasser.) Im großen Becken haben wir dieses geweihte Wasser gesammelt und begossen wieder die neue Ikone, die wir gänzlich aus Zypressenholz anfertigten, und wieder sammelten wir das Wasser im Becken und feierten danach die Göttliche Heilige Liturgie mit großer Inbrunst. Nach der Heiligen Liturgie gaben wir dieses geweihte Wasser und die heiligen Reliquien dem Ikonenmaler, dem ehrwürdigen Priestermönch und geistlichen Vater, Herrn Iamvlichos Romanos, damit er das Weihwasser und die heiligen Reliquien mit den Farben

Abb. S. 148

26 S. Hans Belting: Das Bild und sein Publikum im Mittelalter, Berlin 1981, Abb. 59 auf S. 168.

27 Vgl. Robert Oertel: Die Frühzeit der italienischen Malerei, Stuttgart 1966, S. 43, Abb. 26.

28 Vgl. A. Natroev: Iverskij monastyr. . . , Tiflis 1909, S. 106-120. Die originalen Akten, aus denen Natroev zitiert, wurden publiziert: Podlinnye akty, otnosjaščiesja k Iverskoj ikone Božiej Materi, prinesennoj v Rossiju v 1648 godu. Izdanie kommisii pri Moskovskom glavnom archive Ministerstva inostrannych del, Moskau 1879.

mische und die heilige geheiligte Ikone male, damit Ocker und Farben mit dem Weihwasser und den heiligen Reliquien ganz vermischt sind; und er, die Ikone nur an Samstagen und Sonntagen malend und fastend, hat sie mit großer Mühe und Konzentration und in großer Stille zu Ende gemalt. Während der Zeit, als diese heilige Ikone gemalt wurde, habe auch ich, Archimandrit Pachomios, Mönchpriester, mit dreihundertfünfundsechzig Brüdern, zwei Mal in der Woche die großen Gebete gesungen; vom Abend bis zum Tagesanbruch und alle Tage haben wir die Heilige Liturgie gefeiert, bis die heilige Ikone fertig war . . . Diese Ikone unterscheidet sich in nichts von der ersten Ikone, weder in der Länge noch in der Breite oder im Bildnis – sie ist nur gänzlich neu, aber so wie die alte.« Das Schreiben ist mit dem 15. Juni 1648 datiert, die russische Übersetzung erfolgte schon am 13. Oktober desselben Jahres. Darunter steht die kurze Notiz: »Vom Herrscher gelesen.« Sechs Jahre später nahm der Zar diese Ikone auf seinem Polenfeldzug nach Smolensk mit. Die Ikone der Portaitissa war im Besitz des Zaren Aleksej Michajlovič, dann der Zarin, später der Zarevna Sofija, die sie ins Moskauer Neujungfrauenkloster brachte. Dort, in der Mariä-Entschlafen-Kathedrale, befindet sie sich noch heute. Iamvlichos Romanos hat seine Kopie eigenhändig signiert und datiert, wie die rote Inschrift unten zeigt. Die großen Inschriften auf der Ikone bezeichnen sie als Portaitissa ton Iviron und Eleusa.

Das Auftauchen der Kopie der Gottesmutter von Iviron in Rußland trug schnell zu ihrer Popularisierung bei. 1669 wurde in der Nähe des Moskauer Kreml die Kapelle der Gottesmutter von Iviron, die Iverskaja časovnja, an das Auferstehungstor gebaut, jedoch wurde dort nicht die Kopie vom Athos aufgestellt, sondern eine russische Kopie nach der Kopie, die sich heute in der Himmelfahrt-Christi-Kirche in Sokol'niki im Kiot links vom Altarpfeiler befindet. Im Iverskij-Kloster, das vom Patriarchen Nikon am Valdaj-See erbaut wurde, gab es eine zweite, heute verschollene Kopie, von der man annahm, daß auch sie vom Athos stammt. Im übrigen war es Patriarch Nikon, der dem Beispiel seines großen Vorgängers, des Metropoliten Makarij folgend, das Anfertigen von Kopien berühmter Gnadenbilder förderte und auf ihre genaue Ausführung achtete. Daher entsprechen die Ikonen aus der Zeit dieser großen Kirchenmänner ihren Vorlagen sehr genau.[29]

Zu den berühmtesten Ikonen der sog. Stroganov-Schule gehört zweifellos die Ikone Prokopij Čirins »Hl. Nikita der Krieger«[30] aus der Verkündigungskathedrale in Sol'vyčegodsk, der Residenzstadt der Stroganovs. Die Ikone ist seit 1933 im Besitz der Tret'jakov-Galerie, Moskau. Sie hat die Maße 29 x 22 cm und trägt auf der Rückseite eine längere Inschrift, die besagt, daß sie von Prokopij Čirin 1593 gemalt wurde und 1598 einen goldenen, mit Edelsteinen und Perlen besetzten Oklad erhielt, der von Nikita Grigor'evič Stroganov gestiftet wurde. Die Kanten der Holztafel sind orangefarben, wohl mit Mennige gestrichen. Die originale, gut erhaltene Malerei hat M. I. Tjulin 1926 im Staatlichen Historischen Museum, Moskau freigelegt.

29 Frau E. Guseva, Moskau, habe ich für diese Hinweise und die Führung im Neujungfrauenkloster im Sommer 1988 herzlich zu danken.

30 Antonova/Mneva, Katalog, Bd. II, S. 330 f., Abb. 116. Dort auch die älteren Literaturangaben. Die Ikone zuletzt in guter Farbabbildung in: V. G. Brjusova: Russkaja živopis' 17 veka, Moskau 1984, Abb. 2

Heiliger Nikita. Kopie des 18. Jahrhunderts nach der 1593 datierten Ikone von Prokopij Čirin, Slg. Bentchev, Bonn

Interessant für uns ist die maßstabgerecht verkleinerte Kopie (23 x 17 x 1,3 cm) dieser Ikone in meinem Privatbesitz, die wohl gegen Ende des 18. Jahrhunderts von einem guten Palecher Ikonenmaler gemalt worden ist. Sie ist rückseitig nicht beschriftet, zeigt aber eine so auffallende Ähnlichkeit in stilistischer und maltechnischer Hinsicht, daß man zunächst an eine eigenhändige Replik Čirins denken könnte, sprächen die Beschaffenheit der Holztafel und andere Merkmale nicht für eine spätere Zeit. Man weiß auch, daß die Ikonenmaler, die für die Stroganovs arbeiteten, eine Fülle von Vorzeichnungen hinterlassen haben, die bis spät ins 19. Jahrhundert hinein – mit Vorliebe besonders von den Moskauer und Palecher Ikonenmalern – benutzt wurden. Da die große Ähnlichkeit zwischen Original und Kopie evident ist, fallen Unterschiede umsomehr ins Gewicht: Auf der Kopie sind die Gewänder flüchtiger gemalt, die Nimben gänzlich in Pudergold ausgemalt (letztere zeigen auf dem Original nur einen Hauch von Gold am Rande); es fehlen die kleinen senkrechten Goldstriche auf dem Hemd Nikitas. Vor allem im Hintergrund der Kopie vermißt man die porzellanhafte Farbtransparenz und Leuchtkraft der Stroganover Maler, Eigenschaften, die auf bindemittelreiche und dadurch sehr widerstandsfähige Farben zurückzuführen sind. Das Gesicht Nikitas auf der Kopie ist etwas abgerieben, ein Teil der pastosen weißen Panzerverzierung ist verlorengegangen, sonst wären diese Details identisch mit denen auf der Ikone Čirins. Die zwei schmalen Šponki rückseitig fehlen. Dagegen hat man um 1600, wie u. a. auch die Ikone Čirins zeigt, breite Eichen-Šponki verwendet, die in einer Ebene mit der rückseitigen Tafelfläche lagen. Freilich müßte man dabei bedenken, daß Graf Sergij Stroganov vor seinem Tod 1882 die vielen alten »Stroganov«-Ikonen in seiner Sammlung (heute im Russischen Museum) durch Palecher Ikonenmaler herrichten ließ. Diese bekamen dann die typischen, profilierten Šponki Palecher Provenienz. Am Rande sei noch erwähnt, daß die Stroganovs wohl schon in früher Zeit ihre privaten Ikonen rückseitig bzw. an den Kanten orangefarben streichen ließen und daß originale Stroganov-Ikonen des 17. Jahrhunderts breite Kovčegränder aufweisen.

Abb. S. 151

Einige russische Hierarchen wie Makarij und Nikon, die bezeichnenderweise große Reformatoren und Theologen enzyklopädischen Wissens waren, haben das Kopieren von Gnadenbildern nachdrücklich gefördert. Diese Kirchenmänner hatten sich zum Ziel gesetzt, den kirchlichen Kanon zu ordnen und zu vereinheitlichen. Daß Mitte des 16. Jahrhunderts Metropolit Makarij (1542–63) seine Lesemenäen (Četii minei) verfaßte und von den wundertätigen Ikonen der Gottesmutter in Rußland genaue Kopien anfertigen ließ, ist mit ähnlichen Bestrebungen zu erklären. Eine Ikone der Gottesmutter von Tichvin des 16. Jahrhunderts ist vielleicht mit der Kopie der Tichvinskaja aus dem Jahre 1547 identisch, die sich in der Zeit Ivans IV. in der Kirche des hl. Antipij des Wundertäters in Moskau befand und später in das Dreifaltigkeitskloster des hl. Sergij (Troice-Sergieva Lavra) gelangte. Die schriftlichen Quellen sagen ausdrücklich, daß diese Kopie vom Original abgemalt wurde. E. Arceulova, die sich mit den Quellen zu dieser Ikone beschäftigt hat, machte eine Chronik aus dem 17. Jahrhundert ausfindig[31], die wahrscheinlich diese Kopie

31 Vgl.: E. A Arceulova: Skazanie o Tichvinskoj ikone kak istočnik po ideologii russkich zemel' XV-XVI vekov. Diplomarbeit an der Staatlichen Moskauer Universität, Rezensent: V. A. Plugin, Moskau 1983, (Manuskript), S. 96 f.; Anm. 1. Die Anmerkung enthält die Angaben zur Handschrift der hier nach Arceulova zitierten Chronik: GBL, f 256, Nr. 459, Blatt 521. Für den Hinweis auf diese schwer zugängliche Arbeit und das Überlassen des Manuskripts zum Lesen habe ich Herrn V. Plugin herzlich zu danken.

betrifft und wichtige Hinweise auf den Vorgang des Kopierens im 16. Jahrhundert enthält: der Großfürst von Moskau Vasilij III. Ivanovič (1505–1533) schickte seine Ikonenmaler nach Tichvin, um die Ikone der Gottesmutter zu kopieren (»snimati«). Die Maler legten die Ikone auf den Boden auf ein Blatt Papier. Aber, heißt es im Text, »ihr allerreinstes Abbild ließ (die Gottesmutter) sich nicht abnehmen«. Auch der Nachfolger Vasilijs, sein Sohn Ivan IV. Vasilievič, gen. Groznyj, schickte seine Ikonenmaler, damit sie die Ikone kopierten. »Und sie malten sie ab« – heißt es in der Chronik – »auf sie schauend, nach Ähnlichkeit, und sie ließ sich abmalen, und sie haben sie gemalt«. Welche Schwierigkeiten die Ikonenmaler des Großfürsten Vasilij hatten, geht aus dem Text nicht ganz klar hervor. Wahrscheinlich waren sie nicht imstande, die Zeichnung, die »proris«, anzufertigen.

Das russische Wort »spisok« bedeutet Abschrift, abgemaltes Bild, Kopie. Zu den vielen Darstellungen des hl. Kirill Belozerskij hat sich zuletzt Ol'ga Lelekova in ihrem Buch über die Ikonostase der Mariä-Entschlafen-Kathedrale des Klosters des hl. Kirill Belozerskij geäußert.[32] Im Kloster selbst wurden besonders zwei Ikonen verehrt: eine Ikone, die zu Lebzeiten Kirills gemalt war, ein sog. »živopisnyj obraz« und die vergrößerte Kopie eben dieser Ikone aus der Zeit um 1500, die heute als verschollen gilt, die wir aber als Kopie des 17. Jahrhunderts in den originalen Maßen kennen (138 x 80 cm). Diese Kopie befindet sich immer noch im Kloster. »Hier haben wir es mit der Tradition der Klöster zu tun, Kopien von Ikonen anzufertigen, sowohl in den originalen Maßen (»v meru«), als auch vergrößert, wobei das größere Maß quasi kanonisiert wurde. Die berühmte Ikone im Russischen Museum in Leningrad, die den hl. Kirill darstellt und die Dionisij oder seiner Werkstatt zugeschrieben wird, ist eigentlich die vergrößerte Kopie des Bildes, das zu Lebzeiten des Heiligen entstanden ist, mit dem Unterschied, daß die Schriftrolle hier geöffnet ist und einen Text enthält.« Lelekova hat dann vorsichtig die Vermutung geäußert, daß die Ikone im Russischen Museum eine verschollen geglaubte Kopie der Zeit um 1500 ist und daß sie von denselben Malern gemalt worden sein könnte, die 1497 die Ikonostase für die Mariä-Entschlafen-Kathedrale gemalt haben. Diese Hypothese läßt sich meiner Meinung nach nicht nur durch das Kolorit und den Stil eines der drei Hauptmeister der Ikonostase bekräftigen sondern auch durch bezeichnende Details wie die sehr charakteristische Behandlung des Faltenwurfs in der Kirill-Ikone einerseits und der Ikone des Evangelisten Johannes aus der Ikonostase andererseits. Auf beiden Ikonen sind die Faltenwürfe am Oberschenkel und unter dem Knie merkwürdig versetzt gemalt. Es ist, wie es scheint, derjenige Maler am Werk, der dem Stil Dionisijs am nächsten steht.

Abb. S. 155

Ein besonderes Problem stellen die Ikonen der Gottesmutter von Vladimir (Vladimirskaja) und ihre frühen Kopien dar.

Die berühmteste Ikone Rußlands ist seit den 30er Jahren des 12. Jahrhunderts als Gnadenbild des Klosters von Vyšgorod bei Kiev bekannt. Nachdem sie Fürst Andrej von Bogoljubovo 1155 in die Mariä-Entschlafen-Kathedrale in Vladimir brachte, wurde sie zum Symbol der fürstlichen

32 Ol'ga Lelekova: Ikonostas Uspenskogo sobora Kirillo-Belozerskogo monastyrja 1497 god, Moskau 1988, S. 23-25. Das nachfolgende Zitat findet man auf S. 24 ebenda.

Macht und Ende des 14. Jahrhunderts zum Palladium ganz Rußlands. Im August des Jahres 1395, als der Tatarenkhan Timur Lenk Moskau bedrohte, wurde sie unter dem Großfürsten Vasilij Dmitrievič in die Mariä-Entschlafen-Kathedrale des Moskauer Kreml gebracht. Die Chroniken teilen mit, daß Timur Lenk am selben Tage den Rückzug von Moskau angetreten habe.[33] Darauf kam es zu einem Streit um die Rückgabe des Gnadenbildes an die Bewohner von Vladimir. Man hat im Prolog den Bericht darüber gefunden: als die Gesandten von Vladimir wegen ihrer hartnäckigen Forderung sogar eingekerkert wurden, geschah ein »Wunder«: der Küster der Mariä-Entschlafen-Kathedrale des Moskauer Kreml fand plötzlich zwei Ikonen, die nicht voneinander zu unterscheiden waren.[34] Die schlauen Moskauer hatten offensichtlich schnell eine Kopie anfertigen lassen. Ob die Kopie oder das Original – sollte diese Legende stimmen – daraufhin nach Vladimir gebracht wurde, wissen wir nicht.

Um dem Beistand (zastupničestvo) der Gottesmutter von Vladimir zu gedenken, baute man 1395 in Moskau eine Kirche, die mit »Ikonen und Büchern« ausgestattet wurde.[35] Ganz bestimmt ist für diese heute nicht mehr existierende Kirche eine Kopie der Vladimirskaja angefertigt worden. Der Vorgang ist ähnlich wie bei der Ikone der Gottesmutter vom Don: 1591 soll dieses berühmte Gnadenbild seinen Beistand gegen Kazy-Girej geleistet haben. Im nächsten Jahr baute man ihr zu Ehren ein Kloster und ließ eine Ikone malen, die der Gottesgebärerin vom Don ähnlich war: »podobie prečjudnye ikony prečistye Bogorodicy Donskija«.[36]

Jedenfalls kam die Ikone der Gottesmutter von Vladimir 1480 erneut aus Vladimir – und wohl endgültig 1518 – nach Moskau in die Mariä-Entschlafen-Kathedrale des Kreml, wo sie sich bis 1918 befand.

In den schriftlichen Quellen findet man Angaben über alte Restaurierungen im Jahre 1514 durch den Metropoliten Varlaam und 1566 durch den Metropoliten Afanasij.[37]

33 Zu keiner Ikone in Rußland gibt es eine umfangreichere Literatur. Siehe zuletzt die (nicht vollständigen) Literaturangaben in: Iskusstvo Vizantii v sobranijach SSSR, 2, Moskau 1977, S. 24. L. A. Dmitriev äußerte die Meinung, daß sich die Ikone der Vladimirskaja 1380 in Moskau befand. Dem hat L. Ščennikova 1984 widersprochen. Die schriftliche Quelle »Skazanie o Mamaevom poboišče«, die Ščennikova überzeugend in die 2. Hälfte des 15. Jahrhunderts datiert, bestätigt ihrer Meinung nach nur die Verehrung der Ikone und ihren ständigen Standort zu dieser Zeit, Moskau. Vgl.: L. A. Ščennikova: Istorija ikony »Bogomater' Donskaja« po dannym pis'mennych istočnikov XV–XVII vekov, in: Sovetskoe iskusstvoznanie 1982, 2 (17), Moskau 1984, S. 323, Anm. 18.

34 Moskvitjanin (Zeitschrift), Kritika i bibliografia, Nr. 7, Moskau 1849, S. 41. Auf diese Publikation der Legende hat zuerst Igor' Grabar' aufmerksam gemacht: I. Grabar': Andrej Rublev, in: I. Grabar': O drevnerusskom iskusstve, Moskau 1966, S. 197 f. Freundlicher Hinweis von Igor' Kočetkov, Moskau. Vgl. noch Guseva, op. cit., S. 58, Anm. 40.

35 Vgl. L. A. Ščennikova: K voprosu ob atribucii prazdnikov iz ikonostasa Blagoveščenskogo sobora v Moskovskom Kremle, in: Sovetskoe iskusstvoznanie, 21/1986, Anm. 39 auf S. 96 f. mit der Quellenangabe: Polnoe sobranie russkich letopisej (PSRL), Bd. 23, Moskau-Leningrad 1949, S. 225.

36 Vgl. L. A. Ščennikova: Istorija ikony »Bogomater' Donskaja« po dannym pis'mennych istočnikov XV–XVII vekov, in: Sovetskoe iskusstvoznanie 1982, 2 (17), Moskau 1984, S. 328, Anm. 65 mit Quellenangaben. In diesem Aufsatz wies Ščennikova nach, daß die Meinung Kočetkovs über die Existenz von zwei Ikonen der Gottesmutter vom Don seit dem 14. Jahrhundert, deren eine in Kolomna aufbewahrt wurde und irgendwann verlorenging, nicht haltbar ist. Erst Ivan IV. Groznyj hat das Gnadenbild der Donskaja von Kolomna nach Moskau gebracht. Für Kolomna ließ man dann eine Kopie anfertigen. Vgl. ebenda, S. 331 und Anm. 76.

37 Vgl. A. I. Uspenskij: Perevody s drevnych ikon sobrannye i ispolnennye ikonopiscom i restavratorom V. P. Gur'janovym, Moskau 1902, S. 66 mit Quellenangaben. Auf S. 63–77 findet man hier eine der interessantesten Abhandlungen über die Gottesmutter von Vladimir.

links: Gottesmutter von Vladimir. Schematische Zeichnung von Baranov, nach 1919

rechts: Gottesmutter von Vladimir, nach 1237, Tret'jakov-Galerie Moskau

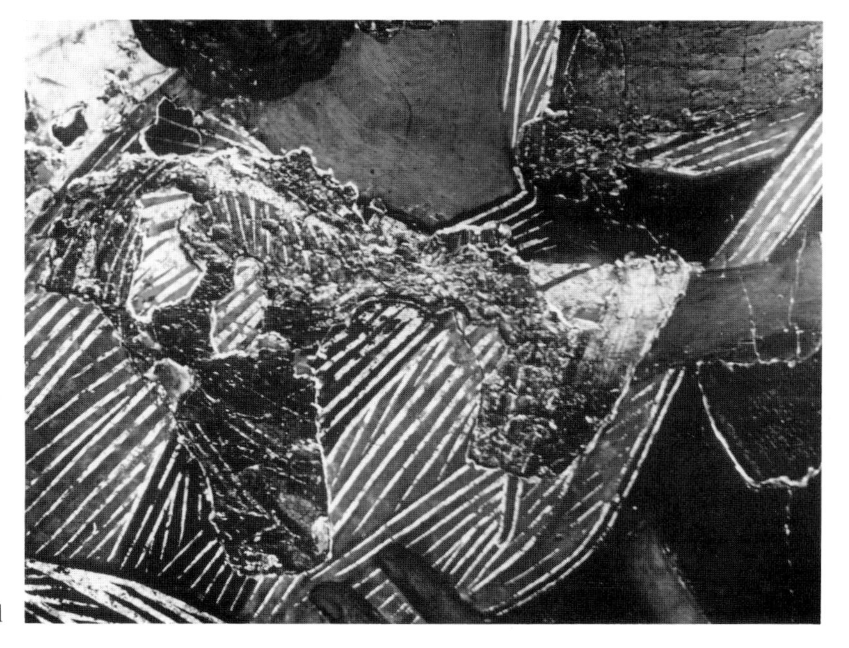

Gottesmutter von Vladimir. Detail

Im Auftrag der Allrussischen Restaurierungskommission wurde sie von 1918–1919 von G. O. Čirikov teilweise freigelegt. Die Restaurierung hat A. I. Anisimov verfolgt, der uns die wohl informationsreichste und beste Arbeit über die Ikone hinterlassen hat.[38]

Heute erscheint uns diese Restaurierung viel zu hastig durchgeführt und durchaus nicht überzeugend. Unter anderem hätte man viel mehr von der ursprünglichen Malschicht freilegen können, etwa am Hals des Christuskindes. Damals wurde die bekannte, Baranov zugeschriebene, schematische Zeichnung mit den acht verschiedenen historischen Malschichten angefertigt. Sie sind richtig eingetragen, jedoch ihre Datierung erscheint mir unbegründet. Die originale Malerei wird heute unterschiedlich datiert: ins 11. Jahrhundert von einer Reihe sowjetischer Forscher, in den Anfang des 12. Jahrhunderts von Michail Alpatov und Valentina Antonova, um 1131 von Kurt Weitzmann, in die 1. Hälfte des 12. Jahrhunderts von Viktor Lazarev.

Abb. S. 155

Abgesehen von Varianten des Typus der Glykophilousa wie der Gottesmutter von Belozersk und Tolga, die man nicht als Kopien der Vladimirskaja bezeichnen kann, sind die frühesten uns bekannten Kopien oder Darstellungen der Gottesmutter von Vladimir auffallend spät, frühestens zu Ende des 14. Jahrhunderts oder erst im 1. Drittel des 15. Jahrhunderts entstanden.

Mit diesen Kopien haben sich Igor Grabar'[39], Viktor Lazarev[40], Valentina Antonova[41], Igor' Kočetkov[42], E. Guseva[43] und zuletzt auch N. Markina[44] am intensivsten beschäftigt.

Herangezogen wurden zwei Moskauer Kopien der alten Ikone der Gottesmutter von Vladimir: die Vladimirskaja in Vladimir, Anfang 15. Jahrhundert[45] und die Vladimirskaja-Zaprestol'naja, so genannt, weil sie hinter dem Altar aufgestellt war, aus dem 1. Viertel des 15. Jahrhunderts. Eine dieser beiden Kopien, wohl diejenige in Vladimir, könnte die Kopie von 1395 sein, die auf wunderbare Weise dem oben erwähnten Küster in Moskau erschienen war.

Abb. S. 159

Die Vladimirskaja-Zaprestol'naja dagegen befindet sich heute immer noch in der Mariä-Entschlafen-Kathedrale, links von der Königstür. Antonova bezeichnet sie als Zapasnaja (= Ersatz-Vladimirskaja), wohl fälschlich, worauf Igor' Kočetkov aufmerksam gemacht hat. Als Zapasnaja-Vladimirskaja zu bezeichnen wäre, wie Kočetkov vorgeschlagen hat, die sog. Vladi-

Abb. S. 159

38 A. I. Anisimov: Vladimirskaja ikona Božiej materi, Prag 1928 (= Nachdruck in: A. I. Anisimov: O drevnerusskom iskusstve. Sbornik statej, Moskau 1983, S. 191–275.) Vgl. ebenda auch: Istorija Vladimirskoj ikony v svete restavracii, S. 165–191.

39 I. E. Grabar': O drevnerusskom iskusstve, Moskau 1966, S. 42; ders.: Andrej Rublev, in: Voprosy restavracii, 1, Moskau 1926, S. 197 f.

40 V. N. Lazarev: Andrej Rublev i ego škola, in: Istorija russkogo iskusstva, Bd. III, Moskau 1955, S. 144; ders.: Rublev i ego škola, Moskau 1966, S. 31; M. Alpatoff und V. Lazarev: Ein byzantinisches Tafelwerk aus der Komnenenepoche, in: Jahrbuch der Preußischen Kunstsammlungen, Bd. 46, Heft 2, Berlin 1925, S. 140–155.

41 V. I. Antonova: Rannee proizvedenie Andreja Rubleva v Moskovskom Kremle, in: Kul'tura Drevnej Rusi, Moskau 1966, S. 21–25; dieselbe: K voprosu o pervonačal'noj kompozicii ikony Vladimirskoj Božiej materi, in: Vizantijskij vremennik, 18, Moskau 1961, S. 198–205.

42 I. A. Kočetkov: Drevnie kopii ikony »Vladimirskaja Bogomater'«. Vortrag in der Moskauer Universität, sog. Lazarevskie čtenija, am 2. 2. 1981; ders.: Javljaetsja li ikona »Bogomater' Donskaja« pamjatnikom Kulikovskoj bitvy? In: Drevnerusskoe iskusstvo, Moskau 1984, S. 44 f.

43 E. K. Guseva: Ikony »Donskaja« i »Vladimirskaja« v kopijach konca XIV-načala XV v. In: Drevnerusskoe iskusstvo, Moskau 1984, S. 46–58.

44 N. D. Markina: Dve ikony »Bogomateri Vladimirskaja« načala XV veka, in: Kulikovskaja bitva v istorii i kul'ture našej Rodiny, Moskau 1983, S. 168–177.

45 Im Museum in Vladimir, Inv. Nr. B-2971, 101 x 69 cm. I. A. Kočetkov datiert sie 1411. Über diese Ikone siehe zuletzt mit bibliogr. Angaben Engelina Smirnova: Icônes de l'école de Moscou XIVe–XVIIe siècles, Leningrad 1989, S. 279, Farbabb. 96, 98. Smirnova datiert sie um 1408.

mirskaja-Simonovskaja, eine spätere Kopie ebenfalls in der Mariä-Entschlafen-Kathedrale, auf die wir noch zu sprechen kommen werden. Die beiden Kopien in Vladimir und Moskau besitzen fast genau die Maße der Vladimirskaja, die heute 100 x 70 cm groß ist.

Schon 1918 bei der Restaurierung der Ikone machte man die Beobachtung, daß die Vladimirskaja ursprünglich eine Prozessionsikone mit einem Handgriff unten gewesen war. Durch Ansätze an allen vier Seiten soll die Tafel von ursprünglich 78 x 55 cm auf das heutige Maß von 100 x 70 cm vergrößert worden sein. Der dreiteilige Handgriff, oder vielmehr dessen Oberteil, soll dabei in den vergrößerten unteren Teil des Rahmens integriert worden sein. Die Frage, ob und wann die Holztafel vergrößert worden ist, soll uns deswegen beschäftigen, weil diese Frage mit der Datierung der beiden genannten Kopien unmittelbar zu tun hat. Diese zwei Kopien in Vladimir und Moskau haben nämlich fast genau die Maße der Vladimirskaja, die sie nach der Vergrößerung der Lindenholztafel bekam.

Ist die Tafel überhaupt jemals vergrößert worden? Vor einer genaueren Kenntnis der Holzarten und aller verschiedenen Malschichten muß diese Annahme als hypothetisch betrachtet werden. Man fragt sich, warum man den Handgriff durch mühsames Anstückeln integrieren mußte. Wenn es sich hierbei um eine schreinerische Leistung handeln sollte, so erscheint sie etwas unsinnig. Bekanntlich »arbeitet« nachträglich angesetztes Holz anders als das alte. Die Folge sind Risse, die durch Grundierung und Malschichten hindurchgehen, ähnlich wie an geleimten Stellen, was auf dem alten Teil der Vladimirskaja als senkrechter Riß deutlich zu sehen ist. Es ist merkwürdig, daß solche Risse im unteren Bereich des integrierten Handgriffs nur schwach und im Rahmen links fast kaum zu erkennen sind.

Die letzte Schicht aus Grundierung und rötlicher Bemalung soll aus dem 16. Jahrhundert stammen. Tatsächlich haben wir es aber hier mit der letzten historischen Malschicht aus dem 19. Jahrhundert zu tun, genauer von 1895, als die Ikone in einer schnellen Aktion, fast heimlich, für die Krönung Nikolaus II. restauriert wurde. Zu dieser Schicht gehören unter anderem die ganze linke Hand der Gottesmutter, die Fingerspitzen ihrer rechten Hand und fast das ganze Gewand des Christuskindes. Dieser sehr dunklen Malschicht, die fast kaum Craquelé zeigt, entspricht zeitlich der dunkle senkrechte Streifen auf der rückseitigen Darstellung der Hetoimasia. Die rechte Hand der Gottesmutter mit Ausnahme der Fingerspitzen ist zur vorletzten historischen Malschicht zu zählen und dementsprechend zeitgleich mit der Hetoimasia-Darstellung auf der Rückseite der Ikone.

Man hat kleine Reste von Blattgold, die zur ersten historischen Malschicht auf der Ikone gehören sollen, nur an den vermeintlich ursprünglichen Holzteilen freigelegt. Dies scheint zu beweisen, daß die Tafel doch nachträglich vergrößert worden ist. Es ist jedoch nicht erwiesen, daß dieses Blattgold, etwa im Hintergrund über dem Kopf der Gottesmutter und seitlich davon mit den Resten des Monogramms, oder auf dem Handgriff tatsächlich zur ersten historischen Malschicht gehört. Das Craquelé hier und dort ist jedenfalls verschieden.[46] Diese und andere Fragen, die mit

46 Ich hatte die seltene Möglichkeit, 1988 die Ikone an drei Tagen in Augenschein zu nehmen, einmal auch ohne Verglasung. Dafür bin ich den Mitarbeitern der Tret'jakov-Galerie, insbesondere Galina Sidorenko und Elena Okun' zu Dank verpflichtet, auch Ol'ga Lelekova für alle Anregungen und Gespräche vor der Ikone.

den verschiedenen Malschichten der Ikone verbunden sind, können hier nur angedeutet werden. Wir hoffen, daß eine maltechnische Untersuchung mit modernsten Methoden bald stattfinden wird.

Zurück zum Problem der Vergrößerung der Tafel: nehmen wir an, daß sie sich als erwiesen darstellt. Es wäre dann von größtem Interesse, die Frage zu beantworten, wann dies geschehen sein soll. Die logische Schlußfolgerung ist: vor der Entstehungszeit der Kopien. Leider ist deren Datierung wiederum etwas problematisch. Der goldene Oklad, den Metropolit Fotij (1408–1431) für die Gottesmutter von Vladimir gestiftet hat, paßt auf das Großformat. Wenn die These von Markina stimmt, daß der Oklad in den 20er Jahren des 15. Jahrhunderts angefertigt worden ist – fast zeitgleich mit einem zweiten Oklad Fotijs für die Kopie der Vladimirskaja in der Mariä-Entschlafen-Kathedrale – so ist das ein terminus ante quem sowohl für die Vergrößerung der Tafel als auch für die beiden Kopien in Vladimir und Moskau. Man könnte aber auch durchaus schlußfolgern, daß man die Tafel speziell für diesen prächtigen Oklad vergrößert hat. Dann müßten die beiden Kopien nach den 20er Jahren des 15. Jahrhunderts zu datieren sein. Nur wenn die Vergrößerung der Tafel vor der Zeit Fotijs vorgenommen wurde, dürfen die beiden Kopien früher, etwa zu Anfang des 15. Jahrhunderts oder gar 1395, wie manche Forscher meinen, entstanden sein. Auch aus diesem Grund dürfen wir die Ergebnisse einer zukünftigen Untersuchung des Originals mit Spannung erwarten.

In zeitlicher Nähe zu den beiden Kopien der Vladimirskaja liegen zwei weitere Darstellungen, die sich in Moskau und Vladimir befinden: die von E. Guseva angeführte Vladimirskaja aus der Kapelle des hl. Sergij von Radonež am Eliastor in Moskau, heute in der Tret'jakov-Galerie, aus dem 1. Viertel des 15. Jahrhunderts, 87 x 62 cm, sowie die kleine, 29 x 17,5 cm messende Vladimirskaja im Russischen Museum in Leningrad, die M. Alpatov unter Vorbehalt Rublev zugeschrieben und in den Anfang des 15. Jahrhunderts datiert hat.[47] Lebedeva hat die letztgenannte Ikone in die 2. Hälfte der 90er Jahre des 14. Jahrhunderts datiert und nimmt an, daß Rublev sie gemalt hat. Beide Ikonen unterscheiden sich durch kleinere Maße vom Original, und obwohl sie alle übrigen ikonographischen Merkmale der Kopien beinhalten, stellen sie die Variante dar, auf die Plugin bereits hingewiesen hat: Das Kind umarmt mit der Linken die Mutter, jedoch hinter dem Maphorion der Gottesmutter, so daß die Linke für den Betrachter unsichtbar bleibt.

Abb. S. 159

Die Kopie in Vladimir ist von Grabar' und nach anfänglichem Zögern auch von Lazarev Andrej Rublev zugeschrieben worden. Antonova und Kočetkov halten dagegen die Kopie in der Mariä-Entschlafen-Kathedrale für ein Werk des berühmten Ikonenmalers. Sie datieren diese Ikone eher in die zweite Jahreshälfte oder in das Ende des Jahres 1395 und verbinden ihre Entstehung mit der wunderbaren Errettung Moskaus vor Timur Lenk (Tamerlan).[48] Andere sowjetische Forscher wie Michail Alpatov und Ljudmila Ščennikova lehnen solche Zuschreibungen, die sich nur auf stilistische Vergleiche stützen, ab, jedoch geben auch sie zu erkennen – wie Gerol'd Vzdornov in der Rezension des Buches über Rublev von V. Sergeev bemerkt hat – daß die Vladimirskaja in

Abb. S. 159

47 Lindenholz, Kovčeg, Leinwand. In der Sammlung V. Prochorov bis 1898; vgl. Michail Alpatov: Rublow, Warszawa 1975, S. 81, 105, Farbabb. 2, 70. Alpatov datiert sie in den Anfang des 15. Jahrhunderts, »Rublev« mit Fragezeichen.

48 Kočetkov: Javljaetsja li, S. 44, Anm. 30.

Gottesmutter von Vladimir aus der Kapelle des hl. Sergij am Eliastor in Moskau, 1. Viertel 15. Jahrhundert, Tret'jakov-Galerie Moskau

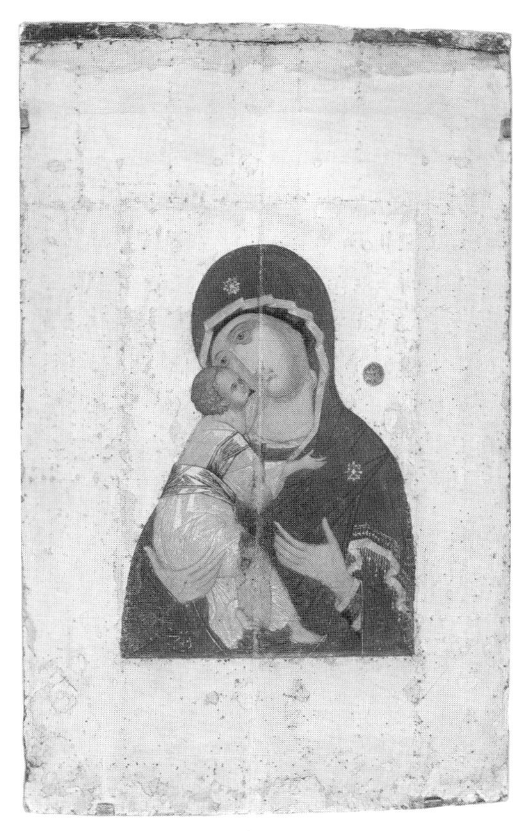

Gottesmutter von Vladimir, Anfang 15. Jahrhundert, Russisches Museum Leningrad

Andrej Rublev: Gottesmutter von Vladimir aus der Mariä-Entschlafen-Kathedrale in Vladimir, 1408 (?), Museum in Vladimir

Gottesmutter Vladimirskaja-Zaprestol'naja, Anfang 15. Jahrhundert, Mariä-Entschlafen-Kathedrale des Moskauer Kreml

Vladimir allen anderen Werken Rublevs in ihrer Ausstrahlung und Malweise »viel näher« steht.[49]
Die zwei von uns genannten Kopien, ferner die Ikone der Vladimirskaja vom Eliastor und die kleine Vladimirskaja im Russischen Museum, d. h. alle frühen Wiederholungen der alten Gottesmutter von Vladimir, unterscheiden sich angeblich in der Stellung der linken Hand der Gottesmutter von ihrem Vorbild, denn auf der alten Ikone berührt die linke Hand der Gottesmutter den Ärmel des Kindes, während auf allen frühen Darstellungen die linke Hand der Gottesmutter tiefer plaziert ist, auf fast gleicher Ebene mit ihrer Rechten. Sowohl Guseva als auch Kočetkov und Markina haben auf dieses Merkmal der Kopien in Vladimir und in der Mariä-Entschlafen-Kathedrale hingewiesen. Guseva schreibt hierzu: ». . . in den Kopien fand man eine neue kompositorische Variante, und die Silhouette bekam einen ausgewogenen Charakter. In gewisser Parallelität zu der Ausgewogenheit der zeichnerischen Lösung hat man die Hände der Gottesmutter auf eine Ebene gestellt, die Hand, die im Deesis-Gestus ausgestreckt ist, leicht nach hinten geführt.«[50]
Kočetkov spricht sogar von einer »ernsthaften redaktionellen Berichtigung«: »Der Kopf bekam eine stärkere Neigung, und der Blick richtete sich nicht auf den Betrachter sondern auf das Kind. Auf dem Chimation des Kindes tauchte ein Clavus auf, der Gestus der linken Hand wurde verändert.«[51]

Markina hat sich eingehender mit dieser »veränderten Handstellung« beschäftigt und stellt fest: »Die Autoren der beiden von uns betrachteten Kopien der Gottesmutter von Vladimir haben die ikonographische Vorlage des alten griechischen Bildes nicht im Detail wiederholt. Die wichtigste Abweichung von der Ikonographie des Prototyps ist die Stellung der Hände der Gottesmutter . . . die linke Hand ist, verglichen mit der Ikonographie des Originals aus dem 11. Jahrhundert, tiefer plaziert, und beide Hände in unseren Kopien sind auf die gleiche Ebene gestellt.«[52]

Die zitierten Aussagen lassen jedoch meiner Meinung nach ein wichtiges Faktum außer acht: auf dem Original ist auch heute keine Spur der ursprünglichen linken Hand, um die es hier geht, d. h. der ersten historischen Malschicht zu sehen. Sichtbar sind nur die zwei Übermalungen aus späterer Zeit, die seit der Freilegung der Ikone 1918/19 als Übermalungen gelten. Angeblich aus dem 13. Jahrhundert und die erste historische Übermalung überhaupt sollen die Fingerspitzen der linken Hand der Gottesmutter sein, die den Ärmel des Chitons Christi berühren und die unter der linken Hand der Gottesmutter quasi herausschauen. Der Rest dieser Malschicht verdeckt die heute ganz sichtbare linke Hand der Gottesmutter, die ich als Übermalung des 19. Jahrhunderts betrachte. Seit 1919 gilt diese Malschicht als aus dem 16. Jahrhundert stammend. Auch hier, geringfügig tiefer gemalt, berühren die Finger den Ärmel des Christuskindes.

Die originale Malerei der linken Hand der Gottesmutter aber ist entweder zerstört oder liegt, von uns mit bloßem Auge heute unsichtbar, wenn auch vielleicht fragmentarisch erhalten, unter den zwei genannten Übermalungen.

49 G. I. Vzdornov: Novaja kniga ob Andree Rubleve. (Rezension des Buches von V. Sergeev: Andrej Rublev, Moskau 1981), in: »Moskva«, Heft 4, Moskau 1983, S. 203. Vgl. L. A. Ščennikova: K voprosu ob atribucii prazdnikov iz ikonostasa Blagoveščenskogo sobora v Moskovskom Kremle, in: Sovetskoe iskusstvoznanie 21, Moskau 1987, S. 67 f., Anm. 20.
50 Guseva, S. 56.
51 Kočetkov, S. 44.
52 Markina, S. 173.

Wie wir gesehen haben, wird bis heute als selbstverständlich angenommen, daß die Übermalungen die ursprüngliche Plazierung und den Gestus der linken Hand der Gottesmutter an dieser Stelle wiedergeben. Es gibt jedoch keinen Grund, weshalb alle frühesten Kopien und Wiederholungen der Vladimirskaja ausnahmslos stets die linke Hand anders wiedergeben, d. h. tiefer und auf gleicher Ebene mit der Rechten. Nach meinem Verständnis spricht dieses Faktum dafür, daß sie in diesem Detail genau das ikonographische Schema des Urbildes wiedergeben, und zwar den *originalen* Zustand, den die Ikonenmaler im ersten Viertel des 15. Jahrhunderts noch vor Augen hatten.

Es sind die Kopien und die anderen Darstellungen der Vladimirskaja, die uns heute Auskunft über weitere ursprüngliche Details geben: bestimmt war einmal ein Clavus am Ärmel des Kindes vorhanden[53], der heute unsichtbar unter der Übermalung liegt. Die beiden Kopien gleichen sich auch in einem anderen Detail, nämlich in der Wiedergabe der Faltenwürfe des Maphorions am Kopf der Gottesmutter, die durch den chrysographierten Saum besonders hervortreten. Auf allen frühen Kopien wird der Saum oberhalb der Stirn rhythmischer und kleinteiliger gegliedert, und so haben wir ihn uns in der ursprünglichen Fassung auf dem Gnadenbild vorzustellen. Dagegen erscheint das jetzt sichtbare Maphorion aus späterer Zeit an dieser Stelle wie eine runde Haube mit einem viel zu breiten Faltenwurf über der Stirn.[54]

Als Andrej Rublev und Daniil Černyj 1408 die Mariä-Entschlafen-Kathedrale in Vladimir ausmalten, sahen sie den originalen Zustand des Gnadenbildes. Es ist bezeichnend, daß alle Darstellungen der Vladimirskaja, die zu Recht oder Unrecht Rublev zugeschrieben werden, die Variante mit der tiefer plazierten Linken der Gottesmutter und auch den Clavus wiedergeben.

Dasselbe gilt auch für die sechs Ikonen der Gottesmutter von Vladimir vom Ende des 14. bis Anfang des 16. Jahrhunderts im Museum zu Zagorsk[55].

Abb. S. 163

Erst die späten, im 2. und 3. Jahrzehnt des 16. Jahrhunderts angefertigten Kopien zeigen die linke Hand der Gottesmutter heraufgesetzt, am Ärmel des Chitons des Christuskindes, in der Art der

53 Vgl. Kočetkov, S. 44. Kočetkov, S. 43, behauptet, daß nach der Entstehung der Kopie für die Mariä-Entschlafen-Kathedrale im Jahre 1395 alle weiteren Kopien von dieser Kopie gemacht worden seien und nicht vom Original. Diesem Gedanken können wir nicht folgen. Überzeugend erscheinen dagegen seine Beobachtungen, daß bestimmte Details der Kopie in Abhängigkeit zur Gottesmutter vom Don stehen, die Kočetkov zwischen 1380 und 1396 ansetzt. Vgl. S. 44 f. ebenda.

54 Es ist interessant, daß nur auf dem Original das Jesuskind unter dem roten Chiton ein durchsichtiges seidenes Hemd trägt, dessen Ärmelstück an seinem rechten Ellenbogen auf dem Original gut auszumachen ist. Bis jetzt hat niemand diesem Detail Beachtung geschenkt. Hält man sich aber vor Augen, daß keine der byzantinischen sondern einige frühitalienische Madonnen dieses Motiv aufweisen, gewinnt dieses Faktum an Bedeutung. Vgl. hierzu zwei Ikonen der Madonna mit Kind: im Episkopat in Andria (Bari), 13. Jahrhundert und in S. Francesco in Potenza, Ende 13./Anfang 14. Jahrhundert, in: Icone di Puglia e Basilicata dal Medioevo al Settecento, Ausstellungskatalog, Pinacoteca Provinciale Bari 1988, Kat. Nr. 3, S. 105 und Kat. Nr. 32, S. 128 f. (Farbabb. S. 46, 70).

55 T. V. Nikolaeva: Drevnerusskaja živopis' Zagorskogo muzeja, Moskau 1977: Inv. Nr. 4959, Ende 14./Anfang 15. Jahrhundert, S. 77 f., Abb. 103; Inv. Nr. 5554, 15. Jahrhundert, S. 66, Abb. 72; Inv. Nr. 4964, 15. Jahrhundert, S. 89, Abb. 120; Inv. Nr. 5603, 15. Jahrhundert, S. 81 f., Abb. 107; Inv. Nr. 2582, 15. Jahrhundert, S. 89, Abb. 121; Inv. Nr. 2605, Anfang 16. Jahrhundert, S. 101, Abb. 143. Inzwischen hat Irina Kyzlasova eine weitere frühe Kopie der Vladimirskaja in der Sammlung des Historischen Museums Moskau, Inv. Nr. IUS 5740/95478, aus Kerc?, 32 x 24 cm, Malerei und Silberoklad Anfang 15. Jahrhundert, publiziert, die ebenfalls die Linke der Gottesmutter tief plaziert zeigt. Vgl. Irina Kyslassowa: Russische Ikonen des 14. bis 16. Jahrhunderts. Historisches Museum Moskau, Leningrad 1988, Farbabb. 32. Es handelt sich hierbei um die Variante mit der unsichtbaren Linken des Christuskindes hinter dem Maphorion der Gottesmutter.

angeblich aus dem 13. Jahrhundert stammenden Übermalung. Diese Übermalung muß, wenn wir dies berücksichtigen, erst nach den Kopien und vor 1514 datiert werden.
Wir kommen nun zu den frühesten Ikonen, die die veränderte Plazierung der linken Hand, am Ärmel des Kindes, zeigen: Es sind dies die sog. Vladimirskaja-Simonovskaja[56] und eine Ikone der Vladimirskaja in Novgorod.
Die Ikone der Gottesmutter von Vladimir mit 12 Festtagsdarstellungen auf dem Rand in der Mariä-Entschlafen-Kathedrale des Moskauer Kreml wird »Vladimirskaja-Simonovskaja« nach dem Metropoliten Simon (1495–1511) oder »Zapasnaja« genannt, wie zuletzt Kočetkov vorgeschlagen hat. Tat'jana Tolstaja datiert sie zuletzt um 1511 oder spätestens 1514.[57] Kondakov hat sie »die schönste und kostbarste unter den alten Kopien« genannt.[58] Sie wird der Dionisij-Schule zugeschrieben und gewöhnlich 1514 oder 1518 unter Vorbehalt datiert. Wenn es sich hierbei tatsächlich um die von Simon gestiftete Kopie handeln sollte, so ist sie zwischen 1495 und 1511, als er den Stuhl des Metropoliten innehatte, zu datieren.
Die zweite Ikone, die ebenfalls die Linke der Gottesmutter am Chitonärmel zeigt, ist die 1526 vom Moskauer Ikonenmaler Simeon Jakovlev für die Ikonostase der Novgoroder Sophienkathe-

Abb. S. 163

56 Freundlicher Hinweis von Plugin, Moskau. Zu der Vladimirskaja-Simonovskaja-Kopie vgl. zuletzt E. Smirnova: Moskovskaja ikona XIV–XVII vekov, Leningrad 1988, S. 298, Kat. Nr. und Farbabb. 163. Hier auch alle Literatur- und sonstigen Angaben. Smirnova datiert sie um 1514 oder 1518/19 mit Fragezeichen, mit Sicherheit aber ins 1. Viertel des 16. Jahrhunderts.

57 Siehe: T. V. Tolstaja: Uspenskij sobor Moskovskogo kremlja, Moskau 1979, S. 32, Anm. 26 und S. 49, Anm. 73, Farbabb. 87. Frau Tolstaja schrieb mir am 7. 1. 1989 dankenswerterweise folgendes zu dieser Ikone: »Sie wissen also aus meinem Buch, daß es zwei Quellen gibt, die eine Orientierung zur Datierung der Ikone in der Mariä-Entschlafen-Kathedrale geben. Die erste Quelle ist Russkaja istoričeskaja biblioteka (RIB), Bd. 3, St. Petersburg 1876, wo drei frühe Beschreibungen (= opisi) der Mariä-Entschlafen-Kathedrale aus dem 17. Jahrhundert publiziert sind (siehe Sp. 306–310 und 845). Die erste Quelle besagt: »Da v toj že sobornoj cerkvi Uspenie prečistye Bogorodicy, protiv carskich dverej, anbon reznoj s prazniki, a u anbonu obraz prečistye Bogorodicy Vladimirskie v kiote, obložen serebrom, oklad skannoj, venec serebrjannoj že, a po polem u nego prazniki . . . a na nižnem pole u togo obraza odpis na serebre Simona mitropolita reznaja s čern'ju . . . Da u togo že ambonu obraz prečistye Bogorodicy Umilenie v kiote že, obložen zolotom, oklad basmennoj, a na oklade na verchu vybit deisus, da na oklade že na nižnem pole na uglu podelka oklad serebrjan da na verchnem pole poverch deisusa kajma serebrjana . . .« Vor allem wird damit bezeugt, daß am Ambo zwei Ikonen der Vladimirskaja standen, die ähnliche Maße hatten. Bei der ersten handelt es sich, wie es scheint, um die Ikone, die Sie interessiert, bei der zweiten um eine Kopie (= spisok) aus der 1. Hälfte des 15. Jahrhunderts im goldenen Oklad mit Deesis (heute befindet sich diese Ikone ebenfalls in der Mariä-Entschlafen-Kathedrale, ihr Oklad in der Ausstellung der Rüstkammer). Das bedeutet, daß »Ihre« Ikone in die Zeit des Metropoliten Simon datiert werden kann, d. h. bis 30. 4. 1511. (In der zweiten Quelle wird angegeben, daß sie sich bereits in der Seitenkapelle der Apostel Petrus und Paulus in der Kathedrale befand.) Die andere Quelle ist Sofijskij vremennik, Teil 2, S. 295 (siehe in meinem Buch S. 32, Abb. 24), in der über die Anfertigung eines Kiots für die wundertätige Ikone der Vladimirskaja (12. Jahrhundert) gesprochen wird und über ihre Restaurierung (= ponovlenie) im Jahre 1514. Es ist ziemlich wahrscheinlich, daß die neue Kopie der alten Ikone, mit Festtagen im Rahmen, die dem alten getriebenen Oklad Fotijs entsprechen, und mit Darstellungen russischer – besonders Moskauer – Heiligen (ich weise auf die Ähnlichkeit dieses Oklades mit dem getriebenen, jedoch silbernen Oklad auf der Kopie hin) in Verbindung mit der erwähnten Restaurierung angefertigt worden ist, worauf oft hingewiesen wurde. Außerdem entstand diese Kopie, wie N. D. Markina in ihrer noch nicht publizierten Arbeit vermerkt, im Zusammenhang mit der Verehrung Moskauer Heiligtümer in der Zeit, als die Gottesmutter-Ikone berühmt wurde und die Legende der Gottesmutter von Smolensk (= Skazanie o Smolenskoj Bogomateri) verfaßt wurde. Die stilistischen Besonderheiten der Ikone sprechen für das frühe 16. Jahrhundert. Also kann die Sie interessierende Ikone um 1511 oder 1514 datiert werden. Genauere Angaben gibt es nicht, ebenso fehlen Begründungen in den Publikationen.«

58 N. P. Kondakov: Russkaja ikona, IV, Prag 1933, S. 219.

Gottesmutter von Vladimir, Ende 15. Jahrhundert, Dreifaltigkeitskathedrale im Dreifaltigkeitskloster des hl. Sergij

Simeon Jakovlev: Gottesmutter von Vladimir von der Ikonostase der Sophienkathedrale in Novgorod, Moskau 1526, Museum in Novgorod

drale angefertigte Kopie der Vladimirskaja, die mit ihren 102 x 70,5 cm die Maße des Originals zu dieser Zeit fast genau wiederholt.[59].

Somit ergeben sich für die erste historische Übermalung der Vladimirskaja, von der das kleine Stück Gewand am Ärmel des Kindes mit den zwei Fingerspitzen der linken Hand der Gottesmutter erhalten blieb, und die seit der Freilegung der Ikone 1919 mit der Restaurierung der Ikone nach dem Raub des Oklades 1237 durch die Tataren in Verbindung gebracht wurde, drei Datierungsmöglichkeiten: zunächst einmal in die 20er Jahre des 15. Jahrhunderts in Verbindung mit der Stiftung eines Oklads durch den Metropoliten Fotij nach dem Raub des alten Oklads durch die Tataren 1410, dann als terminus ante quem die Entstehungszeit der Vladimirskaja-Simonovskaja in den Jahren von 1495–1511 oder 1514–1518. Die dritte Möglichkeit besteht darin, daß die Vladimirskaja zum ersten Mal unmittelbar vor oder während der Anfertigung der Vladimirskaja-Simonovskaja übermalt wurde.

Diese letzte Möglichkeit ist nicht ganz auszuschließen, weil die Ikone 1518, wie wir gleich sehen werden, so »gealtert« war, daß sie restauriert werden mußte. Es handelt sich dabei um die zweite historische Restaurierung, die als erste in den Schriftquellen belegt ist.[60]

Sie erfolgte 1514 oder 1518 durch den Metropoliten Varlaam (1511–1521). Die 2. Sophien-Chronik berichtet für das Jahr 1518 (7026), daß der Großfürst Vasilij Ivanovič dem Rat seines Metropoliten folgte, aus Vladimir die Ikonen Christi und der Gottesmutter bringen zu lassen, um sie zu »erneuern«, da sie durch die vielen Jahre gealtert waren: »mnogia leta obvetšavša«. Der Metropolit befahl, sie in seinen Gemächern aufzustellen und »hat sie mit eigenen Händen berührend, erneuert . . .«[61]

Etwas wahrscheinlicher wäre die Annahme, daß die alte Vladimirskaja in den 20er Jahren des 15. Jahrhunderts zum ersten Mal übermalt wurde, eine Restaurierung, die in unmittelbarem Zusammenhang mit dem berühmten, bis heute erhaltenen Oklad des Metropoliten Fotij (1408–1431)

59 Im Depot des Novgoroder Museums, Inv. Nr. 2826. Signiert und datiert. Für freundliche Hinweise und Bildmaterial habe ich Svetlana Ivanovna Uškova und Nadežda Ivanovna Mednikova vom Novgoroder Museum herzlich zu danken. Auch späte Kopien, die vom Original abgemalt wurden, wiederholen die veränderte Stellung der Hand, so die Kopie der Vladimirskaja von 1652 in der Tret'jakov-Galerie, Inv. Nr. 21454. Die rote Inschrift auf der Rückseite bezeichnet sie als Kopie nach Maß, vom Original gemalt von Simon Ušakov. Vgl. Antonova/Mneva: Katalog, Bd. II, S. 408 f.

60 PSRL, Bd. 13, St. Petersburg 1904; Sofijskaja vtoraja letopis', in: PSRL, Bd. 6, St. Petersburg 1836. Die Ikone wurde auf Veranlassung des Großfürsten Vasilij Ivanovič und des Metropoliten Varlaam am 15. 9. 1518 aus Vladimir nach Moskau gebracht, »jako mnogimi lety poobvetšali = weil sie durch die vielen Jahre gealtert war«. Der Fürst befahl, sie zu erneuern und beschenkte sie mit Gold und Silber, bevor er sie nach Vladimir zurückkehren ließ. An der Stelle, wo sie verabschiedet wurde, baute man die Sretenie-Kirche der Gottesmutter von Vladimir. Vgl. N. P. Kondakov: Russkaja ikona, IV, Prag 1933, S. 220, Anm. 1.

61 Zitiert und übersetzt nach dem Text der Chronik bei Kondakov, S. 219. Evgenij Poseljanin (alias Evgenij Nikolaevič Pogožev) und Sofija Snessoreva geben für die Erneuerung der Ikone das Jahr 1514 an. Vgl. E. Poseljanin: Bogomater. Polnoe illjustrirovannoe opisanie ee zemnoj žizni . . ., St. Petersburg 1909, S. 287. Etwas ausführlicher bei S. Snessoreva: Zemnaja žizn' Presvjatoj Bogorodicy . . ., St. Petersburg 1891, S. 246: ». . . Erneuerung der Ikone der Gottesmutter von Vladimir im Haus des Metropoliten Varlaam, weswegen auch die Kreuzesprozession von der Mariä-Entschlafen-Kathedrale ins Sretenie-Kloster am 21. Mai initiiert worden ist.« Der dritte kirchliche Feiertag der Vladimirskaja am 21. Mai erinnert sowohl an die Erneuerung der Ikone 1514 als auch an die Errettung Moskaus vor den Tataren Mehmed Girejs 1521.
Immerhin besteht die Möglichkeit, daß nicht das originale Gnadenbild von Varlaam restauriert worden ist sondern die Kopie, die in Vladimir war und von dort 1514 oder 1518 geholt wurde. Der Feiertag, der auf diese Restaurierung zurückgeht, bezieht sich auf die originale Vladimirskaja. Vielleicht wurden sowohl die Kopie aus Vladimir als auch das Original von Varlaam restauriert.

gestanden haben dürfte. Einen zweiten, ebenfalls erhaltenen Oklad stiftete Fotij für die sog. Vladimirskaja-Zapasnaja in der Mariä-Entschlafen-Kathedrale.[62] A. V. Ryndina hat beide in die 20er Jahre des 15. Jahrhunderts datiert und sie als Stiftungen Fotijs nach dem Raub des alten goldenen Oklad im Jahre 1410 bezeichnet.[63]

In der Moskauer Redaktion der Chronik unter der Jahresangabe 1410 lesen wir über den Raub des kostbaren Oklad durch die Tataren des Chans Talyč: »A oni bezbožnii vysekoša dveri cerkovnya i všedše v nju ikonu čudnuju svjatyja bogorodica odraša . . . (= und sie, die Ungläubigen, haben die Kirchentür zerhackt und kamen herein, und von der wundertätigen, heiligen Ikone der Gottesgebärerin rissen sie den Oklad ab . . .)«. Die Chronik nach der Akademie-Abschrift (6918–6927) enthält unter dem Jahr 1410 fast die gleiche Angabe: »I crkv' sboruju s(vja)tyja B(ogorodi)ca razgrabiša i ikonu čudotvornuju odraša . . .«[64]

Die dritte und die wahrscheinlichste Möglichkeit für die Datierung der ersten historischen Übermalung der Ikone der Gottesmutter von Vladimir besteht für das Jahr 1480, als die Ikone in Moskau als Beschützerin gegen die Tataren Ahmat Khans gefeiert wurde. Das Ereignis war so bedeutend, daß man einen zweiten Festtag am 23. Juni (6. Juni nach dem neuen Stil) festgelegt hat. Die erste historische Übermalung läßt sich also anhand der vorangegangenen Überlegungen auf jeden Fall zwischen etwa 1420 und 1518 eingrenzen. Somit steht aber die Datierung der originalen Malerei der alten Ikone wieder zur Diskussion, denn es ist höchst unwahrscheinlich, daß eine Ikone der ersten Hälfte des 12. Jahrhunderts oder gar des 11. Jahrhunderts bis zum Anfang des 15. Jahrhunderts unübermalt blieb, und das bei der sehr bewegten Geschichte, welche für die Frühzeit der Vladimirskaja überliefert ist.

In der Tat hat der hervorragende Kenner der russischen Ikonen Nikodim Pavlovič Kondakov, der aus seinem Exil in Prag die Freilegung der Ikone mit großem Interesse verfolgt hat, bis zu seinem Tod 1925 nicht an die frühe Datierung durch Grabar' und Anisimov glauben können. In seinem post mortem erschienenen Werk »Russkaja ikona« schrieb er: »Bis zur Zeit zukünftiger Offenbarungen zu dieser geheimnisumwitterten Sache muß sich die russische historische Archäologie mit der Vermutung zufrieden geben, daß das älteste Heiligtum Vladimirs im Brand zerstört wurde. Unter dem Namen Vladimirskaja ist uns offensichtlich ein anderes Bild erhalten geblieben, gemalt erst zu Ende des 14. oder zu Anfang des 15. Jahrhunderts.«[65]

62 Mit der Annahme, daß nach 1410 die Kopie aus Vladimir nach Moskau gebracht worden ist, um einer Restaurierung unterzogen zu werden, könnte die doppelte Stiftung zur selben Zeit von zwei Okladen erklärt werden: einen für das Original, einen anderen für die Kopie durch den Metropoliten Fotij. Der Streit um das originale Gnadenbild scheint zu Fotijs Zeiten noch nicht ganz vergessen gewesen zu sein. Daher bedachte Fotij beide Gnadenbilder, wohl wissend, welches das ursprüngliche war – das ja auch viel kostbarer geschmückt wurde.

63 A. V. Ryndina: Oklad evangelija Uspenskogo sobora Moskovskogo kremlja. K voprosu o juvelirnoj masterskoj mitropolita Fotija. In: Drevnerusskoe iskusstvo. Rukopisnaja kniga, Moskau 1983, S. 148, 164 ff., Abb. S. 159. Auf S. 149 Abb. des Oklades der Vladimirskaja-Zapasnaja, den Ryndina ebenfalls in die 20er Jahre des 15. Jahrhunderts datiert. Die ältere Literatur hinzu, angefangen mit K. I. Nevostruev: Monogramma mitropolita Fotija na oklade Vladimirskoj ikony. In: Sbornik Obščestva drevnerusskogo iskusstva na 1866 god, S. 175–181, bei A. I. Uspenskij: Perevody . . . Gurjanovym, Moskau 1902, S. 69 f. (op. cit. in Anm. 37).

64 Polnoe sobranie russkich letopisej (PSRL), Moskau 1962. Diesen und andere Hinweise auf die russischen Chroniken hat mir dankenswerterweise Anatolij Turilov, Moskau, gegeben.

65 N. P. Kondakov: Russkaja ikona 2, Bd. IV, Textband, Prag 1933, S. 220. Vgl. weiter S. 217 ff. und Bd. III, Prag 1931, S. 110, Anm. und S. 168.

1933 hat Dmitrij Ajnalov die heute vergessene These aufgestellt, daß die Ur-Vladimirskaja-Ikone in der Mariä-Entschlafen-Kathedrale in Vladimir im Jahre 1185 verbrannte:[66] »Es ist möglich, daß diese Ikone das alte Original nach der furchtbaren Verwüstung des ganzen Gebietes durch die Tataren im Jahre 1237 ersetzt hat. Die altertümlichen Formen, die später unter dem Einfluß der italienisch-griechischen Malerei verändert wurden, sprechen dafür, daß die Ikone in der ersten Hälfte des 13. Jahrhunderts entstanden ist.«[67] Der Meinung von Ajnalov hat sich 1955 in zwei Publikationen Konrad Onasch angeschlossen.[68]

Aus welcher Zeit stammt also die originale Malerei der Gottesmutter von Vladimir? Ich meine, daß fast alles für die These Kondakovs und für die Datierung von Ajnalov und Onasch ins 13. Jahrhundert spricht. Die Moskauer Redaktion der Chronik, die gegen Ende des 15. Jahrhunderts entstand und eine ältere Quelle als die Nikon-Chronik ist und die Kondakov nicht gekannt hat, informiert uns über ein Ereignis im Jahre 1237, den Raub des Oklads der Gottesmutter von Vladimir durch die Tataren des Chans Batu: »Und den Schmuck der wundertätigen Ikone selbst, der Gottesmutter, haben sie heruntergerissen (i čudnuju ikonu samyja Bogomateri odraša).«[69]

In der Laurentios-Chronik[70], die 1377 erneut abgeschrieben wurde, steht unter der Jahreszahl 6745 (1237): »Sie haben sich in der Kirche der Allerheiligsten Gottesgebärerin eingeschlossen und so wurde sie gnadenlos angezündet (zatvorišasja v crkvi styja Bca i tako ogne bez milosti zapalena byša).« Und ebenda im selben Jahr 6745: »Der wundertätigen Ikone haben sie den Schmuck heruntergerissen, der mit Gold und Silber und mit Edelsteinen geschmückt war, und die Klöster und alles und den Schmuck der Ikonen haben sie heruntergerissen (čjudnuju ikonu odraša oukrašenu zlato i serebro i kamen'em dragy i manastyre i vse i ikone odraša).«

Wir folgern daraus, daß die Ur-Vladimirskaja nicht 1185, wie Ajnalov meint, sondern 1237 zerstört wurde und bald darauf durch eine neue Ikone, die ihr glich, ersetzt wurde. Dies ist kein ungewöhnlicher Vorgang. Man braucht nur an die Zerstörung der Ikone der Gottesmutter von Kazan in Kazan zu Anfang des aufgeklärten 20. Jahrhunderts zu erinnern: die Kirche hat alles getan, um den Verlust des Gnadenbildes durch Verschweigen des Vorfalls und sofortige Zuschreibung an die zwei anderen Gnadenbilder der Gottesmutter von Kazan in Moskau und St. Petersburg wettzumachen.

Zeitlich und ikonographisch steht der Gottesmutter von Vladimir die Starorusskaja Gottesmutter nahe, die heute im Russischen Museum in Leningrad aufbewahrt wird. Das auffallend hellere Inkarnat des Kindes im Vergleich zum Inkarnat der Gottesmutter ist bei beiden Ikonen ein gemeinsames charakteristisches Merkmal.

66 Demetrius Ainalov: Geschichte der russischen Monumentalkunst zur Zeit des Großfürstentums Moskau, Berlin und Leipzig 1933, S. 85 f.

67 ebd., S. 86.

68 Konrad Onasch: Die Ikone der Gottesmutter von Vladimir in der Staatlichen Tret'jakov Galerie zu Moskau, in: Wissenschaftliche Zeitschrift der Martin-Luther-Universität, Halle-Wittenberg, Jahrg. 5, 1955, Heft 1, S. 51–62. K. Onasch hat denselben Aufsatz ein Jahr später noch einmal publiziert, in: Ostkirchliche Studien, Jahrg. 5, 1956, S. 56–64. Lazarev schrieb dazu: »Der Versuch K. Onaschs, die Ikone der Gottesmutter von Vladimir (ihr Original aus Konstantinopel sei im Brand 1185 zerstört worden) als ein Werk der 1. Hälfte des 13. Jahrhunderts zu bestimmen, muß mit aller Entschiedenheit abgelehnt werden. In Rußland hat man solche Ikonen nicht gemalt.« Siehe Viktor Lazarev: Istorija vizantijskoj živopisi, Moskau 1986, Anm. 82 auf S. 227. Die wichtigste Literatur zur Vladimirskaja auch dort.

69 Moskovskij letopisnyj svod, in: Polnoe sobranie russkich letopisej (PSRL), Bd. 25, Leningrad 1949, S. 128.

70 Lavrentievskaja letopis, in: Polnoe sobranie russkich letopisej (PSRL), Bd. 1, Moskau 1962.

Andererseits ist es durchaus möglich, daß weitgehende Zusammenhänge (vor allem ein das Datum 1237 betreffender, bis jetzt nicht gesehener Zusammenhang) zwischen den Gottesmutterikonen der Vladimirskaja und der berühmten Feodorovskaja-Kostromskaja bestehen. Ikonographisch ist sie der Gottesmutter von Vladimir sehr ähnlich: der Unterschied besteht nur darin, daß das linke Bein des Kindes nackt ist und die Finger der rechten Hand der Gottesmutter, die das Kind hält, unter dem Gewand des Kindes nicht sichtbar sind. Der Überlieferung nach wurde die Gottesmutter Feodorovskaja von dem Fürsten Vasilij von Kostroma (dem Bruder des Aleksandr Nevskij und späteren Fürsten von Vladimir) am 16. August 1239 (sic!) in einem Wald gefunden. Man »erkannte« darin auch ein verlorengeglaubtes Lukasbild: die schon zu Anfang des 12. Jahrhunderts in der Stadt Kitež als Gnadenbild verehrte und nach der Brandschatzung des dortigen Gorodec-Klosters durch die Tataren (desselben) Chans Batu, wunderbarerweise unversehrt gebliebene Ikone. 1260 wurde sie dann, dem Beispiel der Vladimirskaja folgend, als Palladium im Kriegszug gegen die Tataren mitgeführt.

Die rote Binnenzeichnung in den Gesichtern der Vladimirskaja, etwa an Nasen und Augenlidern hat ihre Parallelen sowohl im Deesis-Mosaik in der Hagia Sophia[71], das Demus im Unterschied zu Lazarev ins 13. Jahrhundert datiert, als auch in der Gottesmutter orans aus Jaroslavl'. Ferner bestätigt das fein verriebene Wangenrot in beiden Gesichtern sowie der Kopftypus des Kindes, der palaiologische Merkmale besitzt, eine Datierung nach 1237. Der besondere Gesichtsausdruck der Gottesmutter ergibt sich aus der gebrochenen Linie der Augenbrauen und der seitlich gerichteten Blickrichtung der Pupillen. Ersteres ist ein Merkmal par excellence für das ganze 13. Jahrhundert sowohl im Osten als auch im Zackenstil des Westens. Die russischen Beispiele reichen von der Ikone des Christus Emmanuel mit den zwei Engeln aus der Mariä-Entschlafen-Kathedrale in der Tret'jakov-Galerie[72], über die Nikolaus-Ikone aus dem Jungfrauenkloster, ebenfalls in der Tret'jakov-Galerie, bis zur Ikone des hl. Nikolaus von Lipno von Aleksa Petrov aus dem Jahre 1294. Dagegen begegnen wir derselben Blickrichtung sowohl bei der ikonographisch verwandten Madonna mit Kind aus der 1. Hälfte des 13. Jahrhunderts in der Galerie Saracini in Siena[73] als auch bei der Eleusa in der Mariä-Entschlafen-Kathedrale des Moskauer Kreml und bei der Starorusskaja Gottesmutter.[74]

Daß die Ikone der Vladimirskaja zunächst eine Prozessions-Ikone gewesen ist, ist bereits 1918 erkannt worden. Teile des Traggestells sind noch heute in der Tafel zu erkennen. Dies deutet aber eher auf ihre Anfertigung in Rußland hin und nicht in einem fernen Land wie Byzanz. Die Kon-

71 Ich halte mich an die Datierung von Otto Demus ins 13. Jahrhundert und nicht an die Datierung Viktor Lazarevs, die mir zu früh erscheint.

72 Insbesondere der Engel rechts. Im übrigen sind die Inkarnate hier genauso grünlich untermalt wie die der Vladimirskaja.

73 Vgl. V. N. Lazarev: Drevnerusskoe i vizantijskoe iskusstvo, Moskau 1978, Abb. S. 27.

74 Zu allen zuletzt genannten russischen Ikonen siehe mit Abbildungen V. N. Lazarev: Russkaja ikonopis'. Ikony XI–XIII vekov, Moskau 1983. Engelina Smirnova hat auf der alljährlichen Konferenz über altrussische Kunst im Kunsthistorischen Institut in Moskau am 17. 10. 1988 einen bemerkenswerten Vortrag gehalten: »Anmerkungen zu einigen russischen Ikonen vom Ende des 12. und Anfang des 13. Jahrhunderts«, der in »Drevnerusskoe iskusstvo« publiziert werden wird. Sie setzte die »Erlöser mit dem goldenen Haar« (Spas zolotye vlasy) genannte Ikone an den Anfang des 13. Jahrhunderts, datierte die Gottesmutter orans aus Jaroslavl' mit dem Bau der dortigen Kathedrale in das Jahr 1224, dagegen die Gottesmutter Belozerskaja, den Erlöser im Rublev-Museum und den Erlöser aus der Mariä-Entschlafen-Kathedrale in Jaroslavl' ins 2. Viertel des 13. Jahrhunderts.

Gottesmutter von Vladimir. Zeichnerische Rekonstruktion der ursprünglichen Ikonographie (I. Bentchev)

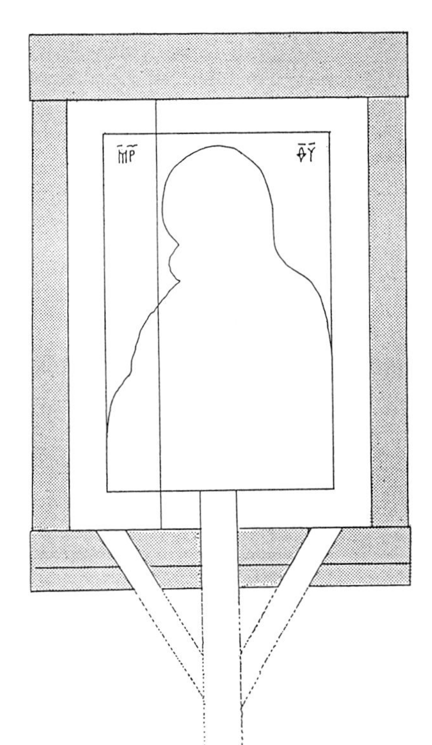

Gottesmutter von Vladimir. Rekonstruktion des ursprünglichen Holzträgers mit fraglicher Ergänzung (I. Bentchev)

struktion des Handgriffs ist russisch, ähnlich wie bei der Ikone »Gottesmutter des Zeichens von Novgorod«. Obwohl eine zeitliche und stilistische Nähe zu solchen Werken wie dem Deesis-Mosaik in der Hagia Sophia zu Konstantinopel, zur Wandmalerei von 1259 in Bojana bei Sofia – man vergleiche die Darstellung der Stifterin Desislava, aber auch die des jugendlichen Christus im Tempel – und zur Ikone des Hl. Gregorios des Wundertäters in der Eremitage[75] nicht zu leugnen sind, handelt es sich um eine russische Ikone, die seit ihrer Entstehungszeit zu Recht als ein ungewöhnliches Werk in jeder Hinsicht bewertet worden ist.

Fassen wir zusammen: Die Kopien der Ikone der Gottesmutter von Vladimir erweisen sich als Schlüssel für das Original. Die Erkenntnis, daß die Ikonographie des Originals bis 1480 so gewesen ist, wie sie uns die Kopien in Moskau und Vladimir heute zeigen, läßt für das Original erst eine Datierung nach 1237 zu.

Auch die Datierung der ersten historischen Übermalung läßt sich durch gesicherte Zeitangaben und Befunde am Original und an dessen Kopien korrigieren bzw. eingrenzen.

Die wichtige Frage, ob und wann die Holztafel vergrößert wurde, läßt sich ohne weitere Untersuchungen am Original nicht beantworten. Von dieser Antwort ist die Datierung der Kopien (terminus post quem) abhängig.

75 Diese Ikone sollte meiner Meinung nach in die erste Hälfte des 13. Jahrhunderts datiert werden. Sie trägt Züge des westlichen Zackenstils im Inkarnat und in der ornamentalen Gestaltung bestimmter Gewandpartien mit Chrysographie. Auch die auffallend große Inschrift ist in kalligraphischer Nähe zu westlichen Vorbildern.

Geschichte der Ikone der Gottesmutter von Vladimir:

* Um 1136 zusammen mit der Gottesmutterikone Pirogoščaja von Konstantinopel nach Kiev gebracht.
* 1155 Die Ur-Vladimirskaja wird durch Fürst Andrej von Bogoljubovo aus Vyšgorod nach Vladimir gebracht.
* 1176 Die Ur-Vladimirskaja wird von den Tataren geraubt.
* 1237 Zerstörung der Ur-Vladimirskaja-Ikone durch die Tataren des Chans Batu in Vladimir.

* Nach 1237 Entstehen der bekannten Ikone der Gottesmutter von Vladimir in Vladimir als Kopie der Ur-Vladimirskaja.
* 1395 kurze Zeit in Moskau. Nach dem Rückzug Tamerlans zurück nach Vladimir. (Quelle: Tipografskaja letopis', Beginn der 1480er Jahre.)
* 1408 oder 1410 raubte der Tataren-Chan Talyč den goldenen Oklad der Ikone in Vladimir. Wahrscheinlich wurde gleich danach auch die Malerei restauriert.
* Nach 1420 Stiftung eines goldenen Oklad durch den Metropoliten Fotij an die Vladimirskaja in Moskau und an die Kopie in Vladimir.
* Zwischen ca. 1420 und vor 1518, wahrscheinlich 1480, wurde die alte Ikone (wohl erneut) übermalt (sog. 13. Jh. im Schema): die linke Hand berührt von nun an den Chiton-Ärmel des Christus-Kindes.
* 1480 ist die Vladimirskaja endgültig in Moskau in der neuen, 1479 geweihten Mariä-Entschlafen-Kathedrale des Kreml. Danach vielleicht nur kurz wieder in Vladimir.
* 1495–1511: Metropolit Simon; er stiftet die Vladimirskaja-Zapasnaja, gen. nach ihm Simonovskaja für die Mariä-Entschlafen-Kathedrale des Moskauer Kreml, die eine Kopie der übermalten Ikone ist.
* 1514 (21. 5.) Restaurierung der Ikone und Stiftung eines Kiot durch den Metropoliten Varlaam (Quelle: Skazanie o ponovienii . . . ikony Vladimirskija; Sof. let [PSRL 6, S. 254] und Voskr. let. [PSRL 8, S. 254])
* 1526 fertigt Simeon Jakovlev eine Kopie für die Sophien-Kathedrale in Novgorod an. Auch diese Kopie wiederholt den übermalten Zustand und entstand folglich in Moskau.
* 1566 Restaurierung der Ikone durch den Metropoliten Afanasij.
* 18. Jh.: angenommene Restaurierung
* Nach 1812 mögliche Restaurierung (nach D. A. Rovinskij)
* 1896 Restaurierung durch O. S. Čirikov und M. I. Dikarev zur Krönung Nikolajs II.
* 1914 Restaurierung
* 20. 12. 1918–5. 4. 1919 Freilegung durch G. O. Čirikov.
* 1930 Überführung in die Tret'jakov-Galerie, Moskau

Konstantin, Helena und Agathe, 1. Hälfte 16. Jahrhundert, Ikonen-Museum Recklinghausen

Zuzana Skálová

DIE SEMIOTIK MITTELALTERLICHER RUSSISCHER IKONEN, IHRE BESCHÄDIGUNG, RESTAURIERUNG, NACHAHMUNG UND FÄLSCHUNG

I.

Wenn wir versuchen würden, eine alte russische Ikone zu korrigieren und die »Sünden« gegen die Perspektive zu berichtigen, würde das dazu führen, daß eine solche Ikone gar keine mehr wäre, d. h. kein heiliges Bild im eigentlichen Sinne des Wortes. Gerade die Ikonen, bei denen die Abweichung von der linearen, scheinbar logischen, westlichen Perspektive am auffälligsten ist, wecken häufig die Begeisterung und Bewunderung der Kenner.[1]

Diese *umgekehrte Perspektive* und Verzeichnung auf mittelalterlichen Ikonen, die für Zeitgenossen verständlich war – und den heutigen orthodoxen Gläubigen nicht stört –, kann jedoch dazu führen, daß die Ikonen den ungeschulten Betrachter befremden und er sie deshalb oft a priori ablehnt. Andere aber werden durch Stücke solchen Charakters zu unrichtigen Datierungen verleitet, weil sie sie für älter halten.[2]

Den religiösen, funktionellen Status einer Ikone als Gegenstand der Verehrung und die sich daraus ergebenden psychologischen und sozialen Folgen, aber auch dessen formale Konsequenzen, zu denen unter anderem die Geschichte ihrer Restaurierung gehört, gibt es nicht in Ländern, in denen die byzantinische Kultur weder heimisch noch bekannt oder gar erforscht war.[3] Auszunehmen sind hierbei einige wenige Experten; und die werden oft zum Schweigen gebracht.

Um die von der russischen Wissenschaft »Novodely« genannten Nachbildungen von mittelalterlichen Ikonen zu unterscheiden, sollte man zwei Disziplinen studieren:

1. die Technik der Ikonenmalerei, der religiös motivierten Renovierung einerseits und der kommerziellen Restaurierung andererseits, sowie
2. die Semiotik, die Zeichensprache der alten Ikonen mitsamt deren »Deformierungen« und deren spezieller Perspektive, welche nämlich theologischen Charakter haben.

1 Eingehender dazu: B. A. Uspenskij: K issledovaniju jazyka drevnej živopisi, in: L. F. Žegin: Jazyk živopisnogo proizvedenija (Uslovnost' drevnego iskusstva), Moskau 1970.

2 In zahlreichen Sammlungen des Abendlandes gibt es problematische Ikonen, die schwer zu datieren sind und oft dem Mittelalter zugewiesen werden ohne eine wissenschaftlich-technische Untersuchung; z. B. in den Katalogen des Ikonenhandels De Wijenburgh aus den Jahren 1979 und 1980 und in dem Katalog »Golden Light: Masterpieces of the Art of the Icon«, Koninklijk Museum voor Schoone Kunsten, Antwerpen 1988.

3 In meiner Praxis als Ikonenrestauratorin bin ich diesem Phänomen problematischer Datierungen – wie zu erwarten – im kommerziellen Sektor begegnet, aber nicht nur dort, sondern auch in Gesprächen mit erfahrenen Fachleuten, Spezialisten auf dem Gebiet der mittelalterlichen Kunst in Westeuropa. Nachahmungen und Restaurierungen mittelalterlicher Ikonen verschiedener Art, häufig von grober Qualität, wecken mitunter nicht den geringsten Verdacht.

Bestimmte Aspekte dieser Zeichensprache der Ikonen gehören ganz allgemein der mittelalterlichen Malerei an. Die orthodoxe Theologie hat jedoch darüberhinaus ihr eigenes, autonomes System entwickelt. Wir wollen uns auf die formalen Aspekte konzentrieren, die kennzeichnend sind für alte russische Ikonen, aber nicht für deren Nachbildungen.

In der Sowjetunion wurden nach 1917 Ikonen sowohl in den Kirchen als auch bei vielen Privatsammlern konfisziert und Kunsthistorikern, Konservatoren und Restauratoren übergeben. Der atheistische Staat wurde so, paradoxerweise, zum bedeutendsten Zentrum der wissenschaftlichen Erforschung religiöser Kunst auf der Welt.[4] Von den wundertätigen, nachgedunkelten und oft übermalten Ikonen wurden die kostbaren Verkleidungen (Rizen) abgenommen. Die Ikonen selbst wurden von ganzen Teams von Spezialisten sorgfältig gereinigt.[5]

Die neu entdeckten mittelalterlichen Ikonen bestätigten die Worte von N. P. Kondakov: »Bisher studierten wir nur die Olifa (Firnisschicht), und von dem Wesen der Dinge hatten wir keine Ahnung.«

In den letzten Jahren sind endlich einige unauffällige, aber sehr wichtige Bücher erschienen, die sich auf die Entwicklung der Würdigung, das Sammeln, die Restaurierung, und daher auch auf das Fälschen russischer Ikonen beziehen: Das historiographische, technische und semiotische Studium der orthodoxen Kultur der letzten Jahrzehnte deutet verschiedene Aspekte der Ikonen, die jahrhundertelang unverstanden, weil vergessen oder verdeckt geblieben waren.[6]

Forscher wie Florenskij, Žegin oder B. A. Uspenskij gehen von der Voraussetzung aus, daß in der Ikonenmalerei nichts zufällig oder naiv ist, sondern alles speziell von Theologen durchdacht.[7]

Der semiotische, d. h. zeichensprachliche Charakter der Ikonen war den Kirchenvätern nicht nur bekannt, sondern wurde sogar zu einem Dogma erhoben. Ein Isograph wurde und wird von der Kirche traditionsgemäß einem Priester gleichgestellt: »Anstatt sich des Wortes zu bedienen, malt er, beschrieb so und belebt den Körper.«[8]

Die Tradition besagt, daß Ikonen Nachbildungen sind von Nachbildungen der ersten heiligen Bilder, der Bildnisse von Heiligen, häufig nicht von menschlicher Hand gemalt. B. A. Uspenskij vergleicht das mit dem Abschreiben der heiligen Schrift: Die zahlreichen Kompositionen des gleichen Sujets sind gleichsam Übertragungen des ursprünglichen Originals in viele verschiedene Sprachen.[9]

Dieses Phänomen wird außerdem durch die Terminologie der Isographen bestätigt. Die Handlung des Malens einer neuen Ikone nach altem Muster heißt eine »Übertragung«. Ikonen wurden

4 Vergleiche die Fachterminologie: drevnerusskoe iskusstvo = kirchliche Kunst; tempernaja stankovaja živopis' = Ikonen.

5 I. E. Grabar: Voprosy restavracii, I, Moskau 1926.
I. E. Grabar: O drevnerusskom iskusstve. Sbornik stat'ej, Moskau 1966.
A. I. Anisimov: The Icon of Our Lady of Wladimir, Seminarium Kondakovianum, Prag 1928.
S. P. Rjabušinskij: Zametki o restavracii ikon, in: Seminarium Kondakovianum IV, Prag 1931, S. 289–295.

6 J. G. Bobrov: Istorija restavracii drevnerusskoj živopisi, Leningrad 1987.
V. V. Filatov (Hg.) u. a.: Restavracija stankovoj tempernoj živopisi, Moskau 1986.
O. V. Lelekova: Ikonostas Uspenskogo sobora Kirillo-Belozerskogo monastyrja 1497 god. Issledovanie i restavracija, Moskau 1988.
G. I. Vzdornov: Istorija otkrytija i izučenija russkoj srednevekovoj živopisi. XIX vek, Moskau 1986.

7 Siehe Uspenskij/Žegin 1970.

8 B. A. Uspenskij: The Semiotics of the Russian Icon, Lisse 1976, S. 10 und Anm. 19, 20.

9 B. A. Uspenskij, 1970.

nicht gemalt sondern »geschrieben«, nach genau festgelegten Regeln, die in Musterbüchern erhalten geblieben sind. Außerdem wurde jede Ikone mit einer Aufschrift versehen. Ohne solch eine verbale Identifizierung wurde eine Ikone nicht als vollständig betrachtet.[10]

Die theologische Perspektive ermöglichte dem mittelalterlichen Isographen den Ausdruck einer religiösen Tiefe, die nicht bildlich darzustellen ist. Um für den Gläubigen die Kontemplation der Ikone zu einem Weg der Erkenntnis werden zu lassen – wie das Lesen eines geistlichen Traktats – mußte mehr dargestellt werden als etwa nur die äußere Realität der biblischen Ereignisse. Die Ikone mußte einen höheren, theologischen Sinn erhalten.[11]

Die Ikonenmaler, die im Geiste des mittelalterlichen Mystizismus schufen, setzten sich mit diesem Problem – der Verbindung des Gewöhnlichen mit dem Höheren – eben mit Hilfe der umgekehrten Perspektive und dem System der bereits erwähnten Zeichen auseinander, als da zum Beispiel wären: abstrahierte und stilisierte Natur und Architektur, unrealistische Deformationen und ebensolche Haltungen der Heiligen (die hieratisch bedeutendsten Figuren sind weniger deformiert, gewöhnlich in einer ruhigen Haltung dargestellt), irreale Vereinigung von Personen und Dingen, keine klare Trennung von Interieur und Exterieur usw.[12]

Die Welt, die uns aus den Ikonen anblickt, will nicht die reale Welt sein, nicht einmal eine an der Realität orientierte Welt. Sie erscheint uns Heutigen alogisch, wirkt aber sehr suggestiv. Das gilt zum Beispiel für die sublime »Heilige Dreifaltigkeit« von Andrej Rublev.

Im 17. Jahrhundert wird der Verfall dieses geistlichen Aspektes in der russischen Ikonenmalerei offenkundig; das Transzendente beginnt in genrehaft reichen, immer realistischeren Szenen unterzugehen. Unter dem Einfluß des Abendlandes trat diese Wandlung zuerst in den sogenannten *Frjažskie pisma* auf und fand ihren Höhepunkt in jenen Ikonen, die beeinflußt wurden durch den ukrainischen Barock-Stil und noch später durch den der Deutsch-Nazarener.

Die frommen russischen Gläubigen ehrten nur jene Ikonen, die von orthodoxen, russischen (oder griechischen) Isographen gemalt (»geschrieben«) waren.[13] Deshalb blieb die Ikonenmalerei jahrhundertelang in kirchlichen Kreisen, innerhalb eines Kanons. Ihre Profanierung hängt mit der Verwestlichung Rußlands (und Griechenlands) zusammen. Deshalb sammelten die Altgläubigen alte Ikonen – und das führte, wie sich aus der erwähnten Literatur ergibt, zu einiger Verwirrung. Darüber später noch mehr.

Eine parallele Entwicklung ist für das Restaurieren von Ikonen festzustellen. Bis in das zweite Drittel des 19. Jahrhunderts war diese – von gewissen Ausnahmen schon im 18. Jahrhundert abgesehen – hauptsächlich traditionell orientiert. Diese sogenannte religiöse Restaurierungsmethode war auf die Funktion der Ikonen ausgerichtet. Es ging vor allem um die Erhaltung des Bildes, des Zeichens. Theorien gab es nicht. Es war eine ganz besondere Verehrung der heiligen Bilder, um die es ging.[14]

Der Wunsch, die Ikone wieder wie neu, jedoch in ihrer ursprünglichen Gestalt zu sehen und das Gebet an sie richten zu können, so wie sie einst gemalt worden war, führte zur Verhüllung der

10 B. A. Uspenskij, 1976, S. 11.

11 B. A. Rausenbach: »Ikonografija kak sredstvo peredači bogoslovskoj mysli«, in: Russkaja mysl', Nr. 3730, 26. 6. 1988; Literaturbeilage Nr. 6.

12 B. A. Uspenskij, 1976, S. 59–72 und eingehender dazu Uspenskij/Žegin, 1970.

13 B. A. Uspenskij, 1976, S. 27–28 und Anm. 51.

14 J. G. Bobrov, 1987, S. 9–51.

Spuren des Alterns und der Beschädigung, die häufig durch Devotion verursacht worden waren. Schon in der Zeit von Dmitrij Donskoj aber wurde, wie man sagen könnte, ideologisch restauriert. Systematisch wurden nämlich die Denkmäler, die mit der Erinnerung an das unabhängige Rußland vor dem Einfall der Mongolen zusammenhingen, restauriert. Im 16. und 17. Jahrhundert gab es, den Chronisten und Reisenden zufolge, in Moskau geradezu einen Kult der Erneuerung alter Ikonen, an dem sogar der Zar und die Patriarchen teilnahmen. Wundertätige Ikonen wurden in Prozessionen mitgetragen, ohne Rücksicht auf das Wetter, oft gerade aus Anlaß ihrer Erneuerung. Bei diesen Gelegenheiten wurden auch Kopien dieser Ikonen angefertigt, für die neue Kirchen gegründet wurden, wo diese Nachbildungen dann untergebracht und verehrt wurden.[15]

Andere Ikonen blieben das ganze Jahr über Wind, Regen oder Sonne ausgesetzt, im Eingang von Kirchen, Häusern oder an Wegkreuzungen. Die meisten hingen jahrhundertelang an den kalten, feuchten Wänden der Kirchen oder an den ungeschützten Ikonostasen. Vor ihnen brannten Tag und Nacht Öllampen und Hunderte von Kerzen. Das Festnageln schwerer Metallbekleidungen, gestiftet von dankbaren Spendern, hinterließ weitere Stigmata.

Die wiederholten, von religiösen Gefühlen inspirierten Restaurierungen gefährdeten, ja zerstörten also häufig die Ikonen. Soweit sie sich allerdings auf Übermalungen beschränkten, die direkt auf die nachgedunkelte Olifa angebracht wurden, haben sie die Malsubstanz mittelalterlicher Ikonen hingegen in ihrem ursprünglichen Zustand erhalten.

Die gottesfürchtigen Erneuerer bemühten sich, das Aussehen des heiligen Bildes, das sie »auffrischten«, so getreu wie möglich zu wiederholen. Trotzdem konnten sie es sich nicht versagen, künstlerische »Unzulänglichkeiten« des mittelalterlichen *Primitiven* zu verbessern. Auch die Rizy, die wiederholt für alte, wundertätige und demnach übermalte Ikonen bestellt wurden, verraten den Versuch einer Korrektur bestimmter archaischer Stilelemente der Ikone, die vor Jahrhunderten gemalt worden war. Bei diesen Vorgängen handelt es sich also um einen Versuch der Modernisierung: weder die Übermalungen noch die Bekleidungen folgen den ursprünglichen Konturen getreu. Wiederum liegt ein linguistischer Vergleich nahe, betont B. A. Uspenskij; es ist, als ob z. B. ein Text des 13. Jahrhunderts in die zeitgenössische Umgangssprache übersetzt würde.[16]

Mit Hilfe der Semiotik kann man die oft unbegreiflichen Beschädigungen auf Ikonen verstehen, die Stigmata, die zu zahlreichen Erneuerungen geführt haben. So ist zum Beispiel für den orthodoxen Gläubigen das Christuskind wichtiger als die Muttergottes, die es im Arm hält. Deshalb war es mit dem Glauben nicht zu vereinbaren, das Kind in beschädigtem Zustand anzubeten. Aber, paradoxerweise, führte gerade die Devotion, die dem semiotisch wichtigsten Heiligen auf der Ikone galt, zu seiner Zerstörung: Küsse, Berührungen, die Sehnsucht nach einem heiligen Andenken. Deshalb sind so oft auch die goldenen Hintergründe und Heiligenscheine, die das göttliche Licht symbolisieren, oder die Schutzpatrone beschädigt.

Obwohl die Ikonen spirituell überdauerten, machte ihre Technik sie doch sehr verletzbar. Und so wurden die frommen Gläubigen und die Restauratoren unwissentlich zu Ikonoklasten, weil das tägliche Leben mit den Ikonen und ihre mehrfache Erneuerung zur schnellen Zerstörung ihrer ur-

15 B. A. Uspenskij, 1976, S. 16.

16 B. A. Uspenskij, 1970.

sprünglichen Substanz führten. Weil die frommen »Restauratoren« den religiösen Gehalt der Ikonen erneuern wollten, gingen sie schonungslos mit der Materie um. Nach wiederholter Behandlung wurden einige Ikonen häufig zu Flickwerk. Wenn ein moderner Restaurator den so verlorengegangenen Gehalt einer Ikone wieder erwecken will, gibt es heute nur einen Weg für ihn: die geduldige Arbeit an der ursprünglichen Materie.

II.

Als man im 19. Jahrhundert anfing, die Ikonen zu studieren, hatten die Wissenschaftler schwarze Tafeln vor sich. Parallel zu dem wachsenden Interesse für Ikonen kamen auch Restaurierungswerkstätten auf. Der Markt war umfangreich. Schon Mitte des 19. Jahrhunderts gab es in Rußland über hundert Privatsammlungen. Außerdem entstanden verschiedene kirchliche und staatliche Institutionen.[17] Eine große Rolle spielten die Altgläubigen, die nur alte Ikonen verlangten, womöglich aus Novgorod. Damit wurde die Restaurierungspraxis auf unglückselige Weise kommerziell beeinflußt; eben für sie wurden viele Fälschungen in dem beliebten Stil der Schule von Novgorod des 14., 15. und 16. Jahrhunderts hergestellt.[18]

Das modische, kommerzielle Restaurieren, wie es in der zweiten Hälfte des 19. Jahrhunderts aufkam, spiegelte das neue ästhetische Empfinden aus Europa wieder, das Ikonen aus der neuen, weltlichen Sicht heraus als Kunstwerke bewertete. Es gestattete aber nicht, die künstlerische, semiotische Sprache des Mittelalters zu akzeptieren. Die Ikonen wurden häufig von ausgebildeten akademischen Malern hergestellt, die mittelalterliche Bilder kopierten, aber dabei modern empfanden. Oft verstanden sie die Zeichensprache der Ikonen nicht; das beweisen die schweren Fehler, die sie begingen. Der Versuch einer geometrisch richtigen Perspektive, der mit der Verwestlichung Rußlands im 17. Jahrhundert einsetzte, trat auf diese Weise verräterisch zutage.[19]

Die Ikonenrestauratoren organisierten und spezialisierten sich. In Moskau gab es um 1900 mehr als 20 Werkstätten, von denen viele in den Händen von Altgläubigen waren. Deren wahrhaft kapitalistische Tätigkeit kann man in groben Zügen in drei Gruppen einteilen:

1. Ikonen an der Grenze legaler Restaurierungen. Die Tafel, der Levkas und Teile des Farbgrundes blieben ursprünglich, der Rest wurde übermalt. Ergebnis: das Original war von der Übermalung nicht zu unterscheiden. Hierher gehören auch die *vrezki* (übertragene Ikonenfragmente).
2. Es wurde z. B. eine alte Tafel mit oder ohne Grundierung (Levkas) aus dem 17. oder 18. Jahrhundert benutzt, auf die dann eine Novgoroder Ikone älteren Datums und Stils kopiert wurde, oft eine noch nicht gereinigte. In diese Kategorie gehören auch die sog. *preživki* (Umarbeitungen): eine jüngere Ikone wurde als ältere übermalt.
3. Nachbildungen einer alten Ikone auf einer alten, abgeschabten oder auf einer neuen Tafel, auf Leinwand gemalt, die vor dem Aufkleben zusammengerollt wurde, um ein Craquelé entstehen zu lassen. Die logische Schlußfolgerung aus dieser Entwicklung war nicht nur die vollständige Fälschung sondern auch die Pseudo-Restaurierung dieser *Novodely.*[20]

17 G. I. Vzdornov, 1986.
18 V. I. Antonova/N. E. Mneva: Katalog drevnerusskoj živopisi XI – načala XVIII vv. (Gosudarstvennaja Tret'jakovskaja Gallereja), I., Moskau 1963.
19 Eingehender dazu V. M. Teteriatnikov: Icons & Fakes, I–III, New York 1981.
20 J. G. Bobrov, 1987.

Die Novodely bestätigten wiederum die Gültigkeit der bereits erwähnten, für das Mittelalter kennzeichnenden Symbiose des Gewöhnlichen mit dem Höheren. Und so ging in diesen Erzeugnissen jener höhere Sinn verloren.
Die Novodely wirken oft theatralisch, als wären sie nur Kulissen mittelalterlicher Ikonen in einer Ausstattung für Mussorgskys Oper »Boris Godunov« oder für ein Djagilev-Ballett. Eine aufrichtige, inspirierende Kontemplation ist da unmöglich. Warum? Eben weil das Mißtrauen bezüglich der Datierung die Kontemplation stört, wenn auch nicht jeden, natürlich.
Soviel ich weiß, hat außer Teteriatnikov niemand die Frage der Novodely bearbeitet. In seiner Analyse der Hann-Sammlung stellt er eine interessante These auf: Einen Teil dieser Ikonen sondert er aus als Erzeugnisse des sogenannten »Silbernen Zeitalters«, des russischen Jugendstils.[21] Es handelt sich meist um Ikonen großen Formates und unverkennbarer Würde, technisch ausgezeichnet gemalt. Hier versuchte niemand, einfach nur kopierend etwas nachzumachen; Nachahmungen in diesem Sinne sind es nicht. Kennzeichnend für diese Ikonen sind die hellen, nicht dem Kanon entsprechenden Farben, die stärkere Betonung des Sentiments, die vor der Romantik undenkbar war, und die im Einklang mit dem russischen Jugendstil stehenden fließenden Linien. Ihre Technik ist sublim, aber Ikonen aus dem 12. bis 16. Jahrhundert pflegen nicht in einem so guten Zustand zu sein.[22]
Ein charakteristischer Zug der Ikonen des »Silbernen Zeitalters« ist die Stilisierung, die typisch ist für diese Zeit, die voll Wehmut ihre Inspiration in dem alten, entschwindenden bzw. schon untergegangenen Rußland suchte; und das eben führte zu dem neo-nationalistischen Stil (*Pod russkuju starinu*). Die theologische Tiefe der Orthodoxie wird in diesen Ikonen durch ein Prisma gebrochen, das vom Symbolismus mit seiner Vorliebe für unorthodoxe Mystik beeinflußt war.[23] Diese Ikonen des »Silbernen Zeitalters« kann man mit der besser erforschten neo-nationalistischen Architektur aus dem letzten Jahrzehnt des 19. Jahrhunderts und den ersten Jahren des 20. Jahrhunderts vergleichen: mit dem Marfo-Mariinskij-Kloster an der Bolšaja Ordynka-Straße, mit der abgerissenen Erlöser-Allherrscher-Kirche, beide in Moskau, oder der Erlöser- oder Blut-Kirche (Spas na krovi) in Leningrad, aber auch mit der Ausstattung für die *ballets russes* der ekklektischen Maler um Djagilev: Rerich, Golovin, Stelleckij.
Aber es gibt auch alte Ikonen, die in dieser Zeit restauriert wurden im Stil des »Silbernen Zeitalters« – genauso wie alte Architektur modernisiert wurde.

21 V. M. Teteriatnikov, 1981.
22 Das ergibt sich deutlich aus dem Vergleich mit den wirklich alten restaurierten Ikonen.
Siehe z. B.: Vsesojuznaja konferencija »Teoretičeskie principy restavracii drevnerusskoj živopisi. Doklady, soobščenija, vystuplenija učastnikov konferencii i prinjatye rešenija«, Moskau, 18.–20. 11. 1968 (publiziert in Moskau 1970 mit Abbildungsteil).
23 V. M. Teteriatnikov, 1981, I., S. 83.

III.

Abb. S. 170 Sehr interessant ist in diesem Zusammenhang beispielsweise die prachtvolle russische Ikone »Die Heiligen Konstantin und Helena mit der Hl. Agathe«, die der Schule von Novgorod aus der 1. Hälfte des 16. Jahrhunderts zugeschrieben wird[24] Die drei ausgewählten Heiligen wurden auf dieser großen Kirchenikone in ganzer Gestalt dargestellt. Der Hl. Konstantin und die Hl. Helena stehen zu beiden Seiten eines Kreuzes, das sie emporhalten. Die Hl. Agathe ist frontal abgebildet, an die Hüfte der Hl. Helena gelehnt. In der linken Hand hält sie ein kleines Kreuz.

Konstantin trägt einen grünen Mantel (Dalmatika) und ein rotes Himation. Den Kopf schmückt eine goldene, mit Perlen und Edelsteinen verzierte Kaiserkrone. Seine Mutter Helena ist mit einer roten Dalmatika und einem grünen Himation bekleidet. Unter einer mit Perlen und Edelsteinen geschmückten Krone trägt sie ein weißes Tuch mit einem Rhombenmuster. Die Gewänder der beiden Heiligen sind reich mit ornamentalen Borten verziert, besetzt mit Perlen und Edelsteinen. Die Hl. Agathe trägt ein helles, grau-grünes Maphorion mit einem Rhombenmuster. Über der Stirn ist das Tuch mit einem goldenen Band verziert, besetzt mit Perlen und Edelsteinen; darunter wird eine rosa Haube sichtbar. Das rotbraune Himation ist an den Ärmelstulpen ähnlich ausgestattet wie die Borten.

Die Ikone besitzt eine Reihe von Zügen, die für die Ikonenmalerei in Zentralrußland in der ersten Hälfte des 16. Jahrhunderts kennzeichend sind: Eleganz, prachtvolle Kleidung, kleine Antlitze und Hände.

Auch technisch ist, nach einer flüchtigen Untersuchung mit bloßem Auge und der UV-Lampe, nichts gegen diese Datierung einzuwenden.[25] Die Tafel, auf der die Ikone gemalt wurde, ist von guter Qualität, nichts widerspricht einem Alter von hundert Jahren. Die Bretter der Tafel sind etwas ausgetrocknet, aber das Holz ist in überraschend gutem Zustand. Auch der Levkas ist, wie er sein soll: hell, mit feinem Craquelé, vor allem auf den Antlitzen und Händen, die traditionell auf dem grün getönten Sankir erhellt sind. Die Farben sind transparent.

Auf der Ikone sind einige Restaurierungseingriffe zu sehen. Diese Eingriffe – außer beim Hintergrund – sind weder destruktiv noch korrigierend. Unter ultraviolettem Licht zeigt sich die Olifa als zusammenhängende Fläche, deren Alter mit mindestens hundert Jahren angegeben werden kann.

- Der ursprünglich goldene (?) Hintergrund ist, abgesehen von kleinen Teilchen, abgewetzt, *pod kostočku*, d. h., er hat die Farbe des entblößten Levkas im Elfenbeinton.
- Die Gewänder sind wahrscheinlich übermalt; mit Sicherheit kann das von Falten gesagt werden, die mit einer helleren Farbe auf sie aufgetragen wurden.
- Die Kronen und Ornamente sind übermalt, einschließlich der Perlen und Edelsteine. Auch das Zickzackmuster auf dem Loros ist späteren Datums.

24 »Die Heiligen Konstantin und Helena mit der Hl. Agathe«, 1. Hälfte 16. Jahrhundert, Holz, 116 x 89 cm, Ikonen-Museum Recklinghausen (Inv. Nr. 853); Katalog 1981, Kat. Nr. 348, Farbabb. 57. Eva Haustein u. a.: Ikonen-Museum Recklinghausen (Reihe »museum«), Braunschweig 1985, S. 101.

25 Das jedenfalls war die Meinung der sowjetischen Experten auf dem Kolloquium in Recklinghausen im Dezember 1988.

Vorzeichnung aus dem Stroganov-Podlinnik, 21. + 22. Mai (links: Konstantin und Helena), Nachdruck Moskau 1869

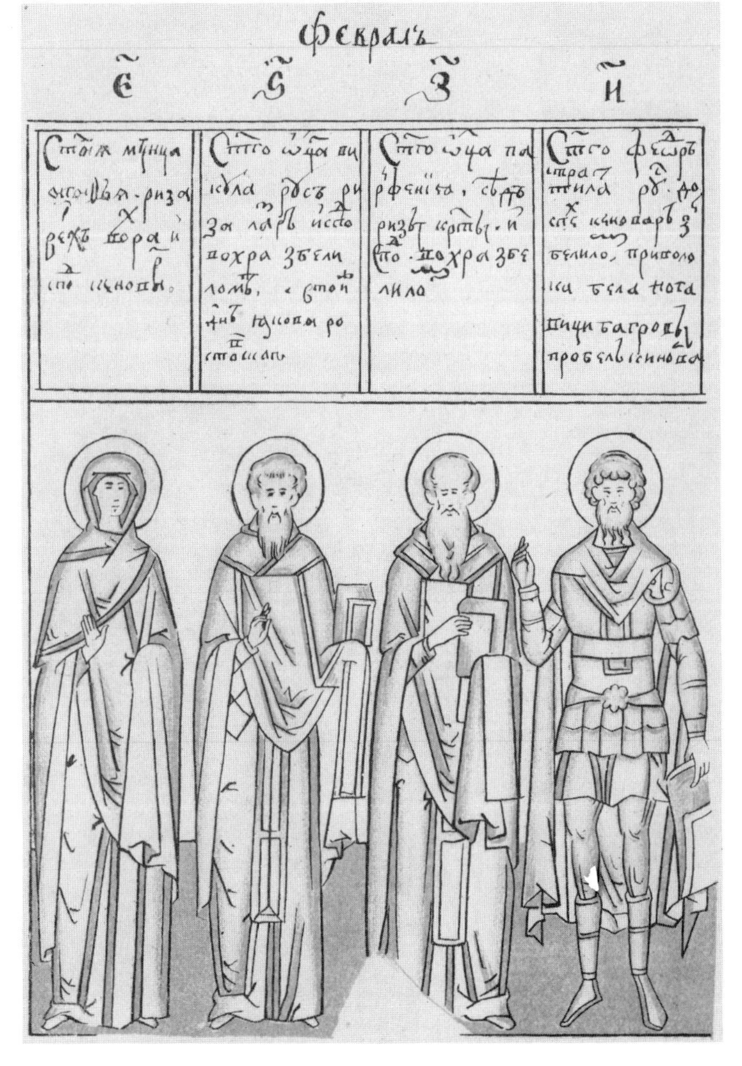

dto, 5.–8. Februar (links: Hl. Agathe)

– Auf den gut erhaltenen Antlitzen befinden sich kleine, mit bloßem Auge sichtbare Retuschen.
– Auch die Beischriften sind, soweit sie sich nicht auf dem goldenen Hintergrund befinden, vermutlich nicht ursprünglich.[26]
– Die rote Kontur des Heiligenscheins ist wahrscheinlich neu: die ursprünglich eingravierten (?) Linien sind – teilweise – jedoch erhalten geblieben.

Konstantin und Helena kommen in der russischen Ikonenmalerei vor. Die Kombination mit der Hl. Agathe, und das auf einer Ikone mit solch großen Abmessungen, könnte durch die Bestimmung für eine Kirche mit Kapellen, die diesen drei Heiligen geweiht waren, erklärt werden, oder aber durch die Namen der Familienmitglieder des Auftraggebers, deren Schutzpatrone die Heiligen waren; vielleicht kann deren Auswahl auch funktionell zu einem besonderen Schutz gedeutet werden.

Aber es gibt noch eine andere Interpretation. Der Name Agathe (russ.: Agafija), griechisch Agape, bedeutet *Liebe Gottes*. Konstantin und Helena wiederum genossen schon immer den Status der Schirmherren der Christenheit und das Epitheton »*apostelgleich*« (rovnoapostolskie). Die Anwesenheit der Hl. Agathe erinnert an ein interessantes Phänomen, das schon im 15. Jahrhundert bekannt war. Die russische Geistlichkeit verehrte nämlich heilige Frauen wegen der besonderen Bedeutung ihrer Namen. Die Hl. Agathe kann also die Personifizierung sein für die Liebe Gottes.[27]

Eine solchermaßen spirituell konzipierte Ikone entspricht dem in der religiösen Kultur des 16. Jahrhunderts durchaus üblichen. Und doch geht mein persönlicher Eindruck von der Ikone dahin, daß es ihr gerade an theologischer Tiefe fehlt.

Die Zeichensprache – Hauptthema dieser Abhandlung – gibt uns nämlich im Falle dieser Ikone mit ihrer Anhäufung von ungewöhnlichen Details doch sehr zu denken:

Abb. S. 178

– die Formgebung des großen Kreuzes mit einem in der russischen Ikonenmalerei ziemlich ungebräuchlich angebrachten unteren Balken[28];

26 Über die Beischriften wage ich nichts zu sagen; das ist eine Aufgabe für einen Experten für kirchenslavische Paläographie.

27 Der imperative Katalog von E. S. Smirnova u. a. über die Novgoroder Ikonen endet leider mit dem 15. Jahrhundert. Frau Dr. Smirnova danke ich für die Beantwortung zahlreicher Fragen hinsichtlich der analysierten Ikone, vor allem für den Hinweis auf die theologische Bedeutung des Namens Agafija = agapē im Kontext der russischen religiösen Geistigkeit des 15. und 16. Jahrhunderts, sowie für die erwähnte Novgoroder tabletka.

28 E. S. Smirnova, V. K. Laurina, E. A. Gordienko: Živopis' Velikogo Novgoroda, XV vek, Moskau 1982, S. 234–236.
Die Autorin hält den für die russische Ikonenmalerei untypisch gemalten unteren Balken des großen Kreuzes nicht für ein »Anathema« (da ein Einfluß des Balkans nicht ausgeschlossen sei /Z. S./). Und tatsächlich: Auf der byzantinischen Ikone aus dem 15. Jh. mit den Hll. Konstantin und Helena, die in dem bereits zitierten Katalog der Novgoroder Ikonen aus dem 15. Jh. abgebildet ist, ist das Kreuz ebenso dargestellt.
Bei der russischen Ikone »Hl. Antonios der Große, Konstantin und Helena mit Paraskeva-Pjatnica und einer unbekannten Märtyrerin« aus dem 15. Jh. (Kat. Nr. 21), ist leider ausgerechnet die Partie mit dem Kreuz vollständig restauriert worden.
Vgl. auch unsere Abb. 2 aus dem Stroganovskij ikonopisnyj ličevoj podlinnik (Ende 16.–Anfang 17. Jh.) – Facsimile: Ikonenmalerhandbuch der Familie Stroganov, München 1965.
Die Vorzeichnung des heiligen Konstantin und der heiligen Helena zeigt ein wesentlich kleineres Kreuz in den Händen, dessen unterer Balken in einer für die russische Ikonenmalerei typischen Weise plaziert ist. Der obere Balken reicht nicht in den Heiligenschein hinein. Die heilige Agathe ist ohne Kreuz dargestellt. Ihre Linke wird durch das Maphorion verdeckt. – Die Auffassung der Semiotik, wonach die »rechte« Hand auf der Ikone eigentlich die »linke« ist und umgekehrt, weil der mittelalterliche Ikonenmaler gleichsam aus dem Innern des heiligen Bildes heraus gemalt hat (siehe: B. A. Uspenskij, 1976, S. 40), lassen wir hier auf sich beruhen, da sie in diesem Falle irrelevant ist.

– die bis in die Nimben hineinreichenden Enden der Kreuzarme;
– die unterschiedliche Größe der Nimben (vielleicht durch die Restaurierung angegriffen?) ist ungewöhnlich. Auch die Hände sind außerordentlich unterschiedlich;
– Die rhythmische Komposition der Figuren und die diagonale Stellung des großen, aber auch des kleinen Kreuzes. (Das große weist sogar schräg in die Raumtiefe, teils von den Figuren verdeckt, teils sie von vorne verdeckend);
– der unklare Ausdruck der historischen Beziehung: die Hl. Helena gehört zum Hl. Konstantin, nicht aber zur Hl. Agathe;
– die Hl. Agathe, die *Liebe Gottes*, wird – anders als es zu erwarten wäre – in einer reichlich eleganten und nicht sehr hieratischen Haltung dargestellt;
– das Kreuz, das die Hl. Agathe in der *linken* Hand hält, anstatt, wie weithin gebräuchlich, in der rechten, und die atypische Art, wie sie das Kreuz hält: eher ermüdet (was eine typisch dekadente Haltung ist) als entschlossen und überzeugt, wie es bei zahlreichen anderen Heiligendarstellungen aus dem 16. Jahrhundert zu sehen ist.

Die einzige Ikone aus dem 16. Jahrhundert, die ich kenne, auf der ein Heiliger das Kreuz in der linken Hand hält, ist die tabletka, die den heiligen Vladimir sowie Boris und Gleb zeigt, wobei der Hl. Gleb das Kreuz in seiner linken Hand hält: eine Anomalie, die durch die Komposition entstanden zu sein scheint.[29]

Wegen all der aufgezählten stilistischen, technischen, ikonographischen und semiotischen Argumente für und gegen die Datierung in die 1. Hälfte des 16. Jahrhunderts würde diese hochinteressante Ikone eine moderne interdisziplinäre Untersuchung verdienen – genau wie ein Gemälde von Rembrandt.[30]

Ansonsten bliebe der Verdacht, daß mit dieser Ikone etwas nicht ganz stimmt. Möglicherweise handelt es sich um eine alte Ikone, die um 1900 restauriert wurde. Oder handelt es sich gar um eine besonders gelungene Ikone in pseudo-altrussischem Stil?

Die Ergebnisse solch einer Forschung von Theologen, Kunsthistorikern, Restauratoren und Naturwissenschaftlern (dokumentiert mit Infrarot- und UV-Fotos, Röntgenaufnahmen und Pigmentanalysen) kann hoffentlich die drängendste Frage dieses Referates beantworten:

Ist es möglich, daß schon im 16. Jahrhundert die russischen Ikonenmaler einer effektvollen Komposition den Vorrang eingeräumt haben vor den kirchlich fundierten ikonographischen Traditionen?

Übersetzung aus dem Tschechischen: Magda van Emde-Boas. Bernhard Bornheim möchte ich für die kollegiale Hilfe hinsichtlich der Fachterminologie im Deutschen und für die kritische Konsultation des Textes danken.

29 V. N. Lazarev: Stranici istorii novgorodskoj živopisi. Dvustoronnie tabletki iz sobora sv. Sofii v Novgorode, Moskau 1983, Taf. XXII.

30 Es gibt nämlich mehr derartige Ikonen, z. B. Nr. 92 in dem Katalog »Golden light«, Antwerpen 1988. Für das Besondere dieser Ikonen wäre in jedem dieser Fälle ein fachmännisches Urteil unerläßlich.

Heinrich L. Nickel

DIE IKONENSAMMLUNG IM SCHLOSSMUSEUM ZU WEIMAR UND IHR BEGRÜNDER

Über eine frühe Sammlung russischer Ikonen in Weimar zu berichten und nicht wenigstens eingangs auf das Interesse Goethes an der Ikonenmalerei hinzuweisen, wäre kaum vertretbar. Es begann mit dem Einzug der schönen, klugen und geistvollen Zarentochter Maria Pavlovna 1804 als Fürstgemahlin in Weimar. Dieses Ereignis bot Goethe Anlaß und Gelegenheit, sich aus erster Hand über Rußland und seine Kulturtradition zu informieren.[1]

Die russische Kapelle für die Fürstin wurde im Erdgeschoß des Hauses der Frau von Stein eingerichtet, in Räumen, die ehedem als Pferdeställe gedient hatten. Nun drangen, wie man in Weimar scherzhaft berichtete, nach der Ablösung des Pferdegeruches durch chemische Dünste, Weihrauchdüfte nach oben![2]

Zur Gemeinde gehörten zwanzig Personen, darunter drei Kleriker und vier Sänger. Mit dem Priester und dem Diakon führte Goethe mehrfach Gespräche, wie aus seinen Tagebuchaufzeichnungen, insbesondere aus dem Jahre 1811, hervorgeht. In den folgenden Jahren, besonders nach der Völkerschlacht bei Leipzig, besuchten auf der Durchreise mehrfach russische Delegationen Weimar, wodurch sich Goethe zusätzliche Informationsquellen erschlossen. Vermutlich weckte das Erlebnis des russischen Gottesdienstes in der Weimarer Kapelle Goethes Interesse an der Ikonenmalerei. In einem Briefkonzept von 1814 sind die Fragen enthalten, die Goethe bezüglich der Ikonenmalerei geklärt zu wissen wünschte.[3]

»Russische Heiligenbilder«

»In der Stadt Souzdal, welche ehemals der Mittelpunct eines Gouvernements gewesen, gegenwärtig aber zum Gouvernement Wladimir gehört, werden sowohl in der Stadt als auch in den Dörfern des umliegenden Bezirks diejenigen Bilder verfertigt, welche nicht nur der Gegenstand als die äußere Veranlassung des russischen Gottesdienstes genant werden können. Diese heiligen Bilder werden auf Holz-Täfelchen gemalt, in Metall halb erhaben gegossen, mit dem Grabstichel eingegraben, emaillirt, wahrscheinlich auch in Holz geschnitzt. Ob daselbst auch freystehende

1 Die Frage »Goethe und die russische Ikonenmalerei« ist in zwei grundlegenden Aufsätzen behandelt worden, auf die ich mich in den folgenden Ausführungen stütze: M. P. Alekseev: Goethe-Miscellen I, Goethe und die altrussische Malerei, in: Germanoslavica, Vierteljahresschrift für die Erforschung der germanisch-slavischen Kulturbeziehungen, Jg. 2, 1932/33, S. 60 ff; H. Wahl: Goethes Anstoß zur russischen Ikonenforschung, in: Goethe, N. F. des Jahrb. der Goethegesellschaft, Bd. 10, 1947, S. 219 ff.

2 H. Wahl 1947, S. 219.

3 Zitiert nach Goethe, Weimarer Ausgabe 1900, Bd. 49, 2. Abt., S. 238 f.

Bildnisse der Heiligen verfertigt werden? ist zweifelhaft, weil Peter der Große die Statuen in den Kirchen verboten.«

»Von jenen Gegenständen wünschte man eine detailirtere Nachricht, sowohl in Absicht auf deren Fabrikation, die Anzahl der Menschen, die sich damit beschäftigen, als auch inwiefern diese Arbeiten für einen bedeutenden Handelszweig gelten können?«

»Könnte man erfahren, wie lange eine solche Anstalt sich an diesem Orte befindet? Ob noch alte griechische Bilder vorhanden sind, nach welchen Mustern fortgearbeitet wird? Ob vorzügliche Künstler unter den Souzdalern sich ausgezeichnet? Ob alles daselbst in dem heiligen Styl gearbeitet wird? oder ob auch andere Gegenstände und auf eine modernere Weise behandelt werden? Am angenehmsten wäre es, Musterstücke von jeder Art dieser Bilder, wenn auch nur im kleinsten Format, zu erhalten, womöglich von den jetzt lebenden Künstlern, weil es belehrend für den Kunstfreund seyn müßte, wie ein, aus den ältesten Zeiten von Constantinopel her abgeleiteter Kunstzweig, bis auf unsere Tage sich unverändert durch eine stetige Nachahmung erhalten, da in allen anderen Ländern die Kunst fortgeschritten und sich von ihren ersten strengen religiösen Formen entfernt hat.«

Der Fragenkatalog macht deutlich, daß Goethe durch seine Weimarer Gesprächspartner keine ausreichend genauen Antworten hatte erhalten können. Zu groß war offensichtlich der Abstand der Petersburger Hofgesellschaft zur russischen Volksfrömmigkeit und traditionellen Sakralkunst. Überraschend ist freilich für die Zeit vor der romantischen Rückbesinnung auf die religiöse Malerei des Mittelalters die genaue und auf wesentliche Punkte zielgerichtete Formulierung der Fragen, die in kunstsoziologische und kunstpsychologische Bereiche vordringen. Obwohl Goethes Brief an den Zarenhof gelangte und seine Erledigung in die Wege geleitet wurde, erhielt Goethe weder die erbetenen Ikonen noch eine Antwort auf seine Fragen.

Der gesamte Vorgang, soweit er noch zu rekonstruieren war, wurde in gebotener Ausführlichkeit in grundlegenden Untersuchungen durch M. P. Alekseev (1933) und H. Wahl (1947) dargestellt. Darauf stützen sich auch die vorangehenden Zeilen.

Von der Ikonenausstattung der Kapelle im Hause der Frau von Stein haben sich keine Reste erhalten. Nach dem Tode von Maria Pavlovna 1859 wurde für die Zarentochter hinter der Fürstengruft eine mit Zwiebeltürmen bekrönte Grabkapelle errichtet, die die Erinnerung an eine Periode enger Beziehungen zwischen Weimar und Rußland wachhält!

Die Nachforschungen Goethes zur russischen Ikonenmalerei blieben in Deutschland ohne Wirkung. Die Kunstgelehrten Mitteleuropas nahmen im 19. Jahrhundert die russische Ikonenmalerei entweder nicht zur Kenntnis oder lehnten sie ab. Noch zu Beginn des 20. Jahrhunderts, als die mehrbändige, mit Lichtdrucktafeln ausgestattete Prachtpublikation Lichačevs »Materialien zur Geschichte der russischen Ikonenmalerei« (St. Petersburg 1906) erschien und Oskar Wulff einige Ikonen für das Kaiser-Friedrich-Museum erwarb (Katalog 1909), wurden diese Aktivitäten von einer breiteren Öffentlichkeit kaum registriert.[4]

4 Ein kurzer Abriß zur Sammlungsgeschichte der byzantinischen und russischen Kunst wird von K. Weitzmann: The St. Peter Icon of Dumbarton Oaks, Dumbarton Oaks Collection 1983, geboten. Vgl. auch H. L. Nickel (Hg.): Ikone und frühes Tafelbild. Kongreß- und Tagungsberichte der Martin-Luther-Universität Halle-Wittenberg, WB 1986/87 (H. 6), Halle 1988, S. 9 f.; und M. Winkler: Anfänge moderner Ikonenforschung, in: Jahrb. f. Gesch. Osteuropas NF 1953, Bd. 1, S. 270 ff.

Die Siebenschläfer von Ephesos, frühes 19. Jahrhundert, Schloßmuseum Weimar; 1938 durch den Kommissionär Bodenheim in R. Lepkes Kunst-Auktionshaus zu Berlin ersteigert

So war es kaum dem kunstpädagogischen Einfluß der Gelehrten zu verdanken, wenn der Weimarer Bürger und junge Jurist Dr. Georg Haar, Sohn des Textilkaufmanns Kommerzienrat Otto Haar, sich als einer der ersten Kunstfreunde Deutschlands schon kurz nach dem Ersten Weltkrieg dem Sammeln und dem Studium von Ikonen in leidenschaftlicher Weise widmete.

Georg Haar war erstmals während des Ersten Weltkrieges als Offizier an der Ostfront mit orthodoxen Kirchen und ihrer Bildausstattung in Berührung gekommen. Mehr als ein Jahrzehnt später berichtete er in einem Brief an seinen ehemaligen Kriegskameraden Prinz Philipp von Hessen (27. Juni 1933) über den Beginn seiner Ikonensammlung:

»Ich habe seitdem immer Ikonen gesammelt, soweit das mit bescheidenen Mitteln geschehen konnte, und besitze jetzt etwa 40 gemalte und etwa ebensoviel in Metall gegossene oder in Email. Dem Studium dieser Dinge anhand der allmählich wachsenden Literatur verdanke ich eine beglückende Liebe zu ihnen. Ich habe mich mit den deutschen auf diesem Sondergebiet tätigen Kunstgelehrten bekannt gemacht und freue mich wie ein Kind über jedes Museum, das dem Beispiel des Kaiser-Friedrich-Museums folgt und zur Ausstellung von Ikonen übergeht . . .«

Über die Person des engagierten Bibliophilen und Kunstsammlers ist wenig bekannt. Die wichtigsten Quellen bieten sein Lebenslauf im Anhang an seine Dissertation von 1910 und der Schriftwechsel, der sich auf die Ikonensammlung bezieht. Letzterer befindet sich im Archiv des Schloßmuseums zu Weimar.[5]

Georg Haar wurde am 17. November 1887 in Weimar als Sohn des Kaufmanns Kommerzienrat Otto Haar geboren. In Weimar verbrachte Georg Haar seine Kindheit und frühe Jugend. Die Familie Haar bewohnte eine pompöse neubarocke Villa, die Otto Haar von dem Juristen Wilhelm Voigt gekauft hatte. Das Anwesen lag auf dem Höhenzug am Ilmtal unweit Goethes Gartenhaus. Den Besuch des Gymnasiums in seiner Heimatstadt schloß Georg Haar 1906 mit dem Abitur ab. In den folgenden Jahren studierte er Jura an den Universitäten von Lausanne, Bonn und Jena, wo er 1910 promovierte. Am Ersten Weltkrieg nahm Georg Haar als Offizier teil. An der Ostfront, im polnisch-ukrainischen Grenzbereich, lernte er – wie schon erwähnt – russisch-orthodoxe Kirchen mit ihrer Ikonenausstattung kennen. Nach dem Kriege war er als Assessor und später als Rechtsanwalt in Braunschweig tätig, wo sein Vater eine Filiale seines Betriebes unterhielt.

1934 heiratete Georg Haar Felicitas Huch, die in erster Ehe mit Roderich Huch, einem Neffen Ricarda Huchs, verheiratet gewesen war. Felicitas brachte zwei Söhne in die Ehe mit. Gemeinsam hatte das Ehepaar Haar keine Kinder. Nach dem Tode seines Vaters übernahm Georg Haar die Leitung der Firma und siedelte nach Weimar über, wo er die Familienvilla bezog. Sein Bruder Max übernahm die Braunschweiger Zweigstelle. Zum Unternehmer scheint Georg Haar weder Neigung noch Begabung besessen zu haben, denn er überließ zunehmend die Geschäftsführung seiner Frau Felicitas und widmete sich voll seinen eigentlichen Interessen, der Sammlung und dem Studium seltener Bücher und Ikonen.

5 Georg Haar: Erläuterung der §§ 280, 281 BGB. Iur. Diss. Jena 1910. Der Lebenslauf ist, soweit ich feststellen konnte, nur im Jenenser Exemplar der Dissertation enthalten. Im Archiv der Kunstsammlungen zu Weimar (Schloßmuseum) befindet sich ein Aktenordner mit dem Briefwechsel Georg Haars, ausschließlich die Ikonen- und Büchersammlung betreffend. Privatbriefe sind nicht enthalten. Schriftstücke daraus werden im folgenden als »Akte Haar« zitiert.

Geburt Christi, 16. Jahrhundert, Schloßmuseum Weimar

Maksim Grek, 17. Jahrhundert, Schloßmuseum Weimar

Während des Zweiten Weltkrieges fielen beide Söhne seiner Frau als Soldaten. Vereinsamt und krank erlebte das Ehepaar das Kriegsende in Weimar. Im Testament bestimmte Georg Haar, daß die Villa in städtischen Besitz überginge und in ein Heim für Kriegswaisen umzuwandeln sei. Die kostbare bibliophile Sammlung stiftete er der Thüringischen Landesbibliothek mit dem Hinweis, daß weniger wertvolle Bücher als Handbibliothek in der Villa verbleiben sollten. Die Ikonensammlung solle geschlossen in den Besitz der Kunstsammlungen Weimar übergehen.

Am 22. Juli 1945 setzte das Ehepaar Haar in der Weimarer Villa seinem Leben selbst ein Ende. Die Testamentsverfügungen wurden erfüllt. In der Villa befindet sich bis heute ein Kinderheim. Über 2000 Bände der Haarschen Bibliothek gehören zum Bestand des Nachfolgers der Landesbibliothek, der Zentralbibliothek der deutschen Klassik in Weimar. Für den Benutzer sind die Bücher aus der Haarschen Stiftung leider kaum erkennbar, denn der ehemalige Besitzer hatte es aus ästhetischen Gründen vermieden, in ihnen Exlibris oder Eintragungen anzubringen.[6] Die Ikonensammlung wurde durch den damaligen Direktor der Staatlichen Kunstsammlungen, Walter Scheidig, übernommen und in den Bestand des Schloßmuseums eingefügt. Dazu gehörten auch 75 Fachbücher, z. T. kostbare oder seltene Werke zur byzantinischen und osteuropäischen Kunstgeschichte.

Nach eigenen Angaben wurde Haar durch das Erlebnis Rußlands zum Ikonensammeln angeregt. Voraussetzung des Kunstsammelns – also nicht eines bloßen Zusammentragens von Raritäten – ist der ästhetische Genuß, den die Kunstwerke dem Sammler bereiten. Im Falle der Ikonen, deren Malstil der Sehgewohnheit des 19. Jahrhunderts diametral widersprach, war eine Einfühlung besonders schwierig. Die Kunstwissenschaft bot kaum Hilfe für eine Annäherung an die ostkirchliche Tafelmalerei, eher schon die zeitgenössische bildende Kunst. Die Farbgraphik des Jugendstils beschränkte sich auf eine begrenzte Farbpalette und umschloß die Farbflächen mit schwingenden Linien. Sie bezog sich dabei auf fernöstliche Holzschnitte. Die bibliophilen Neigungen erleichterten Haar selbstverständlich den Zugang zur zeitgenössischen Buchgraphik, ebneten ihm aber auch den Kontakt zu Schriftstellern und Künstlern. Eine späte Bestätigung für den freundschaftlichen Verkehr des Ehepaares Haar in Künstlerkreisen findet sich in einem Brief von Clara Rilke-Westhoff vom September 1940, worin sie Haar um ein Gutachten über eine Ikone aus dem Nachlaß von Rainer Maria Rilke bittet.[7]

Rilke hatte sich 1899 und 1900 jeweils für mehrere Monate in Rußland aufgehalten. Während er sich bei der ersten Reise besonders für die neuere russische Literatur und Malerei interessierte und mit dem Erlernen der russischen Sprache begann, widmete er sich beim zweiten Aufenthalt in stärkerem Maße der älteren Kultur und Kunst. Am 8. Mai (alten Stils) 1900 besuchte er unter

6 1986 wurde an der Bauhochschule Weimar eine Diplomarbeit unter dem Titel »Die Sammlung Dr. Georg Haar in der Thüringischen Landesbibliothek Weimar« vorgelegt. Eine Durchschrift des Typoskripts befindet sich im Archiv der Bibliothek.

7 Akte Haar, 7. 9. 1940; Zu Rilkes russischen Reisen immer noch grundlegend (einige später nicht wieder veröffentlichte Briefe enthaltend): S. Brutzer: Rilkes russische Reisen, Phil. Diss. Königsberg 1934; Frau Lou Andreas-Salomé war für Rilke auf beiden Reisen eine kenntnisreiche Reisebegleiterin und Gesprächspartnerin. Schriftliche Zeugnisse zu den Reisen in: Rainer Maria Rilke: Briefe und Tagebücher aus der Frühzeit, 1899–1902, Herausg. R. Sieber-Rilke und C. Sieber, Leipzig 1931; Eine erweiterte Dokumentation in: K. Asadowski (Hg.): Rilke und Rußland, Briefe und Erinnerungen, Berlin und Weimar 1986.

Geburt der Gottesmutter, 16. Jahrhundert, Schloßmuseum Weimar; Dr. Haar erwarb die Ikone 1934 für 225 M von der Kunsthandlung Cassirer in Berlin

sachkundiger Führung eines Priesters in Moskau die Kremlkathedralen und eine Woche später das Dreifaltigkeitskloster des hl. Sergij in Zagorsk. Ende Mai reiste er nach Kiev und weiter nach Südrußland. Die Begeisterung Rilkes ging so weit, daß er Briefe und sogar Gedichte in russischer Sprache verfaßte, daß er nach seiner Rückkehr die Wohnung in russischem Geschmack einrichtete und daß er sich russisch kleidete. Zu den Reiseandenken gehörten auch zwei Ikonen, von denen eine im Rilke-Archiv in Gernsbach/Nordschwarzwald erhalten geblieben ist.

Auch bildende Künstler fühlten sich zu Rußland und seiner alten, andersartigen Kultur hingezogen. Im graphischen wie im plastischen Werk Ernst Barlachs hinterließen die Eindrücke von der Rußlandreise von 1906 sichtbare Spuren.[8] Der Dresdener Maler Robert Sterl hielt sich zwischen 1906 und 1914 mehrfach in Rußland auf.[9] Von diesen Reisen brachte er u. a. mehrere Metallikonen mit, die sich noch heute in seinem ehemaligen Atelierhaus in Wehlen bei Pirna befinden.[10] Henri Matisse unternahm 1911 eine Studienreise nach Rußland. Fasziniert äußerte er sich über die künstlerischen Impulse, die er dort empfing: *»Überall dieselbe Leuchtkraft und eine große Stärke des Gefühls . . . französische Maler sollten nach Rußland reisen, um dort zu lernen.«*[11] Wassily Kandinsky berief sich auf die Ikonenmalerei als dem künstlerischen Nährboden seiner Bildsprache. In einem von L. Schreyer aufgezeichneten Gespräch aus der Dessauer Bauhauszeit äußerte sich Kandinsky enthusiastisch über die altrussische Kunst: *»Ich schätze keine Malerei so hoch wie die unserer Ikonen. Das Beste, was ich gelernt habe, habe ich an unseren Ikonen gelernt, nicht nur das Künstlerische, sondern auch das Religiöse.«*[12] Marc Chagall sah in den Ikonen einen wichtigen Zweig der russischen Volkskunst und fühlte sich durch sie wesentlich in seiner künstlerischen Entwicklung bestätigt.

Die künstlerische Entdeckung und hohe ästhetische Wertung der Ikonenmalerei durch einen wesentlichen Teil der europäischen Maler und Bildhauer zu Beginn unseres Jahrhunderts konnte auf die Dauer nicht ohne Auswirkung auf das Sammelinteresse von Museumsdirektoren und Privatpersonen bleiben.

Zurück zur Sammeltätigkeit von Georg Haar!

Die frühesten Belege in der »Akte Haar« über den Ankauf von Kunstwerken datieren vom Oktober 1922 und beziehen sich auf eine Geldüberweisung an die Galerie Garrens in Hannover.[13] Parallel zum Aufbau der Ikonensammlung erwarb Haar kunstwissenschaftliche Fachliteratur für seine Bibliothek. Im Januar 1931 gelang es ihm, vom Antiquariat Hiesemann in Leipzig die seltene mehrbändige Dokumentation von Lichačev: Materialy dlja istorii russkogo ikonopisanija, St. Petersburg 1906, für 860,– RM zu erwerben.

Das Interesse an russischer Kunst wurde in Berlin durch mehrere Ausstellungen gefördert, die in Zusammenarbeit mit sowjetischen Kultureinrichtungen veranstaltet wurden. 1926 organisierte

8 Ergiebig zu dieser Frage unter der umfangreichen Literatur besonders der dreibändige Katalog: Ernst Barlach. Werke und Werkentwürfe aus fünf Jahrzehnten, Berlin 1981.

9 H. Olbrich (Hg.): Geschichte der deutschen Kunst 1890–1918, Leipzig 1988, S. 83, 85.

10 Das Verfügungsrecht liegt bei der Kunsthochschule Dresden. Das Haus wurde bis 1990 durch den Verband Bildender Künstler der DDR als Gastatelier genutzt.

11 Zitiert nach M. Alpatow: Altrussische Ikonenmalerei, Dresden 1958, S. 35; Zur Entdeckung der Ikonenästhetik vgl. Winkler 1953, wie Anm. 4.

12 L. Schreyer: Erinnerungen an Sturm und Bauhaus – Was ist des Menschen Bild? München 1956, S. 230.

13 Quittungen für Überweisungen vom 22. 10. und 24. 10.

die Gesellschaft zum Studium Osteuropas die Ausstellung »Byzantinisch-russische Monumentalmalerei«, und 1929 fand im Lichthof des Kunstgewerbemuseums eine von Grabar' und Volbach konzipierte Ikonenausstellung statt. 1932 zeigte das Kaiser-Friedrich-Museum eine Ausstellung mit Leihgaben aus der Sowjetunion. Durch die Handelsvertretung der UdSSR in Berlin wurden Ikonen in beträchtlicher Anzahl zum Kauf angeboten. Von den Offerten machten aber weniger Museen als Kunsthändler und Privatsammler Gebrauch.

Martin Winkler von der Universität Königsberg wurde 1924 vom sowjetischen Volkskommissar Lunačarskij zur Teilnahme an der Inventarisierung von Ikonen in Kirchen und Klöstern von Jaroslavl' eingeladen. Während dieser und noch weiterer sieben Reisen nach Sowjetrußland erwarb er eine beträchtliche Anzahl von Ikonen, die 1928 z. T. in den Besitz des Kaiser-Friedrich-Museums übergingen.[14]

Kunstausstellungen als Anregung zum Sammeln und das Angebot des Kunsthandels an Ikonen nahmen mithin Ende der zwanziger und Anfang der dreißiger Jahre sprunghaft zu. Haar kaufte selten direkt bei der Handelsvertretung, sondern bediente sich mehrerer Zwischenhändler. Das hatte für ihn den Vorteil, nicht auf Pauschalangebote eingehen zu müssen, sondern gezielt bestimmte Ikonen erwerben zu können und die Preise durch eine zähe Verhandlungstaktik zu senken. Als Zwischenhändler trat in Berlin Jacob Tschernomordik in Erscheinung. 1933 und 1934 war Haar Kunde bei der Kunsthandlung Cassirer und in Lepke's Kunst Auctions-Haus in Berlin. Ab 1935 unterbreitete die Kunsthandlung Julius Carlebach ihm Angebote.

Ernsthaft bemühte sich Georg Haar darum, tiefer in das künstlerische und geistige Wesen der Ikone einzudringen. Er erwarb die wichtigste erreichbare Fachliteratur und suchte den Kontakt zu Kennern der Materie. Über ikonographische Fragen stand er im Austausch mit A. Th. Papadopoulos, dem Archimandriten der Griechisch-orthodoxen Kirche in München. Mehrfach korrespondierte er mit dem Kondakov-Institut in Prag, und noch nach der Verlegung des Instituts zu Kriegsbeginn nach Belgrad versuchte er, den Kontakt wiederherzustellen.[15] Besonders eng, fast freundschaftlich, entwickelte sich die Beziehung zu Philipp Schweinfurth. Im Dezember 1932 teilte er Schweinfurth mit, daß seine Sammlung unterdessen 75 Exponate umfasse, darunter etwa die Hälfte gemalte Ikonen.

1933 beauftragte Haar den Braunschweiger Maler August Schnüge mit der Restaurierung einiger Ikonen. In dem schon zitierten Brief an Philipp von Hessen (27. 7. 1933) stellte er Überlegungen über die richtige Aufstellung von Ikonen an, die er »*noch nirgends befriedigend gelöst*« vorgefunden hätte. Er (Haar) wäre schließlich dazu gekommen, sie in Holzplatten einzulassen, weil das ungefähr ihrem Zusammenhang in der Ikonostasis entspräche.

Im Dezember 1942 unterbreitete Georg Haar Philipp Schweinfurth das Angebot, einen reichbebilderten Katalog über die Weimarer Ikonensammlung zu erarbeiten. Die Sammlung sei unterdessen so stark angewachsen, daß ein wissenschaftlicher Apparat dazu wünschenswert sei.

14 Unter den »ernsthaften« Sammlern ist der Arzt C. H. W. Wendt in Hannover hervorzuheben, der auch durch Vorträge, Aufsätze in Fachzeitschriften und eine Monographie über rumänische Ikonenmalerei (Eisenach 1953) hervortrat. Zu M. Winkler vgl.: Martin Winkler 60 Jahre, in: Jahrb. für Gesch. Osteuropas NF 1953, S. 455. – Ikonen aus den Sammlungen Wendt und Winkler bilden auch den Grundstock des 1955 gegründeten Ikonen-Museums Recklinghausen (Anm. d. Hrsg.).

15 Die Angaben stützen sich auf die Akte Haar.

Erzengel Michael und Christophoros kynokephalos, 18. Jahrhundert, Schloßmuseum Weimar; 1932 im Besitz von Dr. Haar nachzuweisen

Prophet Elias, 16. Jahrhundert, Schloßmuseum Weimar

Schweinfurth lehnte jedoch mit der Begründung ab, er sei mit anderen Arbeiten überlastet.[16] 1943 wies Georg Haar in einem Brief an Schweinfurth darauf hin, daß er seine Bücher- und Ikonensammlung »*einem geeigneten Institut*« zur gegebenen Zeit zur Verfügung stellen möchte.[17] Der Entschluß zur Stiftung seiner Sammlungen war also schon zu dieser Zeit gefaßt worden. Ende des Jahres erhielt Georg Haar von Philipp Schweinfurth die Nachricht, daß dessen Wohnhaus in Berlin am 15. November 1943 durch einen Bombentreffer vollständig zerstört worden sei. Damit bricht der Briefwechsel ab. Der letzte Beleg in der Akte Haar im Schloßmuseum zu Weimar datiert vom 16. Januar 1944.

In der Weimarer Sammlung lassen sich 47 gemalte Ikonen auf die Sammlung Haar zurückführen.[18] Das größte Exponat ist die knapp anderthalb Meter hohe Königstür, die Haar 1933 vom Kunsthändler Tschernomordik in Berlin erworben hatte. In den beiden Kielbogenfeldern ist eine Verkündigung an Maria vor einer Architekturkulisse dargestellt. In den darunterliegenden Bildfeldern sind Evangelistenbilder untergebracht. Die lockere Malweise und die zeichnerische Ausführung der Architekturhintergründe deutet auf eine Entstehung in der Novgoroder Malschule im 16. Jahrhundert hin.

Die stilistische und ikonographische Vielfalt macht einen besonderen Reiz der Weimarer Sammlung aus. Wie gut Haar aber auch die künstlerische Qualität einer Malerei einzuschätzen wußte, beweist die kleine Ikone mit dem Propheten Elias (Anfang 16. Jahrhundert, Novgoroder Provenienz), die er 1935 von der Kunsthandlung Cassirer für den damals verhältnismäßig hohen Preis von 350 RM ankaufte.

Abb. S. 191

Es ist nicht Aufgabe dieses Beitrages, eine größere Anzahl von Ikonen aus der Weimarer Sammlung vorzustellen. Eine repräsentative Auswahl wurde durch Rainer Krauß in guten Farbreproduktionen veröffentlicht.[19] Verwiesen sei lediglich auf die figurenreiche, in epischer Breite erzählte Geburt Christi (Novgorod, Anfang 17. Jahrhundert) und die ikonographisch interessante Ikone mit dem Erzengel Michael und dem hl. Christophoros kynokephalos (Moskau, Anfang 18. Jahrhundert), da beide Bildthemen Gegenstand eigener Beiträge dieses Kolloquiums waren.

Abb. S. 190

Etwa den gleichen Umfang wie die Bildtafeln hat der Bestand von gegossenen Messingkreuzen, Metallikonen, Reisealtärchen und Emailtafeln. Dieser Teil der Sammlung wird kunstwissenschaftlich neu bearbeitet und befindet sich daher z. Z. nicht in der Ausstellung.

16 Brief vom 22. 12.1942.
17 Brief an Ph. Schweinfurth (1943) in der Akte Haar.
18 G. Walter: Kritischer Katalog der Ikonensammlung in den Staatlichen Kunstsammlungen zu Weimar. Diplomarbeit Leipzig 1963 (Typoskript, berücksichtigt die Metallikonen nicht).
19 R. Krauß: Russische Ikonen aus dem Besitz der Kunstsammlungen zu Weimar, Berlin 1976 (Mappe mit 24 Farbreproduktionen)

Victor H. Elbern

ÜBER EINIGE LITURGISCHE GERÄTE AUS DEM ALTEN RUSSLAND

Vor 1000 Jahren wurde Fürst Vladimir, später der Heilige genannt, in der Kirche des hl. Basileios in der Stadt Chersonnes getauft. Der Nestor-Chronik zufolge stand dieses Gotteshaus »inmitten der Stadt auf dem Platz, wo die Leute von Cherson Handel treiben . . . Danach – so heißt es weiter – nahm Vladimir die kaiserliche Fürstin, den Anastasios und die Priester von Chersonnes mit sich, ferner die Reliquien des hl. Klemens und seines Jüngers Phoebus, sowie Kirchengefäße und Ikonen zum Heile seiner Seele«. Zu einem späteren Zeitpunkt wird von Jaroslav dem Weisen, dem Sohne und Nachfolger Vladimirs hervorgehoben, wie sehr er die Bücher liebte, als »die Flüsse, welche den Erdkreis tränken«. Er ließ also viele Texte abschreiben und »bewahrte sie in der Kirche der Heiligen Weisheit auf, die er selber erbaut . . . und mit Gold, Silber und Kirchengefäßen ausgeschmückt hatte«.[1] Dies sind die ersten Erwähnungen von Ikonen und kirchlich-liturgischen Geräten in der Geschichte der Kirche Rußlands.

Die historischen Schicksale der Stadt Kiev und der mächtigen Kathedrale der Hagia Sophia dort lassen verständlich erscheinen, daß von ihrer ursprünglichen Ausstattung mit kostbaren liturgischen »supellectilia« keine Spur verblieben ist. Obwohl sich die im folgenden vorgelegten Bemerkungen auf wenige Gattungen kirchlicher Gerätschaften beschränken werden, seien doch zwei Objekte erwähnt, die wenigstens in einem weiteren Sinne charakteristisch sein können. Im Historischen Museum von Kiev findet sich ein bronzegegossenes Polykandelon, in durchbrochener Arbeit mit Flechtwerk und auch mit vegetabilischen Motiven verziert. Die Dorne zur Aufnahme von Lichthaltern sind von Fabeltieren begleitet. Es ist zumal die Verwandtschaft mit den verschiedensten, aus dem Umkreis der Kiever Schmuckkunst des 11. bis 12. Jahrhunderts bekannten Objekten, welche die Annahme einer Entstehung in dieser Periode erlaubt und die Vermutung nahelegt, daß es sich bei der Lichtkrone um eine einheimische, wenn auch nach byzantinischem Vorbild geschaffene Arbeit handelt.[2]

Abb. S. 194

Die genannte Datierung der Kiever Leuchterkrone lenkt den Blick des historischen Betrachters in eine Zeit, aus der weitere aufschlußreiche Hinweise zu dem hier erörterten Thema beigetragen werden können, wenn man zugleich das von Fürst Vladimir Monomach begründete Fürstentum »hinter den Wäldern« und in der nach ihm benannten Stadt ins Auge faßt. Solche Hinweise sind vor allem den Mitteilungen zu entnehmen, die mit Kirchenbauten des Fürsten Andrej von Bogo-

1 S. A. Zenkowskij (Hg.): Aus dem Alten Rußland. Epen, Chroniken und Geschichten. Herrsching 1963, S. 37 ff.

2 B. A. Rybakow: Die angewandte Kunst der Kiewer Rus im 9. bis 11. Jahrhundert und der südrussischen Fürstentümer im 12. bis 13. Jahrhundert, in: Geschichte der russischen Kunst Bd. I, Dresden 1957, S. 169 f., Abb. 159 f; ders.: Russian applied art of tenth-thirteenth centuries, Leningrad 1970, S. 50 f., Abb. 20 f.

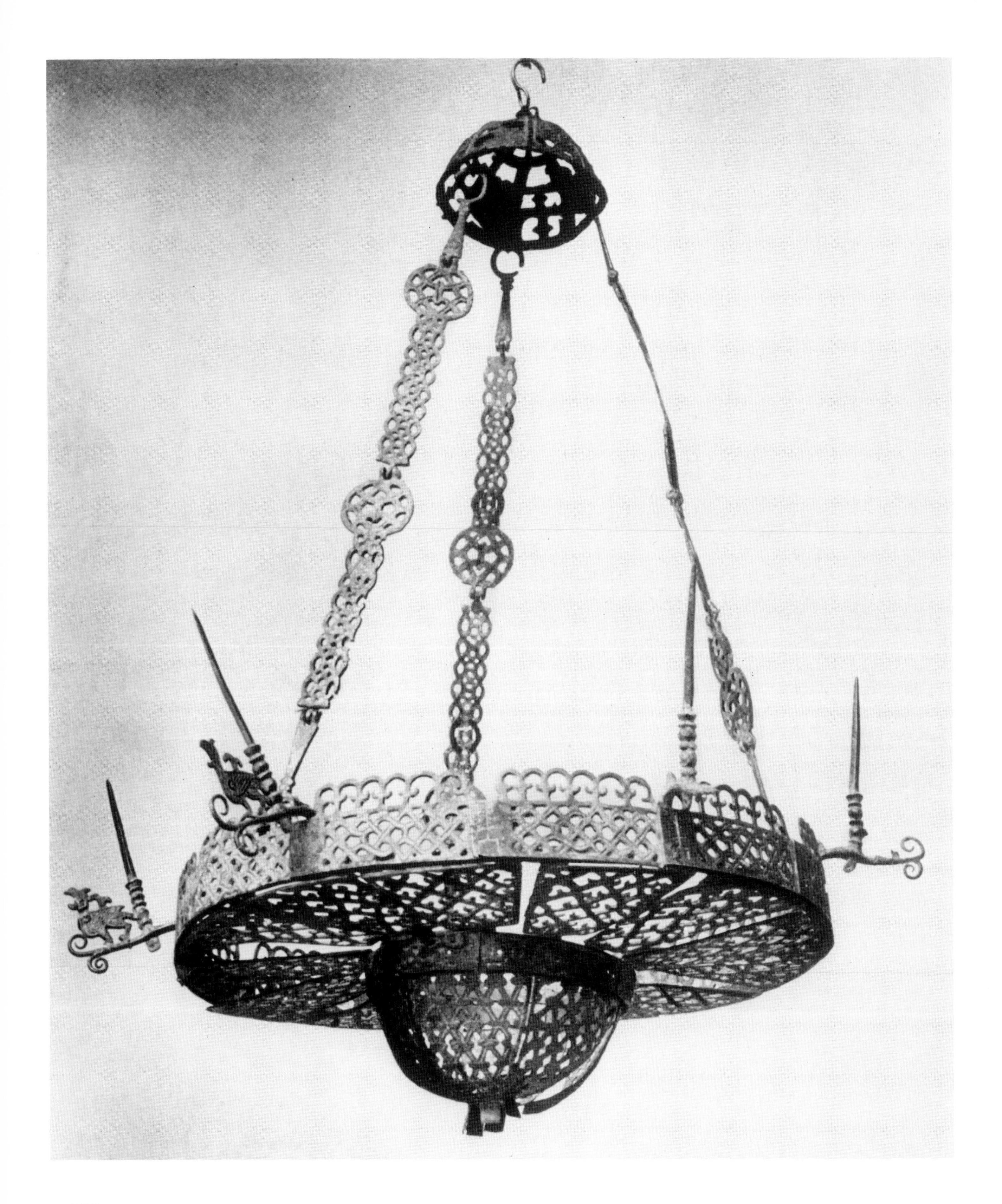

Bekrönung eines Altarziboriums, Bronze, Mitte 12. Jahrhundert, Historisches Museum Moskau

< Polykandelion, Bronze, 11.–12. Jahrhundert, Historisches Museum Kiev

ljubovo (ca. 1111–1174) verbunden sind. Aus einer Beschreibung der Palastkirche, die Fürst Andrej neben seinem Hofe in der Nähe der Stadt Vladimir, im heutigen Bogoljubovo errichtete, geht die reichste Ausstattung mit kostbaren liturgischen Gerätschaften hervor: »Er verschönerte sie mit Objekten in Gold und Email, eucharistischen Gefäßen aller Art, darunter einem goldenen, mit Edelsteinen besetzten ›Jerusalim‹, ferner liturgischen Fächern und einer Vielzahl von Leuchten.« Gerade in Vladimir und im nahen Suzdal hat der Tatarensturm von 1232 die ärgsten Schäden und Verluste bewirkt. Aber zu einem an gleicher Stelle erwähnten »Ziborium«, das mit Gold verziert war, erlaubt ein bei Brjansk gefundenes, zusammengehöriges Paar von gegossenen Bögen wenigstens eine gewisse Vorstellung. Es befindet sich heute im Historischen Museum in Moskau. Die Bögen bestehen aus einer Art Rahmenwerk, 72 cm breit und 56 cm hoch, als Architrave mit zentraler Arkade gebildet. Da die Stücke in der Kirche eines Fürstensitzes und an der Stelle des Altares gefunden worden sind, dürfen sie am ehesten als Bekrönung eines Altarziboriums zu verstehen sein.[3] Durchbrochene Flechtbandmuster und Medaillons mit heraldisch-gegenständigen Vögeln füllen die Rahmung, die von Stützen mit drachenartigen Tierwesen getragen wird. Wiederum lassen gute Vergleichsmöglichkeiten sowohl mit der Ornamentik wie mit den Motiven an den Kirchenbauten des 12. Jahrhunderts in Vladimir und Suzdal sowie mit zeitentsprechenden Schmuckarbeiten auch für diese Bögen an eine Entstehung um die Mitte des 12. Jahrhunderts denken. Ein symbolisch-apotropäisches Verständnis des animalischen Dekors liegt nahe, es ist von Rybakov versuchsweise sogar auf kosmologisch bedeutsame Kategorien bezogen worden.

Abb. S. 195

Die eben genannte Datierung wird übrigens von den paläographischen Merkmalen einer Aufschrift bekräftigt. Sie nennt einen »Diener Gottes Konstantin« als Meister. Die Überzeugung der russischen Kunstforschung zwar, die in Konstantin einen einheimischen Meister sehen will, dürfte einiges für sich haben. Wie aber zu zeigen bleibt, sind für das frühmittelalterliche Rußland die Beziehungen mit Byzanz sehr eng geblieben. Im Hinblick auf das liturgische Gerät läßt sich dazu ein Hinweis anführen, der kaum je beachtet worden ist. Im Historischen Museum der Stadt Kiev finden sich, zusammen mit kleinen Fundstücken persönlichen Gebrauchs aus dem 11.–12. Jahrhundert ausgestellt, zwei Silberschalen. Die größere von ihnen ist an ihrer charakteristischen bauchigen Form und am Nodus, der vom ursprünglichen Fuß übriggeblieben ist, unschwer als byzantinischer, eucharistischer Becher zu bestimmen, dessen Ständer mitten im Nodus abgeschnitten ist. Er läßt sich am ehesten in die Zeit zwischen dem 7. und 9. Jahrhundert datieren. Typisch dafür sind auch Ringe, die um den Oberteil der Kuppa umlaufen sowie die Verstärkung der Lippe. Es wäre natürlich wichtig zu wissen, ob es sich bei diesem Objekt um ein ursprünglich liturgisch verwendetes, nachträglich profaniertes Gefäß aus dem frühen christlichen Kiev handelt oder um ein beliebiges Beutestück aus späterer Zeit, – eine kaum zu beantwortende Frage. Die erstere Möglichkeit sollte jedenfalls nicht von vornherein ausgeschlossen werden.

Abb. S. 197

3 Rybakow: Die angewandte Kunst, S. 152 f., Abb. 136 f; ders.: Russian applied art, S. 80 ff. Zuletzt in: 1000 Jahre Russische Kunst, Ausstellungskatalog Moskau/Schleswig/Wiesbaden, Moskau 1988, Kat. Nr. 265.

Fragment eines frühbyzantinischen Kelches, Silber, 7.–9. Jahrhundert, Historisches Museum Kiev

Hier fragt sich, ob die Stadt Novgorod, die von den Horden der Tataren seinerzeit verschont blieb, vielleicht bessere und deutlichere Aufschlüsse vermitteln kann. Glücklicherweise sind hier mehrere liturgische Geräte erhalten geblieben, von denen zwei das aus dem Umkreis des Fürsten Andrej von Bogoljubovo eben erwähnte »Jerusalim« zu illustrieren vermögen. Es handelt sich um ein vollständig erhaltenes und ein zweites, wenigstens in seinem Aufbau noch vorliegendes Stück, von denen das erstere, »Großes Sion« genannt, aus vergoldetem Silber gefertigt und mit Zieraten in verschiedenen Techniken reich ausgestattet ist, – in Treibarbeit, Gravierung, Ziselierung, Niello und Steineinlagen.[4] Es weist – wie auch sein Gegenstück – die Gestalt eines miniaturisierten, von Säulchen getragenen zentralen Kuppelbaues auf, von 57,7 cm Höhe. Säulchen und Tympana sind durchbrochen gearbeitet und mit Pflanzenmotiven bzw. mit Flechtband gefüllt. Die Segmente der von einem (erneuerten?) Kreuzchen bekrönten Kuppel tragen Rundmedaillons mit einer Deesis, die um die Erzengel Michael und Gabriel sowie um den hl. Basileios erweitert ist. Die Interkolumnien sind durch doppelflüglige Türchen mit Darstellung der stehenden zwölf Apostel geschlossen. Diese Ikonographie entspricht dem Typus des »Čin« als Hauptrang des späteren Ikonostas. Doch begegnet derselbe Bildtyp schon auf byzantinischen Altarzieraten des 11. Jahrhunderts, wie von K. Weitzmann mit der Rekonstruktion eines mit Elfenbeinreliefs geschmückten Bema-Balkens nachgewiesen werden konnte.[5]

Abb. S. 199 u. 200

Der liturgischen Zweckbestimmung nach handelt es sich bei den beiden Novgoroder »Sion« um Artophoria, d. h. Geräte zur Aufbewahrung der heiligen Spezies für die außerordentliche Kommunionspendung. Dies lassen nicht zuletzt die tellerartigen, mit Kreuzen bezeichneten Untersätze erkennen.[6] A. Grabar, der die Novgoroder Zimelien im Zusammenhang mit anderen Werken dieser Art erwähnt, in denen er jedoch vorzugsweise Thymiateria oder Lampen erkennen möchte, bezeichnet sie konsequent als byzantinische Arbeiten und datiert sie ins 11. Jahrhundert. Er zitiert dabei auch die frühe Erwähnung eines als »Jerusalim« bezeichneten Objekts im Pilgerbericht des Antonius aus Novgorod aus dem Jahre 1199.[7] Die russische Kunstforschung hingegen plädiert für eine Entstehung zwar im 12. Jahrhundert, besteht aber – bei aller Anerkenntnis des byzantinischen Grundcharakters – auf einheimischer Provenienz. Eine vermittelnde Position zwischen diesen Extremen ist zuletzt damit begründet worden, daß trotz enger stilistischer Beziehungen der Apostelfiguren zu byzantinischen reliefhaften Arbeiten in den beiden Novgoroder Sionen Beispiele »für die engen russisch-byzantinischen Kunstbeziehungen« im 11.–12. Jahrhundert erkannt werden können.[8] Sicherlich dürften die kyrillischen Aufschriften auf den Reliefs

Abb. S. 200

4 N. V. Pokrovskij: Le trésor ancien de Sainte Sophie de Novgorod I, 1911, S. 37 u. a. O; ders.: Drevnjaja riznica novgorodskogo sofijskogo sobora. Trudy XV archeologičeskogo s'ezda v Novgorode 1911g., I, Moskau 1914, Taf. I–II; A. Nekrasov: Drevnerusskoe izobrazitel'noe iskusstvo, Moskau 1937, S. 59; A. W. Arzichowski: Die angewandte Kunst Novgorods, in: Geschichte der russischen Kunst II, Dresden 1958, S. 214 ff; Rybakov: Russian applied art, S. 66 ff; W. W. Gomin/L. I. Jarosch: Nowgorod – Architektur und Kunstdenkmäler 11. bis 18. Jahrhundert, Leningrad 1984, Abb. 135 f.

5 K. Weitzmann: Die byzantinischen Elfenbeine eines Bamberger Graduale und ihre ursprüngliche Verwendung, in: Studien zur Buchmalerei und Goldschmiedekunst des Mittelalters (Festschrift K. H. Usener), Marburg 1967, S. 11–20.

6 Vgl. J. Braun: Der christliche Altar, München 1924, S. 597 f. – Vielleicht stehen die Geräte im Zusammenhang mit der »Liturgie der vorgeweihten Gaben«, die in der Ostkirche von größerer Bedeutung ist als in der westlichen Liturgie.

7 A. Grabar: Le reliquaire byzantin de la Cathédrale d'Aix-la-Chapelle, in: Karolingische und ottonische Kunst (Forschungen zur Kunstgeschichte und christlichen Archäologie III.), Wiesbaden 1957, S. 297, s. Anm. 14 f.

8 H. Krohm: Mittelalterliche Plastik in Rußland, in: Rußlandbericht Exkursion 1965, Kunsthistorisches Institut der Universität zu Köln, Köln 1966, S. 244 f.

»Großes Sion«, Silber vergoldet, 11.–12. Jahrhundert, Sophienkathedrale Novgorod

»Kleines Sion«, Silber vergoldet, 11.–12. Jahrhundert, Sophienkathedrale Novgorod

einer Zuschreibung der Figuren an byzantinische bzw. griechische Künstler nicht ernsthaft im Wege stehen.

Im Anschluß an die Erörterung der beiden »Sion« in der Schatzkammer der altberühmten Hagia Sophia in Novgorod stellt sich die Frage, ob die dazu angestellten Überlegungen auch für die ebendort bewahrten berühmten Henkelbecher – Skyphoi – Geltung haben können.[9] Man möchte sicher annehmen, daß die Verpflichtung an ein byzantinisches Vorbild hier erst recht nahe liegt. *Abb. S.202* Die Gestalt der beiden gleichartigen, ebenfalls aus vergoldetem Silber gefertigten Gefäße ist ungewöhnlich. Über kreisrundem Fuß springt ein Wulst mit Buckeln vor, die von einem Wellenband eingefaßt sind. Der Gefäßkörper entspricht im Querschnitt einem Grundquadrat mit vier Pässen. Die Ecken des Quadrates tragen pflanzliche Muster, die aus Buchmalerei, Elfenbeinschnitzerei und Goldschmiedekunst des 11. und noch des 12. Jahrhunderts in Konstantinopel vertraut sind. An den gebauchten Wandungen der Pässe sind Einzelfiguren in Treibarbeit wiedergegeben: Christus, Maria, Petrus und Anastasia bzw. am Gegenstück Barbara. Die in Voluten ausfahrenden Henkel mit pflanzlich verzierten Motiven nehmen wenig Rücksicht auf die getriebenen Figuren, die teilweise überschnitten sind. Am oberen wie am unteren Rande sind sorgfältig gearbeitete Aufschriften in kyrillischen Charakteren zu lesen. Die obere bezieht sich jeweils auf die eucharistische Bestimmung der Skyphoi, in denen somit Spendekelche zu erkennen sind. Die untere ist historisch von Belang. Sie nennt den Stifter: »Verliehen (= gestiftet) von Petrov und seiner Frau Marja (bzw. Barbara).« Es wird angenommen, daß es sich bei dem genannten Petrov um den Stadthauptmann von Novgorod Petr (Petrilo) Mikulevič handelt, der von 1130 bis 1134 amtete, 1135 im Kampf gegen Suzdal fiel und von dem man aufgrund der wechselnden weiblichen Patronin auf den Gefäßen annimmt, daß er zweimal verheiratet war. Beide Becher tragen ferner auf dem Boden, eher flüchtig eingeritzt, eine Künstlersignatur. Sie lautet einmal: »Herr hilf Deinem Knecht Kostjantin, Kostja hat es gemacht«, bei dem Gegenstück: »Herr hilf Deinem Knecht Flor, Bratilo hat es gemacht.« Hier ist ein Doppelname des Künstlers angenommen worden.[10]

Der Zusammenhang auch dieser beiden Becher mit der liturgischen Kunst in Konstantinopel ist unbezweifelbar. Dies gilt einmal für die figürlichen Reliefs, die denen des »Großen Sion« allgemein vergleichbar sind. Besonders wichtig aber erscheint die individuelle Gefäßform, die so nur in Byzanz und dann wieder an den beiden Zimelien in Novgorod begegnet. Vergleichsweise ist der 959–963 datierbare Kelch des Sisinnios im Schatz von San Marco in Venedig benannt worden, wobei die volutenartig ausfahrenden Henkel mit Rosettenzieraten als »tertium comparationis« gelten sollten.[11] Für die Gesamtform treffender dürfte hingegen der Vergleich mit einem

9 Pokrovskij: Drevnjaja riznica, Taf. III–IV; V. Mjasoedov: Kratiry sofijskogo sobora v Novgorode. Zapiski otdelenija russkoj i slavjanskoj archeologii russkogo archeologičeskogo obščestva, Bd. X, Petrograd 1915, S. 1–14; A. Nekrasov: Drevnerusskoe izobrazitel'noe iskusstvo, Moskau 1937, S. 103 f.; Arzichowski: Die angewandte Kunst Novgorods, S. 218 f., Abb. 210 f.; Rybakov: Russian applied art, S. 55 ff., Abb. 16, 79, 80; Gomin/Jarosch: Nowgorod, Abb. 133 f.

10 Rybakov vermutet einen anderen Bojaren namens Petr als Stifter des Parallelstückes, das er deshalb auch etwas später ansetzen möchte. Er sieht in Flor/Bratilo den Künstler des ursprünglichen Bechers, in Kostja den »Kopisten«. Arzichowski hingegen will in dem von Flor geschaffenen Skyphos eine mindere Qualität erkennen.

11 Vgl. Krohm: Mittelalterliche Plastik, S. 245; Der Schatz von San Marco in Venedig. Ausstellungskatalog Köln 1984, Nr. 22.

Henkelbecher des Meisters Konstantin, Silber vergoldet, 12. Jahrhundert, Sophienkathedrale Novgorod

Henkelkelch, Serpentin, byzantinisch, 12. Jahrhundert, Fassung 14. Jahrhundert, San Marco Venedig >

Demetrios-Reliquiar, Silber vergoldet, byzantinisch, 1059–67, Rüstkammer des Moskauer Kreml

doppelhenkligen Sardonyxbecher in silbervergoldeter Fassung sein, ebenfalls in San Marco, der am oberen Rande wieder die in Zellenemail gearbeiteten eucharistischen Einsetzungsworte trägt und um 1000 datiert wird.[12] Ein dritter Kelch in San Marco, aus Glas gefertigt, weist geschwungene metallene Henkel auf, die bis in die einzelnen vegetabilischen Motive denjenigen der Novgoroder Skyphoi entsprechen.[13] Als morphologisch überzeugendstes Vergleichsstück ist schließlich ein Henkelkelch aus Serpentin zu nennen, der ebenfalls nach Venedig gelangt ist.[14] Seine metallene Fassung entstammt erst dem 14. Jahrhundert, an der Lippe der Kuppa sind die Spuren einer verlorenen Randeinfassung zu erkennen. Auch hier fehlt nicht der übliche eucharistische Text. Entscheidend für einen Vergleich sind die mit den Novgoroder Gefäßen übereinstimmende quadratische, um vier vorgewölbte Pässe bereicherte Grundform und ihre figürliche Ausstattung mit Flachreliefs, die Christus, die Gottesmutter, Engel und Heilige darstellen. Das Serpentingefäß wird ins 12. Jahrhundert datiert. Die engen Übereinstimmungen der Novgoroder Becher mit den angeführten byzantinischen Gefäßen ist bereits von A. Grabar registriert worden.[15] Seinen Beobachtungen kann noch ein vergleichender Hinweis zum Buckelfries am Fuß der Gefäße aus Novgorod zugefügt werden. Ein ähnliches Motiv begegnet schon in der frühbyzantinischen Toreutik, so an einer silbervergoldeten Vase mit pflanzlichem Dekor aus Syrien, die sich heute in der Sammlung der Stiftung Abegg in Riggisberg/Bern befindet.[16]

Abb. S. 203

Resümiert und wertet man diese Vergleiche, dann möchte man zur Annahme neigen, daß es Kunsthandwerker aus Konstantinopel gewesen sein müssen, die damals in Novgorod gewirkt und die eben erörterten Werke geschaffen haben, die in ihrem Umkreis einzigartig geblieben sind. Es ist kaum anzunehmen, daß andere als unmittelbar mit den spezifisch hauptstädtischen, byzantinischen Formtraditionen vertraute Künstler hier am Werke gewesen sind. Für die Zeitstellung der Objekte aber dürfte sich am ehesten derselbe Ansatz anbieten, der auch für das Konstantinopler Vergleichsstück angenommen wird.

Obwohl somit als sicher angenommen werden kann, daß die byzantinische Einflußnahme wie für die frühe russische Architektur so auch für die Schaffung kirchlicher Gerätschaften von entscheidender Bedeutung gewesen ist, wird es nicht verwundern, daß bei diesen Vorgängen manche Traditionsstränge heute verunklärt erscheinen. Dies mag im Falle eines silbervergoldeten Reliquiars deutlich werden, das aus dem Moskauer Patriarchat in die Rüstkammer des Kreml ebendort gelangt ist. Die Zimelie in Form eines oktogonalen Zentralbaues mit bekrönender, durchbrochener Galerie und mit kuppelartiger Bedachung konnte als Reflex des St. Demetrios-Heiligtums in Thessaloniki erkannt werden. Ihre zeitliche Bestimmung ist auf die inschriftliche Erwähnung des

Abb. S. 204

12 Der Schatz von San Marco, Nr. 15.
13 Ebda., S. 201, Abb. 23 c.
14 Ebda., Nr. 41.
15 A. Grabar, in: Il Tesoro di San Marco (hg. v. H. R. Hahnloser), Florenz 1971, zu Nr. 61.
16 M. Mundell Mango: Silver from Early Byzantium, Baltimore 1986, S. 155 ff., Nr. 33, dort (versuchsweise) als »farum cantharum«, d. h. als Standlampe bezeichnet. Durch Silberstempel in die Zeit zwischen 578–582 (Dodd) bzw. die Jahre zwischen 574–578 (Mundell Mango) datiert.

Kaisers Konstantin Dukas (1059–1067) gegründet.[17] Leider ist unklar geblieben, wann und auf welchem Wege das kleine Werk nach Rußland gelangt ist. Eine unmittelbare Auswirkung auf andere Arbeiten altrussischer liturgischer Kunst, die von diesem Objekt ausgegangen sein könnte, hat sich nicht feststellen lassen.

Neben den bisher erörterten byzantinischen Einflüssen sind nun aber auch Hinweise zu verfolgen, die auf Beziehungen der altrussischen liturgischen Kunst zu den westlichen Ländern hindeuten. Als ältestes und zugleich einzigartiges Objekt ist ein Kelch zu nennen, der aus der Verklärungskirche von Pereslavl-Zalesskij stammt.[18] Der Bau dieses Gotteshauses war von Fürst Jurij Dolgoruki (ca. 1100–1157) begonnen, von seinem Sohn Andrej von Bogoljubovo (ca. 1111–1174) vollendet worden. Den beiden Fürsten dürfte auch die Grundausstattung der Kirche mit liturgischem Gerät zu verdanken sein, zu welcher der Kelch gehört haben mag. Der eucharistische Becher, heute in der Rüstkammer des Moskauer Kreml gehütet, besteht aus teilweise vergoldetem Silber. Der kegelförmige, schlank aufsteigende Fuß ist an der unteren Randschräge mit einem stilisierten Blattmuster verziert, der Fuß selber trägt auf der Kegelfläche abwärts gerichtete Blattzungen in getriebener Arbeit, deren Ränder in den Zwickeln palmettenartig bzw. in Blüten ausfahren. Der Nodus ist kräftig geriefelt und zwischen Manschetten mit Rankenmustern eingefaßt. Die Kuppa ist als ziemlich flache Schale gebildet und läßt einen Typus erkennen, der von romanischen Kelchen des 12. und noch des 13. Jahrhunderts wohlvertraut ist, mit weiter Streuung im mittel- bis süddeutschen Raum, aber auch im Rhein-Maasgebiet.[19] Es sei als besonders treffender Vergleich ein allerdings etwas jüngerer, schon ins 13. Jahrhundert datierter Kelch aus Oignies angeführt, dessen Kuppa entsprechend flach und mit charakteristisch vorspringender Lippe gebildet ist. Interessant ist an diesem Stück auch die Gliederung des Kelchfußes mit sich verbreiternden, zungenartigen Gebilden, die zwar in Niellotechnik verziert sind, zwischen denen sich aber – wie bei dem Moskauer Stück – vegetabilische Motive finden.[20] Die weitere Verbreitung desselben Kelchtyps auch im östlichen Mitteleuropa, beispielsweise in Polen, kann an Beispielen aufgezeigt werden. Typisch ist sodann die Ausstattung morphologisch nahestehender Kelche der Zeit mit gravierten Bildern, deren weitere Ausgestaltung zu umfangreichen Bildzyklen an dieser Stelle nicht interessieren kann. Am Kelch von Pereslavl-Zalesskij sieht man eine gravierte Darstellung der Deesis mit den Erzengeln Michael und Gabriel in kreisrunden Medaillons. Die Bereicherung um ein Brustbild des hl. Georg ist als Hinweis auf den Namenspatron des Kirchenstifters Jurij Dolgoruki verstanden worden.

Abb. S. 207

17 A. Grabar: Quelques reliquaires de Saint Demetrius et le martyrium du Saint à Salonique, in: Dumbarton Oaks Papers V/1950, S. 1–28; R. Rückert: Zur Form der byzantinischen Reliquiare, in: Münchner Jahrbuch für bildende Kunst VII/1957, S. 32; A. Bank: Byzantine Art in the Collections of Soviet Museums, Leningrad 1977, Nr. 205–206; Iskusstvo Vizantii v Sobranijach SSSR, Ausstellungskatalog Moskau 1977, Nr. 747.

18 Rybakov: Russian applied art, S. 62 f., Abb. 73–77; I. Nenarokomova/E. Sizov: Art Treasures from the Museums of the Moscow Kremlin, Moskau 1978, S. 38 f.

19 J. Braun: Das christliche Altargerät in seinem Sein und in seiner Entwicklung, München 1932, S. 67 ff. und Abb. 38 ff. Weiter zur Morphologie frühromanischer Kelche V. H. Elbern: Der eucharistische Kelch im frühen Mittelalter, Berlin 1964, S. 57 ff.

20 P. Skubiszewski: Die Bildprogramme der romanischen Kelche und Patenen, in: Metallkunst von der Spätantike bis zum ausgehenden Mittelalter (hg. v. A. Effenberger), Berlin 1982, S. 198 ff., z. B. Abb. 28, 30, 40, 68 ff.

Kelch aus Pereslavl-Zalesskij, Silber vergoldet, 12. Jahrhundert, Rüstkammer des Moskauer Kreml

Zusammenfassend kann gesagt werden, daß trotz des ostkirchlichen Deesis-Motivs und der Beischriften in kyrillischen Charakteren der morphologisch so eindeutig unbyzantinische Kelch nicht nur seiner Gestalt nach, sondern auch in seiner Verzierung einem westlichen Künstler zugeschrieben werden sollte. In solchem Zusammenhang muß v. a. an den lebhaften dynastischen und den damit verbundenen künstlerischen Austausch zwischen Deutschland und den russischen Fürstentümern im 11.–12. Jahrhundert zu erinnern sein.[21] Als Arbeit der Metallkunst mag dabei das sog. Jerusalemer Kreuz aus Novgorod im Hildesheimer Domschatz erwähnt werden.[22]
Offensichtlich hat der dem Fürsten Jurij bzw. Andrej zugeschriebene Kelch von Pereslavl-Zalesskij über eine längere Zeit Wirkung gezeigt. Seine morphologischen wie ikonographischen Eigenheiten lassen sich über das 16. Jahrhundert hinaus verfolgen, so an einem Kelch des späten 16. Jahrhunderts in der Verkündigungskathedrale in Moskau. Dort kehrt sogar die charakteristische Riefelung des Nodus wieder. Ferner sei ein von Boris Godunov 1597 für das Dreifaltigkeitskloster des hl. Sergij gestifteter Kelch sowie ein weiterer, ins Jahr 1626 datierter Kelch angeführt.[23] Dabei möchte man doch im orthodoxen Rußland gerade für die Gestaltung des Diskopoterion ein ostkirchliches morphologisches Gepräge voraussetzen.

Abb. S. 209

Bei der weiteren Erörterung der Frage nach westlicher Einwirkung auf die altrussische liturgische Kunst wird man sich besonders aufmerksam dem sog. »Großen Sion« zuwenden müssen, das aus dem Moskauer Patriarchat in die Rüstkammer des Kreml überführt worden ist.[24] Die Aufschrift an einer eher versteckten Stelle besagt, daß dieses »Jerusalim« im Jahre 1486 unter Großfürst Ivan Vasilievič (Ivan III.) für den Neubau der Mariä-Entschlafen-Kathedrale im Moskauer Kreml verfertigt worden sei. Bei der zusammenfassenden Diskussion der »Sion« genannten Zimelien hatte A. Grabar seinerzeit die Datierungen der russischen Kunstforschung übernommen bzw. zur Kenntnis genommen, das Moskauer Objekt allerdings ebenso wie ein zweites, kleineres »Jerusalim« ebendort aus seiner Darstellung ausgespart.[25] Wohl deshalb hat er bei dieser Gelegenheit auch eine ältere Studie von P. B. Jurgenson nicht zur Kenntnis genommen, der den Kern des »Großen Sion« im Moskauer Kreml als romanische Arbeit in Anspruch genommen hatte. Er schrieb die unter Arkaden stehenden zwölf Apostel, in Silber getrieben und vergoldet, sowie die vier bekrönenden kleeblattförmigen Felder mit den Evangelisten und ihren Symbolwesen im Rankengeschlinge einem westlichen Meister zu.[26] Im einzelnen indizierte Jurgenson stilgeschichtliche Beziehungen zum Umkreis der Hildesheimer Schreine der hll. Epiphanius und Godehard, die um 1140 datiert werden, dachte andererseits aber auch an mosane Werke wie den Hadelinusschrein von Visé.[27] Tatsächlich sind die frontal stehenden Heiligenfiguren am

Abb. S. 210

21 Dazu H. v. Rimscha: Geschichte Rußlands, Darmstadt 1970, S. 36, 84 u. a. O.

22 Zum Jerusalemer Kreuz V. H. Elbern/H. Reuther: Der Hildesheimer Domschatz, Hildesheim 1969, S. 16, Nr. 3.

23 Vgl. T. V. Nikolayeva: Collection of Early Russian Art in Zagorsk Museum, Leningrad 1968, Nr. 115 und Nr. 126; 1000 Jahre Russische Kunst, Nr. 302.

24 Pokrovskij: Le trésor ancien, S. 7 ff.; Krohm: Mittelalterliche Plastik, S. 246 f.

25 Grabar: Le reliquaire byzantin, S. 295; 1000 Jahre russische Kunst, Nr. 295.

26 P. B. Jurgenson: Romanische Einflüsse in der altrussischen Goldschmiedeplastik, in: Zeitschrift für bildende Kunst 62/1928–29, S. 232 ff.

27 Zu den Hildesheimer Schreinen vgl. V. H. Elbern/H. Reuther: Der Hildesheimer Dom, Hildesheim, 2. Aufl. 1976, S. 41 ff., 53 ff. – Zum Hadelinusschrein vgl. Rhein und Maas. Kunst und Kultur 800–1400. Ausstellungskatalog Köln 1973, var. loc., v. a. Nr. G 4, I. S. 242 ff.

Kelch aus der Verkündigungskathedrale, Gold, spätes 16. Jahrhundert, Rüstkammer des Moskauer Kreml

Großes Sion, Silber vergoldet, Mitte 12. Jahrhundert, 1486 erneuert, Rüstkammer des Moskauer Kreml

Epiphaniusschrein den Reliefs des Moskauer Werkes verwandtschaftlich verbunden in dem ein wenig plumpen und erdschweren Stil, den man in die Nachfolge der Kunst des Roger von Helmarshausen eingeordnet hat. Wie aber schon der Hinweis auf den Hadelinusschrein andeutete, sollte die Beziehung zur rheinisch-maasländischen Kunst nicht aus dem Auge verloren werden, mit der das Moskauer Sion auch im allgemeinen Typus des ebendort beheimateten romanischen Turmreliquiars übereinstimmt. Schließlich können aus westlicher Metallkunst wie aus der Buchmalerei überzeugende Parallelen auch zu den »inhabited scrolls« der oberen Zwickelfelder des Moskauer Sion zitiert werden, so aus der Bibel von Stavelot (1097), vom Reimser Leuchter (2. Viertel 12. Jahrhundert) und von späteren Werken wie dem Mailänder Bronzeleuchter (um 1200) und dem Kölner Dreikönigsschrein.[28] Auf jeden Fall hat man vergleichend an die westliche Kunst der Mitte des 12. Jahrhunderts zu denken. Freilich ist die Möglichkeit nicht von der Hand zu weisen, daß auch diese wie andere Teile der Zimelie später, eben anläßlich der »Stiftung« durch Ivan III., überarbeitet worden sind. Ob dies, wie Jurgenson vermutete, zusammen mit der Anfertigung des »Kleinen Sion« in der Moskauer Rüstkammer geschah, muß bis zu einer neuen Untersuchung der Originale offen bleiben.[29] Natürlich ist vor allem die Bekrönung mit einer Zwiebelkuppel über durchbrochenem Tambur auf das oben genannte Datum 1486 zu beziehen. Beim Fehlen eindeutiger historischer Evidenz kann weiter nicht gesagt werden, ob vom Moskauer »Großen Sion« eine Brücke geschlagen werden darf zu einer Stiftung von drei großen »Jerusalim« für die Kathedrale von Vladimir durch Fürst Andrej von Bogoljubovo, die für das Jahr 1158 bezeugt ist, sowie eines weiteren für die Hofkirche von Bogoljubovo.[30] Gewiß aber dürfte mit der Moskauer Zimelie ein sprechendes Zeugnis für den vorwiegend aus Deutschland kommenden kulturellen Einfluß vorliegen, der auch sonst für Vladimir-Suzdal unter Fürst Andrej nachgewiesen ist, so in einer chronikalischen Erwähnung von Kunsthandwerkern, die er von Kaiser Friedrich Barbarossa erbeten habe. Daß aber ein Werk solchen Alters, hoher Würde und historischer Bedeutung gerade unter Ivan III. eine Wiederherstellung und neue Nutzung erfuhr, sollte nicht verwundern. Die »Nachbildung eines berühmten, älteren Werks kann für die altrussische Kunst als charakteristisch gelten«, man habe davon gleichsam »Abschriften« wie von Ikonen angefertigt, wobei Fürst Ivan III. geradezu als »Personifikation Altmoskauer Traditionen« bezeichnet worden ist.[31]

Eine nähere Prüfung des »Kleinen Sion« im Moskauer Kreml darf an dieser Stelle beiseite bleiben, weil sie kaum weitere Evidenz zu den hier berührten Fragen beitragen kann. Doch soll mit einem »Panagiar« aus der Schatzkammer der Hagia Sophia in Novgorod ein weiteres Zeugnis für

Abb. S. 212

28 H. Swarzenski: Monuments of Romanesque Art, London 1954, z. B. Taf. 144, 150, 215, 222.

29 Vgl. dazu Jurgenson: Romanische Einflüsse, S. 236. Leider werden die Vergleiche durch den Mangel an Detailfotos erschwert.

30 Jurgenson: S. 234 f. zufolge in den Chroniken von Lemberg und dem Kloster des hl. Ipatij, sub anno 1175.

31 Vgl. Rimscha: Geschichte Rußlands, S. 138; M. M. Postnikowa-Lossewa: Die angewandte Kunst im 16. und 17. Jahrhundert, in: Geschichte der russischen Kunst IV, Dresden 1965, S. 388 f. nimmt als sicher an, »daß die ältesten Teile des 'Großen Zion' aus der Wladimir-Susdaler Rus stammen«. Eine Verbindung mit westlicher romanischer Kunst wird auch als Möglichkeit nicht erwähnt, der zit. Aufsatz von Jurgenson ist nicht bekannt. Vgl. auch 1000 Jahre Russische Kunst, S. 378.

Panagiar, Silber vergoldet, spätes 12. Jahrhundert, 1435 erneuert, Sophienkathedrale Novgorod

Panagiar, Silber vergoldet, Rüstkammer des Moskauer Kreml

romanisch-westlichen Einfluß auf die Goldschmiedekunst im frühen Rußland erörtert werden. Das 30 cm hohe, in Silber gegossene und vergoldete Werk, mit ziselierten, filigranierten und emaillierten Zieraten ausgestattet, ist einer Aufschrift zufolge von einem Meister Ivan für Erzbischof Euphemius im Jahre 1435 verfertigt worden.[32] Die Gestalt dieses Objektes ist von seiner liturgischen Funktion in der »hypsosis tēs Panagias«, d. h. der Erhebung des unter Anrufung der Gottesmutter gesegneten Brotes bestimmt.[33] Eine Deckelschale für das Weihbrot wird von vier Engeln mit ausgebreiteten Flügeln getragen, die sich über einem Zug von untereinander verbundenen Löwen nach links bewegen und verzückt aufwärts blicken. Der gekehlte Sockel über der als Achtpaß ausfahrenden Basis wird von einem Fries aus größeren und kleineren Kreuzblumen bekränzt. Der erwähnte Deckel trägt ein Flachrelief mit der »Himmelfahrt Christi« und mit der erwähnten Aufschrift, die auch den Großfürsten Vasilij Vasilievič (Vasilij II.) und Persönlichkeiten der Stadt Novgorod nennt. Historiker mögen sich die Frage stellen, wie es zu einer Stiftung des Moskauer Großfürsten in Novgorod kommt zu einer Zeit, als die beiden Städte in heftige politische Auseinandersetzungen verstrickt waren.

Die russische Kunstforschung, die sich auf die Inschrift stützt, hat das Panagiar als Leistung der »reifen Nowgoroder Kunst« (Arzichowski) bezeichnet. P. B. Jurgenson hingegen sah in seiner heutigen Erscheinung eine »launenhafte Verbindung« von spätgotischem Dekor mit »Engelfiguren, die der romanischen Kunst des 12.–13. Jahrhunderts zuzuweisen sind«.[34] Es war ihm zwar nicht möglich, eine unmittelbare, zeitentsprechende Parallele nachzuweisen. Wohl aber darf gesagt werden, daß es verwandte typenbildliche wie stilistische Vergleichsmöglichkeiten an Werken der westlichen Kunst des späten 12. Jahrhunderts gibt, sowohl zu den Engelgestalten, den Löwen wie zur Gesamtordnung am Panagiar, – für letztere sei auf das berühmte Cappenberger Reliquiar mit dem Porträtkopf Kaiser Friedrich Barbarossas verwiesen.[35] Die Provenienz des Panagiars bzw. seines alten Kerns wird damit zwar nur recht allgemein erhellt, doch kann festgestellt werden, daß ein sicherer Rückschluß auf westlich-romanische Einflüsse für diese Zimelie in ähnlicher Weise zu ziehen ist wie beim »Großen Sion« aus Moskau. Schließlich lassen sich aus der sorgfältigen Wiederherstellung, Ergänzung und Neuverwendung des Panagiars im Jahre 1435 ähnliche traditionsbewußte Tendenzen ablesen wie bei jenem. Eine weitere Bestätigung dafür läßt sich auch in einer sehr genauen Nachbildung des Novgoroder Panagiars für die Mariä-Entschlafen-Kathedrale im Moskauer Kreml erkennen, die sich jetzt in der Rüstkammer befindet.[36]

Abb. S. 212

32 Pokrovski: Le trésor ancien, Taf. VIII f.; Arzichowski: Die angewandte Kunst Nowgorods, S. 219 f.; Krohm: Mittelalterliche Plastik, S. 246.

33 J. Ysannias: The Elevation of Panhagia, in: Dumbarton Oaks Papers 26/1972, S. 227 ff.

34 Jurgenson: Romanische Einflüsse, S. 238.

35 Vgl. Swarzenski: Monuments of Romanesque Art, zum Typus der Engel z. B. Abb. 379 ff. und 549; zu den Löwen Abb. 470 ff. und 554, dort sogar mit der Pünktelung der Löwenkörper wie am Panagiar; zum Gesamttyp mit Tragefiguren der Engel ebda. Abb. 363. Ferner Rhein und Maas, II, S. 185 Abb. 10, S. 204 Abb. 15, S. 214 Abb. 34 u. a. m.

36 J. N. Dmitriev: Master-serebrjanik XV v. Novgorodskij istoričeskij sbornik, Nr. 7, Novgorod 1940, S. 36 wollte für beide Stücke die gleiche Werkstatt und dasselbe Entstehungsdatum im 15. Jahrhundert annehmen. – Neuerdings ist das jüngere Panagiar mit den Reformbestrebungen des Patriarchen Nikon (1652–67) in Verbindung gebracht worden, s. 1000 Jahre Russische Kunst, Nr. 311.

Weihrauchgefäß, Silber vergoldet, 1405, Museum Zagorsk

Die Fragwürdigkeit einer Datierung des Panagiars in das Jahr 1435, wie sie aus der Aufschrift hervorzugehen schien, wird schließlich eindeutig klar, wenn man ihm einmal eine einheimische Metallarbeit des frühen 15. Jahrhunderts gegenüberstellt. Im Jahre 1405 wurde ein Weihrauchgefäß für das Dreifaltigkeitskloster des hl. Sergij, also im Umkreis von Moskau, im Auftrag des Klosteroberen Nikon und mit aufschriftlicher Erwähnung des Großfürsten Vasilij Dmitrievič angefertigt.[37] Auch dieses Werk besteht aus vergoldetem Silber, ist 21 cm hoch und hat 10,4 cm Seitenlänge. Die Flächen des Gerätes tragen recht flach und grob eingetriebene und ziselierte Figuren einer erweiterten Deesis auf sich. Die Grundform entspricht dem Typus einer Kreuzkuppelkirche, die reduzierte Kuppel baut sich über gestuften Kokošniki in Kielbogenform auf. Der stilistische Unterschied im Vergleich zum Novgoroder Panagiar ist eklatant, es erscheint unmöglich, daß beide Werke im selben Lande unter vergleichbaren künstlerischen Voraussetzungen entstanden sein sollten. Übrigens macht auch in diesem Falle eine – allerdings ikonographisch bereicherte und technisch veränderte – Nachbildung aus dem Jahre 1598 deutlich, wie hoch man künstlerische Werke liturgischer Bestimmung aus historisch gewordener Vergangenheit zu allen Zeiten in Rußland schätzte. Ein weiteres Exemplar des entsprechenden Typus eines Thymiaterion aus Rostov, 1622 datiert, ist mit orientalisierendem Pflanzendekor ausgestattet.[38] Vergleiche solcher Art ließen sich fortführen.

Abb. S. 214

Mit den letzten Gegenüberstellungen, die noch einmal die wache Verpflichtung der alten und auch der nachmittelalterlichen russischen Kirche zur Bewahrung geprägter liturgisch-künstlerischer Formen bestätigen können, sei der hier vermittelte, knappe Überblick abgeschlossen. Er ließe sich unter anderem noch um weitere Gattungen liturgischer Geräte bereichern, etwa Bucheinbände, Reliquiare, Enkolpien. Schon aus den wenigen herangezogenen Zimelien aber war deutlich abzulesen, wie sehr die liturgische Kunst in der alten Rus' zunächst von Byzanz, dann aber auch von westlichen, romanischen Typen und Gestaltungen bestimmt gewesen ist.[39] Die daraus erkennbaren Zusammenhänge verdienen nicht zuletzt im Hinblick auf die künstlerische Gesamtentwicklung des Landes die besondere Aufmerksamkeit des Kunsthistorikers.

37 Jurgenson: Romanische Einflüsse, S. 238; Rybakow: Die angewandte Kunst, S. 164; Nikolayeva: Collection of Early Russian Art, S. 180 Nr. 96 (mit russ. Lit.). – Ferner Postnikowa-Lossewa: Die angewandte Kunst im 16. und 17. Jahrhundert, S. 389 f. mit entsprechenden Thymiateria aus dem mittleren bis späteren 15. Jahrhundert, welche die bereits getroffenen stilistischen Feststellungen bestätigen. – Andere, stilistisch nahestehende Arbeiten wie ein Buchdeckel für den Bojaren Fedor Koška, ein jetzt verlorenes Triptychon »von der Hand des Dieners Gottes Lukian«, ein Reliquienkästchen des Fürsten Radonežskij, alle aus der gleichen Periode des früheren 15. Jahrhunderts, s. bei Rybakow: Die angewandte Kunst, Abb. 120 f., 124, 127 u. a. m.

38 Nenarokomova/Sizov: Art Treasures, S. 50 f. bzw. 1000 Jahre Russische Kunst, Nr. 304.

39 Entsprechende Feststellungen sind soeben getroffen worden von H. Faensen: Byzantinische und romanische Motive in der Baukunst der alten Rus', in: K. Chr. Felmy u. a. (Hg.): Tausend Jahre Christentum in Rußland. Zum Millennium der Taufe der Kiever Rus', Göttingen 1988, S. 525–538.

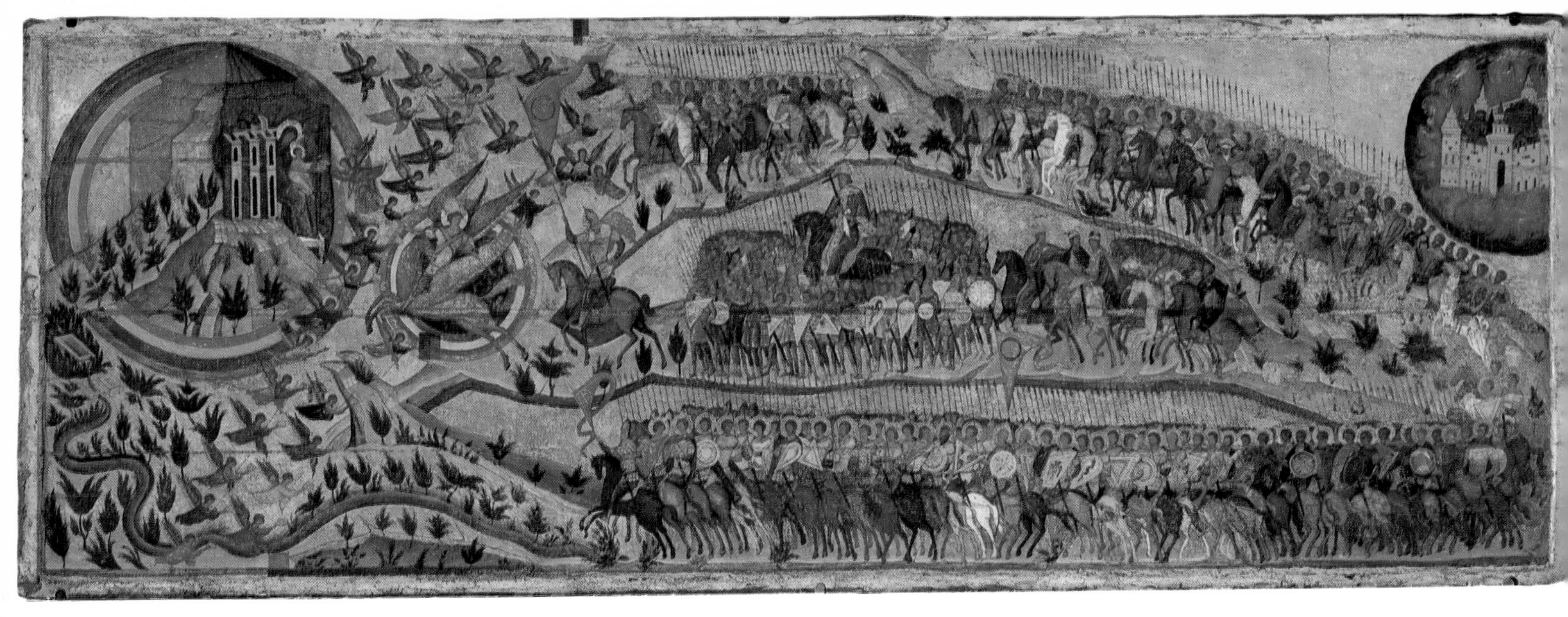

Die Kirche auf dem Kriegszug, Mitte 16. Jahrhundert, Tret'jakov-Galerie Moskau

Ivan IV. Groznyj. Ausschnitt aus der Ikone »Die Kirche auf dem Kriegszug«

Igor Kočetkov

DIE IKONE »DIE KIRCHE AUF DEM KRIEGSZUG« ALS HAUPTWERK DER RUSSISCHEN IKONENMALEREI DER ZEIT IVANS IV. GROZNYJ. ZUR FRAGE DER INTERPRETATION

Abb. S. 216 Die aus der Sammlung der Tret'jakov-Galerie stammende Ikone »Die Kirche auf dem Kriegszug« ist ein einmaliges Kunstwerk in jeder Hinsicht: das sehr große Format (ca. 1,5 x 4 m), die horizontale Komposition und vor allem der Inhalt sind ungewöhnlich. Ein Heer rückt zu Fuß und zu Pferd in drei Zügen aus einer brennenden Stadt in Richtung eines auf einem Berg aufgeschla- *Abb. S. 221* genen, in einen blauen Kreis eingeschriebenen rot-blauen Zeltes. Hier thront vor einer Mauer die Gottesmutter mit dem Kind auf dem Schoß. Vor dem Heer galoppiert der Erzengel Michael auf seinem geflügelten Roß. Den Kriegern entgegen fliegen Engel mit Kronen in den ausgestreckten Händen, welche sie von der Gottesmutter und Christus erhalten haben. Inmitten der im zentralen *Abb. S. 216* Zug zu Fuß ziehenden Kriegergestalten hebt sich die Figur eines Königs auf einem Rappen mit *Abb. S. 224* einem Kreuz in der Hand heraus. Der Trupp dahinter wird von drei Reiterfiguren in fürstlicher Kleidung geleitet. Die meisten Kriegergestalten im oberen und unteren Zug sind mit Heiligenscheinen dargestellt, während in der Mitte des Zuges nur der König und die drei Fürsten damit versehen sind.

Es gibt zahlreiche Versuche, diese Ikone zu interpretieren.[1] Zur Zeit wird folgende Deutung allgemein anerkannt: Die Ikone zeigt die Rückkehr des russischen Heeres nach dem siegreichen Feldzug gegen das Kazaner Reich im Jahre 1552. Die brennende Stadt symbolisiert Kazan und das Zelt das Himmlische Jerusalem. Die Kriegerfiguren ohne Heiligenscheine sind als Teilnehmer des Feldzuges zu deuten und die mit Heiligenscheinen als heilige russische Fürsten sowie heilige Krieger der ökumenischen Kirche. Sie sind alle als Schutzheilige des russischen Heeres dargestellt. Die Reiterfigur mit dem Kreuz ist Vladimir Monomach, die drei ihm folgenden Fürsten sind Vladimir Svjatoslavič, unter dem die Rus' die Taufe empfangen hatte, und seine Söhne *Abb. S. 219* Boris und Gleb, die ersten russischen Heiligen. Der junge Reiter mit der Fahne an der Spitze des Zuges ist Ivan IV., der das russische Heer im Feldzug geleitet hat.[2]

1 P. Muratov: Dva otkrytyja, in: Sofia, 2/1914, S. 5–17; A. Presnjakov: Epocha Groznogo v obščem istoričeskom osveščenii, in: Annali, II, St. Peterburg 1922, S. 197; M. Karger: K voprosu ob izobraženii Groznogo na ikone »Cerkov voinstvujuščaja«, in: Otdelenie russkogo jazyka i slovesnosti Akademii Nauk SSSR. Sbornik statej v čest A. I. Sobolevskogo, Leningrad 1928, S. 466–469; Demetrius Ainalov: Geschichte der russischen Monumentalkunst zur Zeit des Großfürstentums Moskau, Berlin und Leipzig 1933, S. 104–105.

2 V. I. Antonova/N. E. Mneva: Katalog drevnerusskoj živopisi, II, Moskau 1963, S. 128–134; O. I. Podobedova: Moskovskaja škola živopisi pri Ivane IV, Moskau 1972, S. 22–39.

Diese Interpretation bedarf aber wesentlicher Korrekturen. Die Zweifel beginnen schon mit der Bezeichnung der Ikone. In einem Inventar der Moskauer Mariä-Entschlafen-Kathedrale vom Beginn des 17. Jahrhunderts, wo sich die Ikone ursprünglich befand, hieß sie »Благословенно воинство небесного Царя« – »Gesegnet sei das Heer des himmlischen Königs.« Dies ist ihr ursprünglicher Titel. V. I. Antonova hat festgestellt, daß er aus einem Stichéron zu Ehren der Märtyrer stammt. Hier werden die Märtyrer als Krieger des himmlischen Königs bezeichnet und den Engeln gleichgesetzt. Der slawische Text des Stichérons lautet: »Благословенно воинство небесного Царя: аще бо и земнороднии беша страстотерпцы, но ангелъское достоинство потщашася достигнути, о телесах нерадиша, и страданьими бесплотных сподобишася чести.«
Die Ikone ist also Märtyrern gewidmet. Aber welchen? Zu den Märtyrern zählen weder die vom Feldzug zurückkehrenden russischen Krieger noch solche russischen Heiligen und Fürsten wie Vladimir Monomach, Aleksandr Nevskij, Dmitrij Donskoj u. a., die auf der Ikone nach Meinung einiger Kunsthistoriker dargestellt sind. Noch wesentlicher ist der Umstand, daß sich bei näherer Betrachtung die Identifizierung aller oder fast aller Figuren in der oberen und unteren Reihe des Heeres als fehlerhaft erweist. (Es sei daran erinnert, daß keine einzige Namensbeischrift auf der Ikone erhalten geblieben ist.) Es fehlen die Gestalten der Jaroslaver Fürsten Fedor, David und Konstantin: man pflegte Fedor in Mönchskleidung und seine Söhne als Kinder, halb so groß wie ihren Vater und in fürstlichen Pelzmänteln darzustellen. Man vermißt auch die Figuren des Fürsten Michail von Černigov sowie seines Bojaren Fedor, die beide von Tataren ermordet wurden: diese Heiligen wurden nie in Kriegerrüstung wiedergegeben. Außerdem stimmt ihr Äußeres auf der Ikone nicht mit der Beschreibung im Malbuch überein. Die Reitergestalt auf dem Rappen an der Spitze des unteren Trupps kann nicht als Aleksandr Nevskij aufgefaßt werden, der immer mit einem kurzen Bart gemalt wurde. Gegen diese Annahme spricht auch die Tatsache, daß der Heilige, dessen Festtag in der gesamten Kirche einige Jahre vor Entstehung der Ikone eingeführt worden war, ohne Heiligenschein gemalt wurde. Der erste Reiter in der oberen Reihe kann keineswegs Dmitrij Donskoj, der Sieger über die Tataren, sein, denn der Reiter auf der Ikone ist ohne jegliche fürstlichen Attribute dargestellt.
Deshalb können die Reiterfiguren mit den Heiligenscheinen nicht als heilige russische Fürsten interpretiert werden. Sind hier vielleicht die heiligen Krieger-Märtyrer der ökumenischen Kirche zu erkennen? Versuchen wir die Figuren der beliebtesten heiligen Krieger, der Märtyrer Georg und Demetrios von Saloniki, zu finden. Der hl. Georg müßte bartlos, im roten Mantel und auf einem Schimmel, Demetrios dagegen im grünen Mantel und auf einem Rappen dargestellt sein. Keine Figur auf unserer Ikone weist jedoch eine ähnliche Kombination der Attribute auf. Die Ikone zeigt aber auch keine anderen Kriegerheiligen. Man kann noch einen Beweis hinzufügen: die Zahl der auf der Ikone mit Heiligenscheinen versehenen Krieger beträgt ungefähr einhundert. Auf den erhaltenen Wandmalereien und sogar in illustrierten Menologien ist ihre Zahl viel kleiner. Folglich sind die Krieger mit Heiligenscheinen keine Märtyrer der ökumenischen Kirche.
Wer sind dann diese Kriegerfiguren mit Heiligenscheinen? Die Antwort auf diese Frage enthält meines Erachtens ein Sendschreiben des Metropoliten Makarij vom 13. Juli 1552 an den Zaren Ivan und alle Teilnehmer des Kazaner Feldzuges. Darin versichert Makarij den Kriegern, daß sie, wenn sie im Kampf gegen die Tataren verwundet würden, von allen seit ihrer Taufe begangenen

Fahnenträger. Ausschnitt aus der Ikone »Die Kirche auf dem Kriegszug«

Sünden erlöst würden. Er verspricht ihnen langes Leben und Gesundheit. Und die gefallenen Krieger erwarte eine noch höhere Belohnung; sie würden eine zweite Taufe als Märtyrer empfangen, für immer von ihren Sünden erlöst werden und würden vom Herrn Märtyrerkronen und das ewige Leben im Himmlischen Jerusalem erhalten, zusammen mit den Märtyrern und Engeln.

Diese Stelle im Brief erfordert eine neue Interpretation des Sinngehalts der berühmten Ikone. Die berittenen und zu Fuß ziehenden Krieger ohne Heiligenschein sind als die überlebenden Teilnehmer am Kazaner Feldzug aufzufassen; und die Krieger mit Heiligenscheinen als diejenigen, die im Kampf gegen die Andersgläubigen fielen. Die für das Christentum gefallenen Krieger erhalten von Gott die Märtyrerkronen und einen Platz im Himmlischen Jerusalem, d. h. im Paradies. Nur eine solche Interpretation macht den ursprünglichen Titel der Ikone erklärlich, der einem Text zu Ehren der Märtyrer entnommen ist.

Die Idee von der Heiligkeit der im Krieg für den wahren Glauben gefallenen Menschen begegnet nicht zuerst im Sendschreiben von Makarij. Sie ist schon in einem Brief des Rostover Erzbischofs Vassian an den Großfürsten Ivan III., den Großvater Ivans IV., ausgesprochen worden. Dieser Brief war im Jahre 1480 verfaßt worden, als sich das russische und das Tatarenheer am Fluß Ugra gegenüberstanden. Derselbe Gedanke taucht in der »Sage von der Schlacht auf dem Kulikovo-Feld« auf, deren Datierung bisher von der 1. Hälfte des 15. Jahrhunderts bis zu den 30er/40er Jahren des 17. Jahrhunderts schwankt. Außerdem ist in dieser Sage eine Episode beschrieben, die man in Verbindung mit der Ikonographie unserer Ikone bringen könnte. Ein Krieger sieht während der Schlacht, wie sich der Himmel öffnet und eine Wolke mit vielen menschlichen Händen erscheint, die über das russische Heer Kränze halten und damit die christlichen Krieger krönen. Der Kontext gibt zu erkennen, daß die gefallenen Krieger gemeint sind, und die Kränze als Märtyrerkronen aufgefaßt werden sollen.

Die liturgischen Texte zu Ehren der Märtyrer bilden die wichtigste literarische Quelle zur Deutung der Ikonographie der Ikone »Die Kirche auf dem Kriegszug«. Wie gesagt, weist der ursprüngliche Titel der Ikone »Gesegnet sei das Heer des himmlischen Königs« auf diese Quelle hin. In ihr werden die Märtyrer als »Krieger des Herrn« bezeichnet, die für ihre Heldentaten und Leiden die Kränze von Christus und der Gottesmutter erhalten. Diese Texte enthalten das gesamte ideelle Programm der Ikone: sie verherrlichen den Mut der für den rechten Glauben gefallenen Krieger und äußern die Überzeugung, daß ihr Heldentod nicht ohne himmlische Vergeltung bleiben wird. Nicht alle christlichen Märtyrer waren zugleich Krieger, aber selbst der Phraseologie der Troparien lagen die Kriegsbilder zugrunde, und desto leichter war es, die Texte auf die gefallenen russischen Krieger zu beziehen. Es läßt sich unschwer vorstellen, wie aktuell folgende Worte bei einem Gottesdienst zur Siegesfeier erschienen: »Beschirmt durch den Schild der Gottesfurcht, begaben die göttlichen Dulder sich in den Kampf; sie richteten aber zugrunde die ganze Kraft des Feindes. . .« (Щитом благочестия ограждшеся Божественнии страдальцы, устремишася к борению, погубиша же врага всю силу . . .) oder: »Nachdem die heiligen Märtyrer das Kreuz Christi, die unbesiegbare Waffe, genommen hatten, vernichteten sie alle Macht des Teufels; und nachdem sie die himmlischen Kronen empfangen hatten, sind sie uns eine Mauer geworden.« (Крест Христов вземши, святии Мученицы, оружие непобедимое всюдиаволю силу упразднишa и приемше венцы небесныя, стена нам быша) oder: »Mit den starken Sehnen eurer großen Mühsale habt ihr die Schlange erwürgt, welche euch arglistig

Das Himmlische Jerusalem. Ausschnitt aus der Ikone »Die Kirche auf dem Kriegszug«

verlocken wollte, und erscheint als Erben der Wonne des Paradieses!« (Крепкими жилами твердыми вашими болезньми удависте змия, хотящаго вас злоковарно прельстити: и райския пищи явитеся наследницы!). Hier werden die üblichen christlichen Symbole durch einen konkreten Inhalt gefüllt, besonders wenn man daran denkt, daß das wundertätige Kreuz aus dem Moskauer Kreml mit auf den Zug nach Kazan genommen wurde und auf dem Wappen dieser Stadt eine Schlange dargestellt war.

Die in der mittleren Reihe des Heeres dargestellten Personen mit Heiligenscheinen müssen meiner Meinung nach ebenfalls neu interpretiert werden.

Die Figur des Fahnenträgers wird als Ivan IV. identifiziert, weil drei fliegende Engel den größten Kranz über ihn halten. Das ist ein Mißverständnis. Der Kranz ist tatsächlich für die Hauptperson der Szene bestimmt, die aber keineswegs der Fahnenträger ist. Die Blicke der Engel sind auf die sich durch ihren Platz in der Komposition und ihre Größe auszeichnende Reiterfigur mit dem Kreuz gerichtet und zeigen, daß der Kranz gerade für diesen Reiter bestimmt ist. Er kann nicht Kaiser Konstantin sein, denn man pflegte diesen mit einer byzantinischen Krone darzustellen, wogegen die Krone des Reiters mit dem Kreuz im 16. Jahrhundert als Insignum des russischen Herrschers galt. Darauf wies zu Recht V. I. Antonova hin. Auch Vladimir Monomach ist in dieser Figur nicht zu erkennen. Es wäre ziemlich seltsam, Konstantin oder auch Vladimir Monomach inmitten der überlebenden Teilnehmer des Kazaner Feldzuges dargestellt zu sehen. Es bliebe v. a. unklar, warum diese Figur besonders hervorgehoben und mit dem größten Kranz ausgezeichnet würde – und dies auf einer dem Sieg über Kazan gewidmeten Ikone.

Abb. S. 219

Abb. S. 216

Ich nehme an, daß die Figur des Reiters mit dem Kreuz niemand anderes als Ivan IV. ist, der tatsächlich das von Kazan zurückkehrende Heer angeführt hat. Da die Ikone kurz nach diesem Ereignis entstand, muß sie das wirkliche Aussehen des 22jährigen Ivan wiedergeben. Die Ikone zeigt ihn als einen jungen Mann mit langen braunen Haaren, einem kurzen schütteren Kinnbart der gleichen Farbe und einer ziemlich großen Nase. Sein Äußeres entspricht im großen und ganzen seinen Porträts in Literatur und Malerei, die freilich alle aus späterer Zeit stammen.

Die Attribute widersprechen unserer Vermutung nicht. Der Heiligenschein sollte uns nicht irritieren: in den Wandmalereien der Verkündigungs- und der Erzengel-Kathedrale im Moskauer Kreml sind alle russischen Fürsten mit Heiligenscheinen versehen. Die Reiterfigur trägt Zarengewänder. Die goldene Krone auf seinem Haupt erinnert an die Mütze des Monomach, mit der die russischen Zaren gekrönt wurden. Das Kreuz in seiner Hand könnte Insignie der Zarenmacht sein, wie wir es aus der byzantinischen Ikonographie kennen. Es ist hier richtig am Platze, weil Ivan die Stadt der Andersgläubigen im Namen der Dreifaltigkeit getauft hat. Aber es könnte auch einen konkreteren Sinn haben: es ist das legendäre Kreuz vom »Lebensspendenden Baum«, das mit auf den Kazaner Feldzug genommen worden war und dem eine wichtige Rolle beim Sieg zugeschrieben wurde. Es wurde beim Einzug in das eroberte Kazan vor dem Zaren hergetragen. Das große Kreuz in den Händen Ivans läßt an die Darstellungen Kaiser Konstantins denken, und es ist sehr wahrscheinlich, daß diese Gleichstellung beider Herrscher der Vorstellung des Schöpfers der Ikone entsprang. Jedenfalls wurde Ivan IV. in den literarischen Werken jener Zeit wiederholt mit Konstantin verglichen.

Als ikonographische Analogien zum Mittelteil der Ikone können einige Manuskripte mit figürlichen Darstellungen aus dem 17. Jahrhundert herangezogen werden. So zeigt eine Miniatur aus der »Kazaner Chronik« den Zaren Ivan mit dem Zepter an der Spitze des Heeres auf einem Pferd; der Reiter mit der Fahne vor ihm wendet den Kopf und schaut auf den Zaren, genau so, wie es auf der Ikone der Fall ist.[3]

Wenn die von den Engeln gehaltenen Kronen für die neuen Märtyrer bestimmt sind, wie kann man dann die Krönung Ivans IV. erklären? Ich möchte diese Frage mit einigen einander nicht ausschließenden Vorschlägen beantworten. Der Zar wird als Sieger über Kazan und als »neuer Konstantin« gekrönt. Die Engel überreichen ihm also diese Krone als einem richtigen Zaren, der sich das Recht auf diesen Titel bei der Eroberung des Kazaner Reiches erkämpft hat. Schließlich ist in der in der Chronik enthaltenen Rede des Metropoliten Makarij der Wunsch zu verspüren, den Zaren denjenigen gleichzustellen, die die Märtyrerkrone durch ihren Tod erworben haben: »Er zauderte nicht, sein Blut zu vergießen, anders gesagt, er hat seinen Leib und seine Seele für unseren heiligen christlichen Glauben und unsere heilige Kirche sowie für das Dir anvertraute Heer der orthodoxen Christen hingegeben.« (Не усумнелся еси пострадати до крове, паче реку, предал еси душу свою и тело за святую честную нашю и пречестивейшую веру крестиянскую и за святыя церкви и за порученную тебе паству православных крестиян . . .) Bekanntlich hat der Zar kein Blut in der Schlacht vergossen; Makarij gebraucht hier diesen Ausdruck im übertragenen Sinne, sozusagen um den Zaren in die Reihe der christlichen Märtyrer aufzunehmen. Nach Makarij hat der Zar allein durch seine Bereitschaft, für den Glauben zu leiden, die Märtyrerkrone verdient. Dieser etwas ungewöhnliche Gedanke Makarijs ist hier mit künstlerischen Mitteln veranschaulicht worden, was einen weiteren Beweis dafür liefert, daß die Konzeption der Ikone von ihm stammt.

Abb. S. 224

Die drei Reiterfiguren an der Spitze des mittleren Trupps müssen noch gedeutet werden. Die allgemeine Meinung sieht in ihnen die drei Fürsten Vladimir Svjatoslavič, Boris und Gleb. Für diese Auffassung gibt es ernsthafte Gründe. Alle drei Figuren sind mit Heiligenscheinen versehen und tragen fürstliche Gewänder. Schließlich ist der Reiter links ein Greis, der mittlere ein Mann mittleren Alters mit kurzem Kinnbart und der rechte ein junger Mann.

Ein Umstand könnte jedoch Zweifel hervorrufen. Die Kriegergestalten im oberen und unteren Trupp des Heeres sind mit Heiligenscheinen versehen, während sie bei den Personen im Mittelzug fehlen. Das läßt uns vermuten, daß in der oberen und unteren Reihe die gefallenen und in der Mitte die nach Moskau zurückkehrenden Krieger dargestellt sind. Unter den Lebenden ist natürlich Ivan IV. zu sehen; folglich sind auch die drei anderen Fürsten unter den Lebenden zu suchen. Wenden wir uns deshalb dem in der »Kazaner Chronik« beschriebenen Empfang der Sieger in Moskau zu: »Alle sahen ihren Monarchen und verbeugten sich tief. Er aber zog still inmitten des Volkes seines Weges, auf seinem Zarenroß ritt er in großer Erhabenheit und großem Ruhm, sich nach beiden Seiten dem Volke gegenüber verneigend, auf daß alle Leute ihr Entzücken daran hätten, wenn sie seinen glorreichen Ruhm auf ihm scheinen sahen: Er war nämlich angetan mit seinem ganzen Zarenornat, wie an dem lichten Tage der Auferstehung unseres Gottes Christus, mit goldener und silberner Gewandung, und eine goldene Krone war auf seinem Haupte, die war be-

3 Bibliothek der Akademie der Wissenschaften der UdSSR, 34. 6. 64.

Zar Šigalej von Kazan, Georgij und Vladimir, Ausschnitt aus der Ikone »Die Kirche auf dem Kriegszug«

setzt mit großen Perlen und edlen Steinen, und der zarische Purpur war um seine Schultern. Auch an seinen Füßen war nichts anderes zu sehen denn Gold und Silber, Perlen und kostbares Gestein – und niemand hat jemals irgendwo solche teuren Dinge gesehen: diese nämlich versetzten den Verstand derer, die darauf schauen, in Verwunderung.
Hinter ihm ritten seine Brüder, Fürst Georgij und Fürst Vladimir, auch sie mit goldenen Kronen und in Purpur und Gold gekleidet. Hinter ihnen und um sie herum ritten alle Fürsten, Woiwoden, wohlgeborene Bojaren und Würdenträger, entsprechend helleuchtend und kostbar gekleidet. Jedem von ihnen waren goldene Ketten und Halsreifen um den Hals gehängt, so daß in jenem Moment alle Leute, die auf solche zarische Schönheit schauten, alle ihre häuslichen Sorgen und Mängel vergaßen.«[4]
Diese Beschreibung ist der auf der Ikone gestalteten Szene erstaunlich ähnlich. Die dem Zaren folgende kleine Reitergruppe läßt die Vermutung zu, daß sie nicht zum Heer, sondern zur nächsten Umgebung des Zaren, also zu den »Heerführern, Bojaren und Würdenträgern« gehört. Von den drei Fürstengestalten können zwei als die Brüder des Zaren Vladimir Andreevič und Jurij Vasil'evič identifiziert werden, die ungefähr im gleichen Alter waren wie er selbst. Wer mag der dritte sein? Von allen Teilnehmern des Kazaner Kriegszuges kann dies nur der »Zar« von Kazan und Kasimov Šigalej (Šach-Ali) sein, der Moskau diente und am Kriegszug als einer der Führer teilnahm. Vor dem Feldzug und im Laufe des Krieges ließ sich Ivan IV. von ihm und seinem Bruder Vladimir beraten. Beim feierlichen Einzug in das eroberte Kazan ritten Vladimir Andreevič und Šigalej hinter dem Zaren. Zur Zeit des Kazaner Feldzuges war Šigalej schon in fortgeschrittenem Alter. Von den drei auf der Ikone dargestellten Reitern trägt nur der alte Mann die goldene Zarenmütze (ähnlich wie Ivan IV.), während die zwei anderen fürstliche Pelzmützen tragen. Die Chroniken bezeichnen Šigalej als Zaren, und in den Miniaturen in der Chronik sind nur Ivan und Šigalej mit Zarenkronen dargestellt. Manchmal wurde auch Vladimir Andreevič mit Zarenkrone gemalt, aber mit einem längeren Bart als bei dem alten Zaren auf der Ikone. Šigalej nahm beim feierlichen Einzug in Moskau nicht teil, da er unterwegs von Ivan IV. nach Kasimov entlassen wurde. Es kann aber durchaus möglich sein, daß der Ikonenmaler ihn als einen der wesentlichen Heerführer dargestellt hat.
Was gegen diese Interpretation spricht, sind die Heiligenscheine, mit denen die drei Fürsten versehen sind und die selbst bei den Zarenbrüdern kaum berechtigt sein können, geschweige denn bei dem moslemischen Šigalej. Doch dieser Einwand verliert seine Berechtigung, wenn man weiß, daß die Heiligenscheine ursprünglich auf der Ikone fehlten; sie wurden anscheinend während einer Erneuerung der Ikone hinzugefügt.

Fassen wir zusammen:
Indem »Die Kirche auf dem Kriegszug« die Sieger über das Kazaner Reich glorifiziert, hebt sie insbesondere die Verdienste der im Krieg Gefallenen hervor. Dieser Aspekt der Ikone wurde bisher in der wissenschaftlichen Literatur nicht genügend beachtet. Dies ist auf die unrichtige Inter-

4 Die Übersetzung folgt der Ausgabe von Frank Kämpfer: Historie vom Zartum Kasan [Slavische Geschichtsschreiber Bd. VII], Graz-Wien-Köln 1969, S. 270 f. (Anm. d. Hg.).

pretation der auf der Ikone dargestellten Gestalten als Vladimir Monomach und andere russische Fürsten und auch als ökumenische Krieger-Märtyrer zurückzuführen. Die Idee der Ikone wurde auf die Verherrlichung der erblichen Macht des Monarchen und dessen himmlische Protektion reduziert.

Um die Intention der Ikone zu ergründen, wollen wir auf eine Episode aus der »Geschichte über den Großfürsten von Moskau« von Andrej Kurbskij hinweisen: Einige Monate nach seiner Rückkehr aus Kazan, nachdem er sich von einer schweren Krankheit erholt hatte, entschloß sich Ivan, in dem entfernten Kloster des hl. Kirill Belozerskij einen Dankgottesdienst abhalten zu lassen und traf auf die entschiedene Ablehnung des angesehenen Theologen Maksim Grek. Er empfahl dem Zaren, sich lieber um die Familien der im Krieg Gefallenen zu kümmern. Als der Zar seinen Rat nicht befolgte, sagte Maksim den Tod seines Sohnes voraus. Dieser Legende ist zu entnehmen, worüber man in Moskau einige Monate nach der Rückkehr des russischen Heeres sprach. Offenbar wollte der vom Sieg berauschte Monarch nicht daran erinnert werden, um welchen Preis der Sieg erlangt worden war. Die in der Moskauer Hauptkirche unweit der Zarenresidenz aufgestellte Ikone forderte die russischen Menschen auf, den Siegern die Ehre zu erweisen und derjenigen zu gedenken, die das Leben für ihr Volk geopfert hatten. Außerdem sollte die Ikone den Zaren an seine Pflicht gegenüber den Familien der Gefallenen erinnern.

»Die Kirche auf dem Kriegszug« ist eines der originellsten Werke der russischen Ikonenmalerei. Die Verbindung des Aktuellen mit dem Ewigen, des Irdischen mit dem Himmlischen macht die Eigenart dieses Kunstwerkes aus, und deshalb kann man in ihm sowohl eine Ikone als auch ein Werk mit historischem Sinngehalt sehen.[5]

5 Vollständiger Text des Artikels: I. A. Kočetkov: K istolkovaniju ikony »Cerkov' voinstvujuščaja«, in: Trudy Otdela drevnerusskoj literatury Instituta russkoj literatury Akademii Nauk SSSR, XXXVIII, Leningrad 1985, S. 185–209.

Personenregister

Ortsregister